Marie Louise Fischer
Ein Herz für mich allein

Marie Louise Fischer

Ein Herz für mich allein

Roman

Marie Louise Fischer: Ein Herz für mich allein
Lizenzausgabe für die
Naumann & Göbel Verlagsgesellschaft mbH
Emil-Hoffmann-Straße 1
D-50996 Köln

Gesamtherstellung: Naumann & Göbel Verlagsgesellschaft mbH, Köln

ISBN 978-3-625-21066-5
www.naumann-goebel.de

I.

Bettina verhielt mitten im Tanz und blickte über ihre Schulter zurück zu dem Tisch, an dem sie und ihre Schwester gesessen hatten. »Wo ist Ursel?«

»Verdammt!« Jürgen Holbach, ihr Tanzpartner, war durch diesen unerwarteten Stillstand ins Stolpern geraten, fügte aber sofort reuig hinzu: »Entschuldige bitte, Bettina ... was hast du gesagt?«

Sie wandte ihm ihr helles herzförmiges Gesicht mit dem vollen, schöngeschwungenen Mund und den klaren, weit auseinanderstehenden Augen zu. »Ob du Ursel irgendwo gesehen hast!«

»Bestimmt!« sagte er, bemüht, wieder in den Rhythmus des Tanzes zurückzufinden. »Noch vor ein paar Minuten ... warum?«

»Ich seh' sie nirgends!« Bettina blickte über Jürgen Holbachs Schulter suchend in das Gewühl. Die kleine Tanzfläche des Hinterzimmers vom Café ›Lorzing‹, das die Schüler und Schülerinnen der Städtischen Mittelschule für ihre Abschlußfeier gemietet hatten, war gesteckt voll. Bettina sah lauter bekannte Gesichter, aber das ihrer Schwester war nicht darunter.

»Und wenn schon!? Was soll's?« sagte Jürgen Holbach. »Sie kann sich ja nicht verflüchtigt haben!«

Die Musik klang aus, die Paare blieben stehen. Bettina wollte die Gelegenheit benutzen, sich auf die Suche nach Ursel zu machen.

Jürgen Holbach hielt sie fest. »Hör mal, Bettina«, sagte er bittend, »sei doch nicht so ... du kannst dich doch jetzt nicht einfach verkrümeln!«

»Bloß auf einen Sprung! Ich will sehen, wo sie steckt ... ich bin gleich wieder zurück.«

»Das kenne ich. Sobald man dich aus den Augen läßt, hat dich ein anderer geschnappt ... wenigstens den nächsten Tanz noch, Bettina!«

Die Schulband – vier Jungen und ein Mädchen am Klavier – stimmten mit nicht ganz gelungenem Einsatz einen feurigen Cha-cha-cha an. Es fiel Bettina nicht leicht, der Versuchung zu widerstehen. Sie tanzte gut und leidenschaftlich gerne. Aber ihre Sorge um die Schwester war stärker. Geschickt löste sie sich aus Jürgen Holbachs Armen, bahnte sich einen Weg durch die Tanzenden.

Jürgen Holbach versuchte ihr zu folgen, aber ehe er die Tür erreichte, war Bettinas blonder Schopf schon verschwunden.

Er stellte sich in die Nähe der Wand, zündete sich eine Zigarette an. Er war enttäuscht und verärgert, dennoch konnte er auf Bettina nicht böse sein. –

Bettina begriff selber nicht, warum sie die Abwesenheit ihrer Schwester so beunruhigt hatte. Vielleicht kam es einfach daher, daß sie und Ursel, im Gegensatz zu den anderen, ohne ihre Eltern zur Abschlußfeier gekommen waren. Der Vater war verreist, und die Mutter hatte den kleinen Heiner, der mit einer Grippe zu Bett lag, nicht allein lassen mögen. Bettina fühlte sich für die Schwester verantwortlich, obwohl sie sehr gut wußte, daß das eigentlich unsinnig war. Schließlich war Ursel fast ein Jahr älter als sie selber und durchaus imstande, auf sich aufzupassen. Trotzdem stieg Bettinas Unruhe von Sekunde zu Sekunde, während sie die Nebenräume absuchte, jeden, der ihr begegnete, nach Ursel fragte, ohne sie jedoch zu finden.

Möglicherweise war sie schon nach Haus gegangen. Aber ohne ihr etwas zu sagen? Auch das war unwahrscheinlich.

Auf gut Glück öffnete Bettina eine Tür, von der sie nicht ahnte, wohin sie führte, und – sah ihre Schwester Ursel. Sie hockte auf einer kleinen Treppenleiter in einem Abstellraum. Bettina erkannte in dem schwachen Licht, das vom Flur in das dunkle kleine Zimmer schien, nur undeutlich ihren weißen Spitzenkragen und die dazu passenden großen Manschetten.

»Sag mal … bist du wahnsinnig geworden?« sagte sie verblüfft.

»Laß mich in Ruh!« Ursels Stimme klang wütend und verzweifelt.

Bettina zog die Tür hinter sich ins Schloß, knipste das Licht an. Eine winzige Glühbirne an der sehr hohen Decke der Kammer warf ihr Licht auf Stöße von Tellern und Tassen in Wandregalen, auf Stapel von Tischtüchern, Handtüchern, auf Besen und Eimer und auf Ursels verweintes Gesicht.

»Ursel«, fragte Bettina, »ist was passiert?«

»Das fragst du mich?«

Bettina hob hilflos die Hände. »Ja, aber ... habe ich dir etwa was getan?«

»Nein. Du nicht. Du bist ja immer der reinste Unschuldsengel!«

»Ich weiß wirklich nicht, Ursel ...«

»Nein, dir ist es bestimmt nicht aufgefallen, daß du mir alle Tänzer weggeschnappt hast, wie? Wie solltest du auch was dabei finden! Du bist es ja so gewohnt! Du bist die schöne, die begabte, die kluge Bettina! Du kannst verlangen, daß alles sich um dich dreht! Was interessiert es dich denn, wenn du mir mein ganzes Leben kaputt machst?! Du, du bist so gemein ... so gemein!« Ursel hob die zu Fäusten geballten Hände und schüttelte sie in verzweifelter Wut.

Bettina holte tief Luft. »Ursel«, sagte sie eindringlich, »du weißt sehr gut, daß alles, was du jetzt redest, Unsinn ist. Ich habe dir nicht einen einzigen Tänzer weggeschnappt, das redest du dir ja bloß ein! Du hast genau soviel getanzt wie ich ...«

»Ja, das habe ich. Das stimmt haargenau. Weil du jedesmal nur mit einem tanzen konntest. Und wer bei dir zu spät kam, hat sich dann gnädig meiner erbarmt. Glaubst du etwa, so was macht Spaß?«

Bettina wurde blaß. Sie spürte, daß die Vorwürfe ihrer Schwester nicht ganz unberechtigt waren. »Ursel!« sagte sie. »Du weißt genau ... ich kann doch nichts dafür!«

»Dafür! Dafür! Was interessiert es mich, ob du etwas dafür kannst! Ich habe es satt ... verstehst du!« Ursula griff sich mit der Hand an die Kehle. »Satt bis hierhin, immer nur in deinem Schatten zu stehen. Weißt du, wie sie in der Stadt von mir reden … weißt du das? Für niemanden bin ich Ursel Bürger … nein! Bettinas Schwester nennen sie mich! Verdammt … das ist ja wirklich nicht mehr zu ertragen.«

»Bildest du dir das nicht alles nur ein, Ursel?« sagte Bettina. »Das ist doch alles … furchtbar übertrieben. Du bist doch mindestens so hübsch wie ich …«

»Ich? Mit meiner Figur?«

Bettina versuchte zu lachen. »Da haben wir's. Du hast Minderwertigkeitskomplexe, das ist es. Bloß weil du ein bißchen dicker bist. Jeder Mensch weiß, daß sich so was von selber wieder gibt. Das liegt einfach … na, du weißt schon, woran. Wie kann man nur aus so was eine Tragödie machen?«

Ursel sprang auf und trat dicht auf Bettina zu. »Ich übertreibe also. Ich mache aus einer Mücke einen Elefanten! Ja? Dann beantworte mir jetzt mal ganz ehrlich eine Frage … wie kommt es, daß dein Zeugnis besser ist als meines?«

»Herrgott, Ursel! Als wenn das nicht ganz gleichgültig wäre, ob man …«

»Für dich vielleicht … aber für mich nicht. Mir ist es ganz und gar nicht gleichgültig, wenn ich ungerecht behandelt werde. Ich weiß genau, daß ich mindestens soviel gelernt habe wie du. Nein, noch viel mehr. Und trotzdem … bin ich etwa dümmer als du?«

»Bestimmt nicht!« sagte Bettina impulsiv.

»Na also. Da hast du's. Gib selber zu, ich bin nicht dümmer und nicht fauler als du. Trotzdem hast du das bessere Zeugnis bekommen. Also … warum? Ja, guck mich nur so an mit deinem Unschuldsblick. Bei mir zieht der nicht. Damit hast du die Lehrer eingewickelt, aber …«

Jetzt riß Bettina die Geduld. »Ursel!« sagte sie aufgebracht. »Wie kannst du so etwas behaupten! Das geht nun wirklich zu weit. Noch nie habe ich versucht, mich irgendwo lieb Kind zu machen … noch nie!«

»Aber du bist es eben. Von Natur aus. Ich mache dir auch gar keinen Vorwurf. Ich sage dir nur klipp und klar … ich kann es nicht länger ertragen. Ich halte das einfach nicht mehr aus … immer und immer nur in deinem Schatten zu stehen. So, und nun weißt du Bescheid. Verschwinde und laß mich gefälligst in Ruh!«

»Willst du etwa hier in diesem Kabuff bleiben?« fragte Bettina. »Was versprichst du dir davon?«

»Hier habe ich wenigstens meine Ruhe! Niemand kann mich hier demütigen. Weiter will ich ja schon gar nichts mehr.«

»Du wirst dir dein Kleid schmutzig machen, Ursel.«

»Das ist mir egal!« behauptete Ursel, aber dennoch blickte sie unwillkürlich besorgt an dem Rock ihres blauseidenen Kleides herunter.

»Du siehst so süß aus heute abend, wirklich! Bitte … bitte, komm doch mit zurück! Ohne dich ist es einfach langweilig!«

»Für dich etwa? Daß ich nicht lache! Du amüsierst dich prächtig … auch ohne mich.«

»Aber ich will mich nicht amüsieren, ohne daß du dabei bist, Ursel! Begreifst du das denn nicht? Glaubst du wirklich, ich könnte vergnügt sein … lachen und tanzen, wenn ich weiß, daß du hier in diesem stickigen Kämmerchen hockst? Für was hältst du mich eigentlich?«

»Jedenfalls wird die Luft nicht besser, wenn du auch noch hier herumstehst!« sagte Ursel mürrisch.

»Komm mit!« bat Bettina noch einmal.

Ursel schüttelte den Kopf. »Kommt nicht in Frage. Ich habe genug.«

Einen Augenblick standen sie sich schweigend gegenüber. Bettina sah den Trotz um Ursels Lippen, sah ihre verdüsterte Stirn und wußte, daß die Schwester sich zu sehr verbissen hatte, um von sich aus noch zurückzukönnen.

»Glaubst du«, fragte Bettina ruhig, »wenn du heute abend allein gekommen wärst … glaubst du, daß es dann besser gewesen wäre?«

»Was fragst du mich? Bin ich schon einmal ohne dich irgendwo gewesen? Kannst du dich an irgendeine Gelegenheit erinnern? Na, siehst du. Nie. Selbst im Kindergarten waren wir immer zusammen. Woher soll ich dann wissen, ob ...«

Bettina schnitt ihrer Schwester das Wort ab. »Na schön. Dann probiere es aus. Ich gebe dir dazu die Gelegenheit. Ich gehe jetzt nach Hause.«

»Du? Aber warum? Du brauchst doch nicht ...«

Ehe Ursel ihren Satz zu Ende gesprochen hatte, war Bettina auf den Flur zurückgegangen, eilte mit raschen Schritten zur Garderobe. Sie ließ sich ihren Mantel geben und verließ dann fluchtartig das Café. Sie wollte nicht, daß Ursel sie einholte, sie wollte mit sich und ihren Gedanken allein sein. – –

Als Bettina nach Hause kam, sah sie, daß im Wohnzimmer noch Licht brannte. Ein heller Strahl fiel durch die Spalte des nicht völlig geschlossenen Vorhanges in den Garten hinaus. Die Mutter war noch wach.

Ganz leise und vorsichtig schloß Bettina die Haustür auf, schlich auf Zehenspitzen die Treppe hinauf, bei jedem Schritt ängstlich lauschend. Aber nichts rührte sich im Haus. Aufatmend öffnete sie die Tür des niedrigen, geräumigen Zimmers im Dachgeschoß, das sie mit der Schwester zusammen bewohnte. Rasch zog sie sich im Dunkeln aus, schlüpfte unter die Bettdecke. Sie war froh und erleichtert, daß die Mutter nichts von ihrem frühen Heimkommen gemerkt hatte. Sie hätte nicht gewußt, wie sie ihre Fragen hätte beantworten können. Sie begriff ja selber nicht ganz, was eigentlich geschehen war.

Ursel war eifersüchtig auf sie, soviel stand fest. Aber warum nur? Warum? Weil ihr Zeugnis ein wenig besser ausgefallen war als das der Schwester? Weil mehr Jungen sie zum Tanz aufgefordert hatten als Ursel? Was bedeutete das schon? Nichts. Gar nichts. Unter all den Jungen war keiner, für den sich Bettina wirklich interessierte. Sie wußte, daß das bei Ursel genauso wenig der Fall war. Sie waren ja gleichaltrig wie sie selber, die meisten kannten sie von klein auf. Es war doch völlig gleichgültig, ob diese Jünglinge einen nett oder weniger nett fanden, ob sie gern oder weniger gern mit einem tanzten.

Warum war Ursel so verzweifelt gewesen? Bettina verschränkte die Hände hinter dem Kopf, starrte in die Dunkelheit und versuchte das Problem zu lösen. Es gelang ihr nicht. Ihr Gefühl sagte ihr, daß der Fehler bei ihr liegen mußte, aber sie begriff nicht, was sie wirklich falsch machte. Sie wußte nur, daß sie Ursel von Herzen lieb hatte, und dennoch hatte aus der Stimme der Schwester beinahe Haß geklungen.

Bettina schauderte zusammen, als sie daran dachte. Wenn sie nur einen Menschen gehabt hätte, mit dem sie darüber sprechen konnte. Aber es gab niemanden. Ihr Bruder Bernd war ein Flegel und hatte bestimmt kein Verständnis für ihre Probleme, Heiner war noch viel zu klein, und die Mutter – plötzlich wurde Bettina klar, daß die Mutter, solange sie denken konnte, immer auf Ursels Seite gestanden hatte. Nicht, als wenn Ursel Bettina wirklich vorgezogen worden wäre, aber Bettina schien es, als wenn die Schwester immer ein wenig liebevoller, ein wenig nachsichtiger, ein wenig zärtlicher behandelt worden wäre.

Der Vater, ja, der Vater war immer gerecht gewesen. Ob er sie lieb hatte? Wenigstens er?

Bettina konnte sich diese Frage nicht beantworten. Sie fühlte sich einsam, fast ausgestoßen. Ihr Verstand sagte ihr, daß sie übermüdet war, noch immer aufgeregt durch den Streit, verletzt durch Ursels Vorwürfe. Sie versuchte sich einzureden, daß jetzt in der Nacht alle Dinge anders und verzerrt aussahen. Aber dennoch krampfte sich ihr Herz zusammen vor Traurigkeit. Es war ihr, als wenn eine Zentnerlast auf ihre Brust drückte.

Bettina lag noch wach, als die Zimmertür vorsichtig geöffnet wurde und Ursel hereinhuschte. Auch sie zog sich aus, ohne das Licht anzuknipsen. »Bettina«, rief sie leise, »schläfst du schon?«

Bettina schwieg. Sie hörte, wie Ursel sich auf nackten Sohlen ihrem Bett näherte, schloß die Augen.

Sie spürte den Atem ihrer Schwester an ihrer Wange. »Bist du mir noch böse?« fragte Ursel. »Du schläfst ja noch nicht …

ich weiß, daß du noch nicht schläfst! Bitte, sag doch ein Wort!«

Bettina öffnete die Lider nicht, bemühte sich, tief und gleichmäßig zu atmen wie eine Schlafende. Ganz nahe an ihrem Ohr hörte sie die Stimme ihrer Schwester: »Bettina, ich war gräßlich zu dir! Es tut mir leid, wirklich! Bitte, verzeih mir!«

Bettina hob die Arme, legte sie im Dunkeln zart um Ursels Hals, küßte die Schwester zärtlich auf beide Wangen. »Wir wollen uns nicht mehr zanken, Ursel, ja?« bat sie. »Es ist so dumm … und es tut so weh!«

Wortlos schlüpfte Ursel zu Bettina ins Bett. Wange an Wange schliefen sie ein, Bettina mit einem glücklichen Lächeln um die Lippen.

In der Samstagausgabe des ›Westfälischen Anzeigers‹ gab es acht Seiten Stellenangebote. Bettina und Ursel rissen sich die Blätter gegenseitig aus der Hand.

»Sieh dir das an, Mutti«, sagte Bernd mit vollem Mund, »wie die Hyänen!«

»Bettina … Ursel!« mahnte Frau Bürger. »Legt die Zeitung aus der Hand! Sofort, wenn ich bitten darf! Nicht irgendwie, sondern wieder schön zusammengelegt … ja, so ist es gut. Ihr wißt genau, beim Frühstück wird nicht gelesen.«

»Aber, Mutter«, versuchte Bettina zu erklären, »wir wollten doch bloß …«

»Schließlich ist es furchtbar wichtig für uns, daß wir eine gute Lehrstelle finden«, fügte Ursel hinzu.

»Aber das muß doch nicht in diesem Augenblick sein, wie?«

»Wenn wir nicht sofort schreiben, sind die guten Angebote futsch!« behauptete Ursel schmollend.

»Vor Montag können eure Werbungen sowieso nicht dort sein … es ist also ganz gleichgültig, ob ihr sie jetzt oder erst heute nachmittag schreibt. Aber da ihr es so eilig habt … von mir aus, bitte. Sobald der Frühstückstisch abgeräumt und das Geschirr gespült ist, könnt ihr euch ins Vergnügen stürzen.«

Frau Bürger nahm einen Schluck Kaffee, fügte hinzu: »Aber denkt bitte immer daran … eure zukünftige Arbeitsstätte muß von hier aus täglich zu erreichen sein, verstanden? Bildet euch nur ja nicht ein, daß ihr nun erwachsen seid, um in die Welt hinauszuziehen. Wunschträume wie möblierte Zimmer oder dergleichen sind schon gestrichen!«

Bernd zögerte sein Frühstück so lange wie möglich hinaus, nur um die Schwestern zu ärgern. Er machte erst Schluß, als die Mutter endlich ein Machtwort sprach. In fliegender Eile deckten Bettina und Ursel den Tisch ab. Nie hatten sie so schnell gespült, abgetrocknet und aufgeräumt. Dann setzten sie sich zusammen, mit Papier und Bleistift bewaffnet, an den Wohnzimmertisch, nahmen sich den Zeitungsteil mit den Stellenangeboten heraus. Bernd schaute ihnen dabei über die Schultern.

Ursel schubste ihn mit dem Ellbogen zurück. »Hast du wirklich nichts Besseres zu tun, als uns bei der Arbeit zu stören?« fragte sie schnippisch.

»Bestimmt nicht!« Bernd lachte. »Ich hab' mir gedacht, bei euch kann ich was lernen!«

»Wenn du nicht sofort abhaust, rufe ich Mutter!«

»Na, na, na … man nicht so giftig!« Bernd schwang sich rittlings auf einen Stuhl, schlug die Arme über der Lehne zusammen, legte sein Kinn darauf, betrachtete die Schwestern amüsiert.

»Laß ihn doch, Ursel«, sagte Bettina besänftigend, »den wirst du nicht ändern.« Sie zog die Zeitung etwas näher zu sich hin, blätterte um. »Lehrstellen kommen sicher ziemlich zuletzt … da, siehst du, hier sind sie schon!« Sie tippte mit dem Bleistift auf eine bestimmte Anzeige. »Hier … da wäre schon was für uns!« Sie las: »Kaufmännische Lehrlinge, in Klammern: auch weiblich, intelligent und anpassungsfähig, für chemisches Industriewerk gesucht …« Bettina unterbrach sich. »Zu blöd … es steht nicht drin, wo das Industriewerk liegt … na, ich denke, wir schreiben auf alle Fälle mal dorthin. Was meinst du, Ursel?«

Ursel zuckte schweigend die Achseln.

Bettina bemerkte nicht die aufkommende Verstimmung der Schwester. Sie studierte eifrig weiter die Stellenangebote, machte sich Notizen, gab Kommentare dazu. »So«, sagte sie endlich, »fünfzehn habe ich gefunden, die für uns in Frage kommen ... bitte, überzeug dich selber, Ursel. Ich hab' sie alle angestrichen. Eins klingt verlockender als das andere. Aber fünfzehn Angebote mit handgeschriebenem Lebenslauf loszuschicken, das scheint mir doch ein bißchen happig, wie? Wäre es nicht besser, wir würden noch mal sortieren?«

»Wie du willst«, sagte Ursel kurz angebunden.

Jetzt erst wurde Bettina aufmerksam. »Sag mal, was ist eigentlich los mit dir, Ursel? Habe ich dir wieder was getan?«

»Nichts. Gar nichts. Wie kommst du darauf?« sagte Ursel, aber ihre Stimme klang durchaus nicht überzeugend

»Du hast das gnädige Fräulein verletzt, Bettina«, spottete Bernd, zog die Augenbrauen hoch und säuselte affektiert: »Ich bin sehr enttäuscht von dir, meine Liebe ... etwas mehr Takt dürfte ich doch wohl erwarten.«

»Aber ... ich weiß gar nichts«, sagte Bettina verwirrt, »das ist doch alles Quatsch, Ursel. Oder habe ich wirklich wieder etwas falsch gemacht? Bist du mir böse, weil ich die Angebote vorgelesen habe? Bitte, hier ist die Zeitung ... überzeug dich selber, ich wollte dir doch nur Arbeit ersparen.«

Ursel schwieg und biß sich auf die Lippen. Sie machte keine Anstalten, einen Blick in die Zeitung zu werfen. Bernd grinste unverschämt.

»Bitte, geh raus, Bernd!« sagte Bettina ärgerlich. »Laß uns allein! Du störst uns wirklich. Begreifst du das denn nicht?«

Bernd grinste noch breiter und rührte sich nicht von der Stelle.

Bettina übersah ihn und wandte sich an Ursel. »Bitte«, sagte sie, »bitte, hilf mir doch jetzt. Wir müssen die Angebote 'raussuchen, an die wir wirklich schreiben wollen ... ich kann das nicht allein entscheiden ... wirklich nicht, Ursel, Wir dürfen doch nicht ...«

Endlich tat Ursel den Mund auf. »Wir … wieso sagst du dauernd … wir? Bildest du dir etwa ein, ich hätte Lust, meine Bewerbungen mit dir gemeinsam loszuschicken?«

»Ja, aber … Ursel … nein, jetzt versteh ich dich nicht«, sagte Bettina hilflos.

»Dann muß ich mich deutlicher ausdrücken!« Ursel beugte sich vor. »Ich habe nicht die geringste Lust, mit dir im gleichen Betrieb zu arbeiten, daß du es nur weißt. Ich habe es satt, hinter dir zurückzustehen. Ich will endlich mein eigenes Leben leben. Schließlich sind wir ja keine siamesischen Zwillinge … oder?«

»Natürlich, Ursel, wenn du das so siehst«, sagte Bettina, »aber das hindert uns doch nicht daran … wir können uns doch bei derselben Firma bewerben, nicht wahr? Wahrscheinlich nehmen sie ja doch nur einen von uns.«

»Sehr richtig. Und zwar dich! Und damit rechnest du doch wohl, wie?«

»Ursel … nein … aber wie kannst du …«

»Tu doch nicht so scheinheilig, ich bitte dich. Du weißt genau, daß dein Zeugnis besser ist als meines … und du weißt auch genau, daß du hübscher bist. Ich habe neben dir überhaupt keine Chance. Du hältst mich wohl für einen Idioten, daß ich das nicht begreife!«

»Ich halte dich für einen Idioten, daß du dir so was einredest!« Jetzt wurde auch Bettina heftig. »Du mit deinen blöden Komplexen … langsam habe ich aber wirklich genug davon! Ich habe keine Lust, mich dauernd mit dir herumzuzanken, Ursel … wirklich nicht. Weshalb regst du dich so auf? Wenn du dich nicht bei den gleichen Firmen wie ich bewerben willst … dann teilen wir die Angebote doch einfach auf … es sind ja genug da.«

»Eine glänzende Idee«, sagte Ursel wild. »Du die guten, und ich die schlechten. So was konnte auch nur dir einfallen, Bettina!« Sie schob ihren Stuhl zurück und sprang auf. »Danke. Vielen Dank für deine Almosen.«

Ursel drehte sich auf dem Absatz um und wollte aus dem Zimmer rennen, stieß dabei in der Wohnungstür fast mit der

Mutter zusammen, die den kleinen Heiner, fest in eine Decke gewickelt, auf dem Arm trug.

»Was ist hier los?« fragte Frau Bürger erstaunt. »Zankt ihr euch etwa? Hier geblieben Ursel! Ich will wissen, was vorgeht!« Sie bettete den kleinen Heiner sanft auf der Couch.

»Das Übliche, Mutter«, sagte Bernd voller Schadenfreude, »die beiden liegen sich mal wieder in den Haaren ... Spieglein, Spieglein an der Wand, wer ist die Schönste im ganzen Land!«

»Dich habe ich nicht gefragt, Bernd«, sagte Frau Bürger unwillig. »Lauf bitte nach oben und hol Heiners Märchenbuch herunter. Und überhaupt, du könntest jetzt ein bißchen mit deinem kleinen Bruder spielen. Das ist eine entschieden bessere Beschäftigung, als deine Schwestern gegeneinander aufzuhetzen.«

Bernd erhob sich und tippte sich, mit der Miene einer beleidigten Unschuld, gegen die Brust: »Ich? Ich hätte sie aufgehetzt? Nein, das ist nun wirklich das Neueste. Jetzt soll ich auch noch schuld dran sein, daß diese beiden Zimtzicken sich nicht vertragen können ... na, Pustekuchen!« Er schlenderte hocherhobenen Hauptes aus dem Zimmer.

»Was war nun wirklich los?« fragte Frau Bürger die Mädchen.

Ursel und Bettina wechselten einen Blick. Bettina preßte die Lippen zusammen, sie wollte die Schwester nicht anschwärzen. Ursel zupfte nervös an ihrem Pullover herum.

»Na ... wird's bald?«

Ursel gab sich einen Ruck: »Es ist nur so, Mutter«, sagte sie, »ich will mich nicht mit Bettina zusammen bewerben ... du weißt schon, warum. Ich will es nicht! Ich ...«

Frau Bürger unterbrach ihre Tochter. »So etwas Dummes«, sagte sie und schlug sich mit der Hand vor die Stirn. »Jetzt hätte ich's doch bald vergessen ... ganz gut, daß ihr mich daran erinnert. Du kannst dich noch gar nicht bewerben, Bettina ... der Vater hat mich ausdrücklich gebeten, dir zu sagen, daß er vorher noch mit dir reden möchte ... verstehst du? Du bist nicht böse deswegen, nicht wahr? Ich glaube, Vater hat dir etwas Wichtiges zu sagen.«

Das Blut schoß Bettina in den Kopf. In ihren Ohren dröhnte es. Sie war nicht imstande, die Worte der Mutter wirklich aufzunehmen. Sie begriff nur das eine, daß sie ausgeschaltet werden sollte. Sie war überzeugt, daß die Mutter nur eingegriffen hatte, um Ursel zu helfen. Alle waren gegen sie, niemand hatte sie lieb.

Als Bettina, Ursel und Bernd am Sonntagmorgen aus der Kirche kamen, sahen sie schon von weitem das Auto vor ihrem Haus stehen. Wie auf Kommando rannten sie alle drei los, jagten die Straße hinunter, stürmten durch den Vorgarten. Während Ursel die Haustür aufschloß, klingelte Bernd Sturm. Sie stürzten, sich gegenseitig stoßend, drängend und lachend ins Haus. Ursel erreichte die Wohnzimmertür als erste, riß sie auf.

Der Vater saß mit der Mutter und Heiner beim Frühstückstisch, blickte ihnen lachend entgegen. »Na, da sind ja meine Großen«, sagte er und breitete die Arme aus.

Sie flogen auf ihn zu, umarmten ihn so stürmisch, daß es der Mutter nur noch mit Mühe und Not gelang, seine volle Kaffeetasse in Sicherheit zu bringen.

»Vati ... ich bin so froh, daß du wieder da bist!« rief Bettina.

»Hast du mir einen Flugzeugmotor mitgebracht, Vati?« fragte Bernd.

»Wie war es, Vati? Erzähl doch mal, was du erlebt hast«, drängte Ursel.

»Mir hat Vati eine Eisenbahn mitgebracht«, piepste Heiner triumphierend.

»Ist es wahr, Vati, daß du mir etwas Wichtiges zu sagen hast?« wollte Bettina wissen.

»Nun aber Schluß, Kinder! Genug! Man kann ja sein eigenes Wort nicht mehr verstehen!« sagte die Mutter energisch. »Setzt euch jetzt erst mal hin, ganz ruhig und gesittet, wie es sich gehört ... Vater hat euch etwas sehr Überraschendes zu sagen.«

»Eine richtige Überraschung, Vati?« rief Bernd aufgeregt.

»Ruhe, Bernd!« sagte die Mutter. »Mund halten!«

Der Vater wartete ab, bis jeder einen Platz gefunden hatte und absolute Ruhe eingetreten war. Dann begann er, und es war ihm anzumerken, daß er seine Worte sehr sorgfältig setzte: »Also, paßt mal auf, ihr Bande … ich glaube, es ist wirklich eine große Überraschung, die ich euch zu berichten habe … bitte, nehmt sie mit Haltung auf … kein Indianergeheul, keine Freudentänze! Unser Leben wird sich in absehbarer Zeit von Grund auf ändern. Eine Angelegenheit, die schon seit langem in der Schwebe war … ihr habt nichts davon gewußt, Mutter und ich haben es euch absichtlich verschwiegen, um keine falschen Hoffnungen in euch zu wecken … hat sich jetzt entschieden. Wir werden Dörtlingen verlassen, bei der Josef-Karl-Hütte habe ich schon gekündigt … ich habe einen Vertrag als leitender Ingenieur einer Eisenerzgrube in Indien abgeschlossen, um es genauer auszudrücken … in Bihar …«

Bernd konnte sich nicht länger zurückhalten. »Und wir?!« platzte er heraus. »Wo bleiben wir?«

Herr Bürger lächelte. »Euch nehme ich natürlich mit!«

»Ist das wahr?« Bernd sprang in die Höhe. »Nach Indien? Wir … wir reisen wirklich alle zusammen nach Indien?«

»Ja, aber nur, wenn du dich jetzt nicht wie ein Kindskopf benimmst, sondern wie ein großer Junge, auf den man sich schon ein bißchen verlassen kann. Es ist eine weite Reise, und es wird eine große Umstellung sein … also, Haltung, Herrschaften, Haltung!«

Bettina hatte die Hände gefaltet und sah Herrn Bürger aus strahlenden Augen an. »Vati … das ist zu schön, um wahr zu sein!«

»Jetzt habe ich meine ganzen Bewerbungen umsonst geschrieben«, sagte Ursel. »Zehn handgeschriebene Lebensläufe … die Arbeit hätte ich mir sparen können.«

»Macht doch nichts, Ursel«, sagte Bettina vergnügt. »Wenn ich denke, was wir alles erleben werden … ich könnte wahnsinnig werden vor Freude. Nie, nie, nie hätte ich geglaubt, daß ausgerechnet wir so ein Glück haben würden!« – –

Natürlich gab es an diesem Tag nur ein einziges Gesprächsthema, und das hieß: Indien. Bernd holte seinen Atlas hervor, und Bettina schlug das Lexikon auf; Ursel suchte das Erdkundebuch heraus, in dem Indien behandelt wurde. Sie stellten fest, daß sie eine Menge über Indien gehört und gelesen hatten, und dennoch konnten sie sich von dem neuen Leben, das auf sie wartete, nur eine sehr ungenaue Vorstellung machen. Ihre Phantasie malte ihnen ein paradiesisches Leben aus, und vergeblich bemühten sich die Eltern, ihre Begeisterung ein wenig zu dämpfen.

Vor lauter Aufregung konnte Bernd in dieser Nacht keinen Schlaf finden. Er wälzte sich hin und her und her und hin, erlebte im Geiste die aufregendsten Abenteuer, ritt auf Elefanten durch den Dschungel, kämpfte mit wilden Tigern.

Dann bekam er Hunger. Er hatte den ganzen Tag nur wenig essen können, jetzt knurrte ihm der Magen. Ganz leise, um Heiner nicht zu wecken, stand er auf, öffnete vorsichtig die Tür und schlich auf nackten Sohlen in den Gang hinaus, die Treppe hinunter.

Die Wohnzimmertür war einen Spalt breit offen, Licht fiel in die Diele. Die Eltern waren noch auf.

Damit hatte Bernd gerechnet. Er zögerte einen Augenblick. Dann pirschte er sich vorsichtig näher an die Wohnzimmertür heran, hörte von drinnen die Stimme der Mutter.

»Du mußt es ihr sagen, Bernhard«, bat sie eindringlich. »Du mußt! Bettina ist jetzt alt genug. Sie hat einfach ein Recht darauf, endlich die Wahrheit zu erfahren.«

»Du tust gerade so, als wenn wir sie ihr bisher aus Böswilligkeit verheimlicht hätten«, sagte Herr Bürger, »wir haben es doch nur gut mit ihr gemeint ...«

»Ja, ja ich weiß. Dennoch ist es eine Lüge. Glaub mir, Bernhard, Lügen bringen nie etwas Gutes. Manchmal ... ja, ich weiß, du wirst mich auslachen ... aber manchmal habe ich geradezu Angst.«

»Angst! Wovor denn?«

»Daß sie es von alleine herausbekommt, verstehst du das denn nicht? Bernhard, das darf nicht geschehen, wir müssen dem zuvorkommen.«

»Ich bitte dich, Edith, was sind das für Hirngespinste! Wer sollte ihr denn das sagen? Niemand weiß doch davon etwas außer uns beiden … und natürlich Stefan Steutenberg. Na, siehst du.«

»Du willst sie nicht verlieren«, sagte Frau Bürger, »du hast sie immer sehr lieb gehabt.«

»Du etwa nicht?«

»Doch, schon. Ganz bestimmt. Aber … deshalb meine ich ja gerade, muß es jetzt sein … manchmal ertappe ich mich dabei, daß ich für Ursel eben doch mehr Verständnis habe. Ich versuche dagegen anzugehen, Bernhard, aber … es ist stärker als ich. Du darfst mir keinen Vorwurf machen deswegen, bitte. Es ist nur so … ich sehe, wie unglücklich Ursel ist, weil sie immer in ihrem Schatten steht … ich leide einfach mit ihr.«

»Unsinn!« sagte Herr Bürger ärgerlich. »Hirngespinste! Ich hoffe nur, du unterstützt das nicht auch noch. Ja, ja, ich weiß, daß wir es Bettina sagen müssen … ich möchte es nur aus einem einzigen Grund jetzt noch nicht tun. Ich habe Stefan Steutenberg telegrafiert. Ich rechne fest damit, daß er kommt. Dann kann er es ihr selber sagen. Findest du nicht auch, daß das die beste Lösung wäre? Schließlich …«

Die Stimme des Vaters wurde leiser.

Bernd schlich sich näher zur Tür. Sein Herz klopfte zum Zerspringen. Mit angehaltenem Atem stand er da und lauschte. Dies war der aufregendste Tag seines Lebens.

II.

Die Tatsache, daß Bürgers nach Indien auswandern wollten, verbreitete sich mit Windeseile durch die kleine Stadt. Bettina, Ursel und Bernd waren nicht ganz unschuldig daran. Sie hatten alle drei nichts Eiligeres zu tun, als ihre Freunde und

Freundinnen von der großen Umwälzung in ihrem Leben zu unterrichten. Sie fanden es wundervoll, auf einmal im Mittelpunkt zu stehen.

Aber als die Wochen vergingen, ohne daß sie den Neugierigen sagen konnten, wann die große Reise tatsächlich losging, verloren ihre Pläne langsam an Interesse, ja, sie begannen unglaubhaft zu wirken.

Jürgen Holbach war der erste, der es offen aussprach. Er war eines Nachmittags auf einen Sprung zu Bürgers gekommen, um sich zu verabschieden. Sein Vater hatte ihm eine Stelle als kaufmännischer Lehrling in einem bedeutenden Industrie-Unternehmen in Düsseldorf verschafft. Er traf die Geschwister im Garten beim Tischtennisspiel.

»Sagt mal ehrlich … mit Indien … das war doch wohl bloß ein Ulk von euch, wie?« fragte er.

»Wie kommst du darauf?« Ursel sah ihn ärgerlich an.

»Ich weiß schon … hier ist der Wunsch der Vater des Gedankens«, behauptete Bernd. »Weil du verschossen in Bettina bist, willst du nicht …«

»Das hat doch damit gar nichts zu tun«, widersprach Jürgen Holbach ruhig. »Ich bin ja nicht der einzige. Damit ihr genau Bescheid wißt … niemand glaubt mehr daran, daß ihr wirklich nach Indien geht.«

»Niemand? Sag das noch einmal!« Bernd trat mit drohend erhobenem Tischtennisschläger auf Jürgen Holbach zu.

»Also, bitte«, sagte Jürgen mit einer großartigen Handbewegung, »gib dir keine Mühe, Bernd … von so einer halben Portion wie dir lasse ich mich noch lange nicht ins Bockshorn jagen. Es tut mir leid, wenn du die Wahrheit nicht ertragen kannst.«

»Die Wahrheit! Ausgerechnet ich soll die Wahrheit nicht ertragen können? Da kann ich ja nur kichern.« Bernd knallte den Schläger heftig auf die Platte. »Ich bin der einzige, der sie kennt … ich! Nur ich! Sonst niemand!«

»Was meinst du damit, Bernd?« fragte Bettina verwundert. »Von was für einer Wahrheit redest du?«

»Na, warum wir noch immer hier rumsitzen ... warum es immer noch nicht losgeht ...«

»Aber das wissen wir doch alle, Bernd«, sagte Bettina, »hab' dich doch bloß nicht so. Es handelt sich noch um ein paar Formalitäten. Ja, Jürgen, das kannst du uns schon glauben. Für so eine große Reise ist ein schrecklicher Papierkram nötig, und Vater sagt ...«

»Ich hab' dich ja nicht kränken wollen, Bettina«, unterbrach Jürgen Holbach sie. »Nur ... Bernd hat vielleicht ganz recht ... mir wär's lieber, wenn du hier bliebst. Indien ist ein bißchen weit, findest du nicht?«

»Du kannst sie behalten, wenn du willst!« rief Bernd wütend. »Heirate sie doch, dann sind wir sie los. Dann können wir endlich abhauen!«

»Bernd! Was soll denn nun das wieder heißen?!« rief Ursel.

»Genau das, was ich gesagt habe. Glotzt mich nicht so an, ich bin nicht verrückt.« Er zeigte mit einem nicht ganz sauberen Finger auf Bettinas Brust. »Sie ist schuld! Bettina! Sonst niemand! Wegen der hocken wir immer noch hier und müssen uns auslachen lassen. Sonst wären wir doch schon längst über alle Berge.«

Bettina war blaß geworden.

Jürgen legte schützend seinen Arm um ihre Schultern. »Hör gar nicht hin«, sagte er, »der Knabe spinnt ja. Das merkt ein Blinder ohne Krückstock.«

»Bernd!« sagte Ursel. »Was soll das? Los, jetzt hast du angefangen ... jetzt erklär es auch richtig! Wie kommst du darauf, daß Bettina schuld ist? Woher willst du das überhaupt wissen?«

»Weil ich es eben weiß«, sagte Bernd halb trotzig, halb verlegen, »ich hab's gehört. Neulich abends, als Vater zurückgekommen ist. Sie haben es ja gesagt.«

»Schäm dich! Du hast gehorcht«, sagte Jürgen verächtlich, »pfui Teufel!«

»Was geht dich das an?« rief Bernd wild. »Ich kann tun und lassen, was ich will. Du hast mir gar nichts zu sagen!«

»Bernd, bitte. Es ist doch ganz egal, woher du's weißt. Wir verraten dich nicht, ganz bestimmt nicht«, drängte Ursel. »Aber sag es uns endlich. Du mußt es uns sagen. Was ist mit Bettina nicht in Ordnung?«

»Wie kannst du ihn das fragen?« sagte Jürgen Holbach zornig, »merkst du denn nicht, daß er bloß angibt? Er will Bettina schlecht machen ... er weiß nichts, gar nichts. Woher sollte er auch?«

Bernd ging mit erhobenen Fäusten auf Jürgen Holbach los. »Bist du dessen so sicher?!« schrie er außer sich vor Wut, »dann paß mal auf! Paß gut auf! Bettina gehört gar nicht zu uns! Sie ist nicht unsere Schwester. Sie ...«

Er kam nicht dazu, den Satz zu Ende zu sprechen, denn Jürgen Holbachs Faust traf ihn mit voller Wucht unter dem Kinn. Bernd stürzte zu Boden.

Bettina benutzte die Sekunde, in der Jürgen Holbach sie aus den Augen ließ, sich umzudrehen und ins Haus zu rennen. Sie raste die Treppe hinauf, hörte nicht, wie Frau Bürger hinter ihr herrief, stürzte in die Dachkammer, lehnte sich keuchend mit dem Rücken an die Tür.

Ihre Welt war zusammengebrochen. Rote Kreise drehten sich vor ihren Augen. Sie wußte mit tödlicher Gewißheit, daß Bernd nicht gelogen hatte, aber sie wollte es nicht wahrhaben.

»Nein!« schrie sie in letzter Verzweiflung. »Nein!«

Dann löschte Dunkelheit ihr Denken.

Als Bettina wieder zu sich kam, lag sie in ihrem Bett. Schmerzend kehrte die Erinnerung zurück.

Sie spürte, daß sie nicht allein im Zimmer war, hielt die Augen geschlossen. Sie vermochte es nicht, die Tränen, die in ihr hochstiegen, zurückzuhalten, sie perlten unter den geschlossenen Lidern hervor, rollten über ihre Wangen, liefen ihr salzig in die Mundwinkel.

»Sie ist wach, Mutter«, hörte sie Ursels Stimme in unterdrückter Freude sagen. »Gott sei Dank ... sie kommt wieder zu sich!«

Frau Bürgers Hand strich zärtlich über Bettinas Haar. »Bitte, Liebes«, sagte sie, »weine nicht. Wir sind bei dir. Mutter und Ursel. Bitte, schau uns doch an.«

Bettina schluchzte auf, suchte nach Worten. »Hat Bernd ... es ist doch nicht wahr, Mutter ... Bernd hat gelogen. Sag, daß er gelogen hat!« Sie öffnete ihre klaren, weitauseinanderstehenden Augen, die voll Tränen waren, sah Frau Bürger flehend an.

»Bernd hat seine Strafe schon weg, Bettina«, sagte Ursel eifrig. »Jürgen Holbach hat ihn fürchterlich verhauen ... er wird noch vierzehn Tage was davon spüren.«

»Außerdem, denke ich, wird Vati auch noch ein Wörtchen mit ihm reden wollen, wenn er nach Hause kommt«, sagte Frau Bürger. »Fühlst du dich wieder besser, Bettina? Hast du einen Wunsch? Vielleicht ... vielleicht etwas zu trinken? Ja, sicher bist du durstig ...« Sie stand auf.

»Bitte, bleib«, sagte Bettina. »Bitte,« Sie richtete sich halb in ihren Kissen auf. »Ich muß wissen ... ist es wahr? Ich ... ich gehöre nicht zu euch?«

»Was für ein Unsinn.« Frau Bürger setzte sich wieder, nahm Bettinas schmale Hand. »Natürlich gehörst du zu uns ... wir haben dich lieb ... alle. Sehr lieb.«

»Aber ich bin nicht euer Kind?«

»Ist das denn so wichtig? Seit du denken kannst, hast du bei uns gelebt ... du gehörst zu unserer Familie wie Ursel und Bernd ... und wie Heiner. Wir gehören doch alle zusammen. Fühlst du das denn nicht?«

Bettina schüttelte den Kopf. »Nein«, sagte sie, »nein ...« Ihre Lippen zitterten. »Du hast Ursel immer lieber gehabt als mich ... immer. Ich habe es gespürt ... aber ich habe gedacht ...« Sie zuckte hilflos die Schultern. »Ich konnte ja nicht ahnen, wie es wirklich war. Wer bin ich? Bitte, sagt es mir ... Wißt ihr wenigstens, wer ich wirklich bin?«

»Natürlich, Bettina«, sagte Frau Bürger rasch, »du wirst doch hoffentlich nicht glauben, wir haben dich irgendwo auf der Straße gefunden? Nein, so ist es doch nicht. Dein Vater ist Stefan Steutenberg ... Onkel Stefan, der immer die schönen

Geschenke zu Weihnachten und zum Geburtstag geschickt hat. Wenn du gut nachdenkst, wirst du dich auch noch an ihn erinnern. Er war zum letztenmal hier, als du und Ursel gerade aus der Schule kamt.«

»Warum ... aber warum hat er mich fortgegeben?«

»Deine Mutter ist kurz nach deiner Geburt gestorben, Bettina. Vater und Stefan Steutenberg waren Freunde ... sehr gute Freunde, sie hatten zusammen auf der Hochschule studiert, jahrelang im gleichen Zimmer gewohnt ... sie verstanden sich sehr gut. Wir waren damals schon verheiratet, Ursel war noch nicht ganz ein Jahr alt ... es schien selbstverständlich, daß wir dich aufnahmen. Zuerst sollte es natürlich nur vorübergehend sein, bis du ein bißchen größer sein würdest. Dann kam alles anders. Für Ursel warst du einfach das Schwesterchen, und Vati und ich gewannen dich sehr lieb. Du sahst in uns deine Eltern. Als Stefan Steutenberg zum erstenmal zu Besuch kam ... du warst damals zwei Jahre ... da hattest du Angst vor ihm. Es wäre uns auch sehr schwergefallen, dich wieder herzugeben. Also blieb alles beim alten.«

»Aber ... ich verstehe es doch nicht«, sagte Bettina, »wieso hat er ...« Sie brachte es noch nicht über sich, den Mann, den sie als Onkel Stefan kannte, Vater zu nennen, »wieso hat er es einfach zugelassen? Wenn ich wirklich seine Tochter bin, warum ...«

»Stefan Steutenberg ist ein sehr unruhiger Mensch«, sagte Frau Bürger, »vielleicht hat ihn auch nur das Schicksal so gemacht. Er hat deine Mutter sehr geliebt, Bettina, und als er sie dann verlor ... das hat ihn aus dem Gleichgewicht geworfen. Er konnte es nie mehr lange an einem Ort aushalten, reiste ruhelos kreuz und quer durch die Welt. Er hätte dir weder ein Heim bieten können, Bettina, noch eine wirkliche Erziehung. Das wußte er selber. Deshalb ...«

»Ich verstehe«, sagte Bettina leise. »Ja, ich verstehe ... es ist ihm lästig, ein Kind zu haben. Ich bedeute ihm nichts.«

»Bettina! Wie kannst du so hart urteilen! Stefan Steutenberg ist, wenn du ihn erst näher kennenlernen wirst ...«

»Ich will nicht«, sagte Bettina. »Nein, ich will nicht. Er hat sich um mich nie gekümmert. Was geht er mich an?«

»Er hat all die Jahre für dich bezahlt, Bettina … von den Geschenken ganz abgesehen. Wir hätten es uns nicht leisten können, ein fremdes Kind …« Sie schlug sich mit der Hand vor den Mund. »Verzeih bitte, Bettina … du bist für uns kein fremdes Kind, wirklich nicht. Ich … es war alles so schwer.«

Bettina sah Ursel an, um ihre Mundwinkel zuckte ein wehes Lächeln. »Du bist froh, daß du mich jetzt los wirst, nicht wahr? Endlich bist du allein … endlich brauchst du nicht mehr …«

»Bettina«, sagte Ursel ehrlich. »Sag doch so etwas nicht. Bitte, nicht. Ich könnte mich ohrfeigen, daß ich oft so eklig zu dir war … aber ich dachte ja immer, du wärst meine Schwester. Wenn ich gewußt hätte … ich hätte mich bestimmt besser benommen. Du darfst es mir nicht nachtragen, Bettina … du darfst nicht böse sein. Bitte, bleib bei uns … bitte!«

»Natürlich bleibt Bettina bei uns«, sagte Frau Bürger rasch, »das ist doch ganz selbstverständlich. Wenn sie nicht zu ihrem Vater will …«

»Würde er mich denn wollen? Nein. Bestimmt nicht. Er macht sich nichts aus mir. Da gibt es nichts dran zu deuteln.«

»Du bleibst also?« fragte Ursel.

Ehe Bettina noch antworten konnte, sagte Frau Bürger: »Vater hat Stefan Steutenberg telegrafiert … Daß wir nach Indien wollen. Er muß ja seine Einwilligung geben. Vielleicht … Vati hatte gehofft, er würde selber kommen.«

»Das glaube ich nicht«, sagte Bettina bitter. »Wegen mir?«

»Sprich doch nicht so«, sagte Ursel, »du tust ja gerade so, als wenn du von aller Welt verlassen wärst. Davon kann doch keine Rede sein … wir haben dich lieb … wir alle, auch Bernd, selbst wenn er so blöd gequatscht hat. Das kam doch bloß, weil er Jürgen Holbach nicht riechen kann. Im Grunde, es ist doch ganz egal, ob du wirklich unsere Schwester bist … vielleicht verstehen wir uns viel besser, wenn wir einfach Freundinnen sind.«

»Ich werde arbeiten«, sagte Bettina, »Stenografie und Schreibmaschine haben wir ja gelernt, damit kommt man heutzutage überall weiter. Ich … ich will niemanden zur Last fallen.«

»Bettina!« rief Ursel empört. »Wie kannst du?«

»Sei still, Ursel«, unterbrach Frau Bürger sie. »Bettina hat einen schlimmen Schock erlebt, du darfst nicht ernst nehmen, was sie jetzt spricht.« Sie erhob sich. »So, und jetzt gebe ich dir etwas zur Beruhigung … einen Löffel flüssiges Lecithin, das hilft mir auch immer … am besten versuchst du dann ein bißchen zu schlafen. Wenn Vati nach Hause kommt …«

»Wie soll ich ihn nennen?« fragte Bettina. »Ich kann doch jetzt nicht mehr … wo ich weiß, ihr seid ja nicht meine Eltern.«

Frau Bürger beugte sich über Bettina und küßte sie auf die Stirn. »Nenn uns, wie du's immer getan hast, Liebes«, sagte sie, »selbst wenn es dir jetzt ganz falsch vorkommt, du kannst sechzehn Jahre deines Lebens … vielleicht die wichtigsten Jahre … nicht einfach streichen. Wenn du ruhiger geworden bist, wirst du die Dinge mit anderen Augen sehen.« – –

Eine Nachricht von Stefan Steutenberg kam erst zwei Tage später. Sie bestand aus einem ungemein ausführlichen Telegramm aus Kapstadt. Herr Bürger brachte es mit, als er abends nach Hause kam.

»Ein Telegramm von Stefan Steutenberg. Das geht dich an, Bettina«, sagte er und holte das gelbe Formular aus seiner Brieftasche. »Hier, lies selber.«

»Was telegrafiert er?« rief Ursel aufgeregt. »Darf Bettina bei uns bleiben? Wann …«

Herr Bürger legte mahnend den Finger auf die Lippen. »Ruhe, Ursel … Bettina wird es sicher gleich selber sagen.«

Bettina hatte das Telegramm überflogen, jetzt sah sie die erwartungsvollen Augen von Bernd, Ursel und Heiner auf sich gerichtet, las noch einmal laut von Anfang an: »ALTER JUNGE WAS MACHST DU FÜR GESCHICHTEN STOP WIESO AUSGERECHNET INDIEN STOP KANN

NICHT ZULASSEN DASS DU MIR MEIN KIND ENTFÜHRST STOP HABE HAUS BEI MÜNCHEN GEKAUFT STOP WERDE MICH SELBER BALD DORT ANSÄSSIG MACHEN STOP ABER NOCH NICHT SPRUCHREIF STOP HABE BETTINA IM INTERNAT VON MADAME JEUNI GENF ANGEMELDET STOP AUSGEZEICHNETES INSTITUT STOP GELD KOMMT EBENFALLS TELEGRAFISCH STOP MELDE MICH WIEDER STOP GRÜSST MIR BETTINA STOP ALLES GUTE FÜR EUCH STOP HALS- UND BEINBRUCH STOP STEFAN STEUTENBERG«

»So eine Gemeinheit!« platzte Ursel heraus. »Erst ist er froh, daß er Bettina los ist ... und jetzt auf einmal ...«

»Ursel, ich bitte dich«, sagte Frau Bürger unwillig. »Wie kannst du so töricht daherreden. Stefan Steutenberg ist niemals froh gewesen, Bettina los zu sein. Er hatte nur keine Möglichkeit, sich um sie zu kümmern.«

»Willst du denn überhaupt in dieses blöde Internat, Bettina?« fragte Bernd.

»Selbstverständlich wird Bettina das tun, was ihr Vater wünscht«, sagte Herr Bürger nachdrücklich. »Du kannst es dir am allerwenigsten erlauben, deinen Mund so aufzureißen, Bernd.«

Der Junge wurde rot und rieb sich unwillkürlich die Kinnspitze, die immer noch einen beachtlichen blauen Fleck aufwies, der langsam ins Grünliche hinüberzuspielen begann. »Bettina hätte es ja doch erfahren müssen«, sagte er trotzig vor sich hin.

»Sicher hätte sie das, Bernd«, sagte Frau Bürger, »aber nicht von dir. Und nicht auf solch rücksichtslose Art und Weise. Nein, Bernd! Du hast wahrhaftig kein Heldenstück vollbracht, und du tätest besser, uns nicht immer wieder daran zu erinnern.«

»Mein Gott, ist das aufregend!« rief Ursel. »Wir gehen nach Indien, und Bettina fährt in die Schweiz. Toll! Wenn uns jemand das noch vor ein paar Monaten gesagt hätte ...«

»Ich will aber nicht, daß Bettina weggeht!« rief der kleine Heiner mit zorniger Stimme. »Ich will es nicht! Warum geben wir nicht Ursel weg?«

»Heiner!« rief Frau Bürger entsetzt.

»Ist doch wahr«, sagte Heiner kleinlaut. »Ursel kann lange nicht so schön Kasperle spielen wie Bettina.«

Bernd holte schon aus, um seinem kleinen Bruder eins hinter die Ohren zu geben.

Herr Bürger hinderte ihn daran. »Laß das, Bernd«, sagte er, »Heiner weiß nicht, was er redet ... ich verstehe ihn schon.« Er legte seinen Arm um Bettinas Schultern, zog sie an sein Herz. »Wir alle werden dich sehr vermissen, Bettina ... du hast uns mehr bedeutet, als du selber weißt. Daß du uns wirklich verlassen wirst ... ich mag noch gar nicht daran denken.«

Einen Herzschlag lang fühlte Bettina sich an Herrn Bürgers Brust geborgen, dann begegneten ihre Augen zufällig dem Blick der Pflegeschwester. Sie spürte Ursels aufglimmende Eifersucht.

Sie löste sich aus Herrn Bürgers Armen, sagte in gezwungenem, heiterem Ton: »Gibt's bald was zu essen, Mutti? Ich habe einen Mordshunger. Wahrscheinlich kommt das durch die Aufregung.«

Nur Herr Bürger merkte, daß Bettina trotz dieser großartigen Ankündigung beim Abendbrot kaum etwas aß. Er hätte ihr gerne geholfen, sie wenigstens getröstet, aber auch er spürte die Spannung, die in der Luft lag.

Schweren Herzens entschied er sich zu schweigen. – –

Die nächsten Tage waren so bis zum Rand mit Arbeit ausgefüllt, daß für niemanden Zeit blieb, traurigen oder auch hoffnungsfrohen Gedanken nachzuhängen. Das Haus mußte vollständig geräumt werden. Geschirr, Bettwäsche, Bücher und die hunderttausend Kleinigkeiten, die zu einem richtigen Haushalt gehören, wurden in großen Kisten verpackt, die Teppiche wurden eingerollt und eingemottet, die Vorhänge mußten gewaschen werden, bevor auch sie auf dem Speicher verschwanden.

Herr Bürger hatte die Pässe für seine Angehörigen schon vorsorglich vor Wochen beantragt. Als Bettina auf dem Polizeiamt zum erstenmal mit ihrem wirklichen Namen – Bettina Steutenberg – unterschreiben mußte, war ihr sehr merkwürdig zumute. Sie fühlte sich fast ein wenig stolz auf ihr seltsames Schicksal, das sie von allen jungen Leuten, die sie kannte, hervorhob.

Am Tag der Trennung brachte die ganze Familie sie zum Flughafen Düsseldorf-Lohausen. Bettinas Herz tat weh, als sie alle der Reihe nach noch einmal küßte und umarmte. Es wurde ihr schmerzhaft deutlich, wie lieb sie jeden einzelnen von ihnen gehabt hatte. Dennoch wußte sie, daß sie nicht zu ihnen gehörte und niemals wirklich zu ihnen gehört hatte. Ihre Tränen galten weniger den Menschen, die sie Jahre, vielleicht nie mehr in ihrem Leben wiedersehen würde, sie galten dem Abschied von der eigenen Kindheit.

Als die viermotorige Maschine der Deutschen Lufthansa sich nach langem Dahinrollen endlich vom Boden abhob und in die Lüfte hinausschwang, waren Bürgers für Bettina nur noch winzige kleine Figuren in unendlicher Ferne. Sie wandte den Blick vom Fenster, lehnte sich aufatmend in die Polster. Ihr war zumute, als wenn sie eine unangenehme aber notwendige Operation hinter sich gebracht hätte.

»Sie dürfen sich jetzt losschnallen, gnädiges Fräulein«, sagte eine etwas rauhe männliche Stimme in ihre Gedanken hinein.

Sie fuhr herum und sah in zwei sehr helle Augen, die mit einem sonderbaren Ausdruck auf ihr ruhten.

Bettina wurde klar, daß sie die Anweisung aus dem Lautsprecher nicht wirklich zur Kenntnis genommen hatte, weil sie mit ihren eigenen Gedanken beschäftigt gewesen war.

»Natürlich … vielen Dank«, sagte sie leicht errötend. »Ich muß es überhört haben.«

»Kann ich Ihnen helfen?« fragte der Herr neben ihr.

»Nein, danke. Ich … ich komme selbst zurecht.«

Mit nervösen Fingern zerrte Bettina an den Sicherheitsgurten, war erleichtert, als es ihr endlich gelang, sie zu lösen.

Der Herr mit den hellen Augen zog ein Zigarettenetui aus der Rocktasche, klappte es auf, zögerte einen Augenblick, reichte es dann Bettina. »Bitte …«

Bettina wollte schon dankend ablehnen, als ihr plötzlich klar wurde, daß ihr neues Leben schon begonnen hatte. Sie war eine junge Dame, die allein durch die Welt reiste – warum sollte sie nicht rauchen? Sie nahm eine Zigarette, ließ sich Feuer geben.

Sie hatte noch nie geraucht. Es schmeckte ihr schauderhaft, und es gelang ihr nur mit Mühe, den Rauch wieder auszustoßen, ohne daß sie husten mußte. Trotzdem drückte sie die Zigarette nicht aus, denn sie wollte sich ihre Unerfahrenheit nicht anmerken lassen.

»Sie fliegen zum erstenmal, gnädiges Fräulein?«

Bettina warf ihrem Nebenmann unter den dichten Wimpern her einen verstohlen prüfenden Blick zu, während sie überlegte, ob sie antworten sollte oder nicht. Sie stellte fest, daß er nicht mehr jung war, sehr gut angezogen war, bis auf den maisgelben Schlips, der zwar zu seinem grauen Anzug, nicht aber zu seiner blassen Gesichtsfarbe paßte. Eigentlich wirkte er ziemlich vertrauenerweckend, dachte Bettina, aber war das ein Grund, sich in ein Gespräch mit ihm einzulassen? Schließlich war er ihr wildfremd.

Der Herr schien Gedanken lesen zu können. Er verbeugte sich leicht, sagte mit einem halben Lächeln: »Entschuldigen Sie bitte, ich vergaß mich vorzustellen … Ewald Bäumler. Ich hoffe, Sie halten mich nicht für aufdringlich … aber ich finde immer, bei einer kleinen Unterhaltung vergeht die Zeit viel rascher.«

Bettina drückte die Zigarette aus. »Ich finde es herrlich zu fliegen«, sagte sie ehrlich. »Von mir aus könnte es noch viel länger dauern …«

Ewald Bäumler lachte. »Das glaube ich Ihnen gern. Aber wenn Sie soviel unterwegs sein müßten wie ich, würde Ihnen die Lust am Reisen bald vergehen. Heute zum Beispiel fliege ich nach Genf, und morgen muß ich weiter nach Paris.«

»Paris?« wiederholte Bettina. »Paris muß eine herrliche Stadt sein, stell' ich mir vor ...«

»Stimmt. Es ist allerhand los dort. Besonders jetzt im Frühling ... im Bois de Boulogne, am Seinekai, im Park von Versailles, auf den Champs d'Elysées, überall elegante Menschen, Leben und Frohsinn. Ja, ich würde Ihnen das schon gern einmal zeigen.«

Bettina lachte. »Sie ... mir?«

»Warum nicht? Hätten Sie nicht Lust, einen kleinen Abstecher zu machen?«

»Ausgeschlossen! Was für eine Idee?«

»Bestimmt keine schlechte. Wenn Sie erwartet werden, brauchen Sie nur ein Telegramm zu schicken ...«

»Das kann nicht Ihr Ernst sein«, wehrte Bettina ab. »Sie ... ich fürchte, Sie schätzen mich falsch ein. Ich bin nicht so abenteuerlich, wie Sie zu glauben scheinen.«

»Alle jungen Mädchen wollen etwas erleben.«

»Tut mir leid, wenn ich Sie enttäuschen muß«, sagte Bettina, »aber ich wünsche mir nichts weiter, als wohlbehalten in Genf anzukommen.« Sie holte ein Taschenbuch, das ihr Herr Bürger noch auf dem Flughafen gekauft hatte, aus ihrer Reisetasche, schlug es auf.

»Sie fliegen nach Genf?« Herr Bäumler ließ sich nicht so leicht abschütteln. »Das trifft sich wunderbar. Dann haben wir ja dasselbe Ziel. Auch in Genf könnte ich Ihnen dies und jenes zeigen.«

»Herr Bäumler«, sagte Bettina lächelnd, »geben Sie sich keine Mühe. »Mein Vater hat mich in einem Genfer Internat angemeldet. Ich muß noch heute abend dort sein. Sie meinen es sicher gut mit mir ... aber es ist vollkommen sinnlos.«

»Schade«, sagte Herr Bäumler und seufzte tief. »Wirklich schade. Na ja, da kann man nichts machen.«

Als Bettina nichts mehr darauf sagte, sondern sich sehr vertieft in ihre Lektüre gab, zog er eine Zeitung aus der Manteltasche und begann zu lesen.

Bettina war sehr mit sich zufrieden. Sie fand, daß sie die etwas merkwürdige Situation ausgezeichnet gemeistert hatte.

Herr Bäumler schien die Abfuhr, die Bettina ihm erteilt hatte, nicht übelzunehmen. Beim Umsteigen in Zürich-Kloten bestand er darauf, Bettinas Reisetasche zu tragen.

Sie hatten fünfundvierzig Minuten Aufenthalt, und Bettina wußte nicht, wie sie Herrn Bäumler abschlagen sollte, sie im Flughafenrestaurant zu einer Tasse Kaffee einzuladen. Herr Bäumler machte jetzt auch keine Versuche mehr, sie zu irgendwelchen Abstechern zu verleiten. Im Gegenteil, er gab sich ausgesprochen nett, erzählte ganz offen, daß er in Österreich lebe, verheiratet war, zeigte Fotografien seiner Kinder, und es stellte sich heraus, daß eine seiner Töchter gerade so alt war wie Bettina.

Er erfuhr von Bettina die Adresse ihres Genfer Internats, und Bettina, die sich schon gefürchtet hatte, wie sie sich in der fremden Stadt zurechtfinden sollte, war dankbar, als er sich erbot, sie im Taxi bis dorthin zu bringen.

Von Zürich bis Genf – Bettina und Herr Bäumler hatten die Maschine wechseln müssen – dauerte knapp dreißig Minuten. Sie landeten am späten Nachmittag. Herr Bäumler war Bettina beim Aussteigen behilflich und trug wieder ihre Reisetasche. Als er ihr, halb scherzhaft, halb galant, seinen Arm bot, hakte Bettina sich lachend ein.

Nebeneinander traten sie durch die Drehtür ins Freie. Weder Bettina, noch Herr Bäumler achteten auf die junge Frau mit dem blauschwarzen, streng gescheitelten Haar und dem schicken kleinen Hut, die suchend unter den Passagieren Ausschau hielt. Bettina ahnte nicht, daß Madame Jeuni ihre Sekretärin, Mademoiselle Legrand, zum Flugplatz geschickt hatte, um sie abzuholen. Wenn sie es gewußt hätte, wäre ihr manches erspart geblieben.

Mademoiselle Legrand hielt das junge Mädchen mit dem herzförmigen Gesicht für die Tochter des älteren Herrn, bei dem sie sich eingehakt hatte.

Herr Bürger hatte telegrafiert, daß Bettina allein fliegen würde.

Mademoiselle Legrand verließ, nachdem sie die Passagiere noch einmal hatte vorbei passieren lassen, unverrichteter Dinge den Flughafen.

Herr Bäumler und Bettina ließen sich vom Zubringerauto ins Zentrum der Stadt bringen.

Das Internat der Madame Jeuni lag etwas außerhalb von Genf, auf der rechten Seite der Rhone – ein verwittertes, schloßartiges Sandsteingebäude, dessen weitläufiger Park bis zum See hinunter führte.

Neben dem breiten, kunstvoll geschmiedeten Gartentor duckte sich das kleine gelbe Pförtnerhaus, in dem der Concierge wohnte, ein gutmütiger Zerberus, der – wie Bettina bald erfahren sollte – dafür verantwortlich war, daß keines der jungen Mädchen das Internat ohne Erlaubnis verließ, noch außer der Zeit Besuche empfing. Er telefonierte zum Internat hinüber und erst, als er entsprechende Anweisungen erhalten hatte, gab er Bettina den Weg frei.

Er warf einen kurzen Blick auf Herrn Bäumler, der wieder einmal Bettinas Reisetasche trug, fragte: »Sind Sie der Vater?«

Herr Bäumler schüttelte den Kopf. »Nein. Nur ein guter Freund.«

»Sie wollen das Fräulein zu Madame begleiten?«

Bettina sah Herrn Bäumler flehend an. Sie fühlte sich plötzlich dem großen imponierenden Gebäude gegenüber sehr klein und verlassen. Herr Bäumler war der einzige Mensch, den sie noch kannte, und sie hätte sich am liebsten an ihn geklammert.

Aber er wich ihrem Blick aus. »Nein … nein, danke«, sagte er rasch, »das ist nicht nötig. Ich denke, Sie sind jetzt in guter Obhut, Bettina.«

Bettina verbarg ihre Enttäuschung. Sie reichte Herrn Bäumler mit niedergeschlagenen Augen die Hand, murmelte ein paar Worte des Dankes. Der Concierge nahm Herrn Bäumler die Reisetasche, dem Taxichauffeur den Koffer ab, wartete, bis die beiden Männer den Park verlassen hatten, stellte das Gepäck zu Boden, schloß hinter ihnen die Tür ab, nahm das Gepäck wieder auf und schlurfte vor Bettina her dem Hauptgebäude zu. Er war ein alter Mann – sicher schon an die Siebzig, dachte Bettina – mit einer gesunden rötlichen Hautfarbe und silberweißem Haar. Er hatte nichts Beängstigendes an sich, und doch fühlte Bettina sich beklommen. Ihr war, als wenn sie hinter den funkelnden Glasscheiben des Institutes Hunderte von neugierigen Augenpaaren beobachteten. Sie kam sich mit ihrem dunkelblauen Mantel, der weißen Baskenmütze und den weißen Handschuhen sehr unerfahren und schulmädchenhaft vor.

Der Concierge klingelte an der Haustür, musterte Bettina, während er auf das Öffnen der Tür wartete. Bettina bemühte sich, ihn anzulächeln, aber sie fühlte selber, daß dieses Lächeln mißlang; ihre Lippen zitterten.

Dann wurde die Haustür geöffnet. Ein adrettes Mädchen in schwarzem Satinkleid mit weißem Schürzchen und weißem Häubchen erschien, sagte sehr rasch etwas auf französisch zu dem Concierge – Bettina verstand es nicht, es klang wie eine Zahl. Der Mann schlurfte mit dem Gepäck davon.

Das Mädchen führte Bettina in eine große, sehr eindrucksvolle Diele, bat sie einen Augenblick zu warten. Schüchtern sah Bettina sich um. Die Diele war dunkel getäfelt, der gepflegte Parkettboden mit schweren Perserteppichen belegt; es gab einen offenen Kamin mit einem gebogenen Kupferdach.

Bettina stand mitten im Raum. Sie wagte es nicht, sich zu setzen. Voll nervöser Unruhe zog sie ihre weißen Handschuhe aus und wieder an. Die Sekunden des Wartens erschienen ihr wie eine Ewigkeit.

Dann war das Stubenmädchen wieder neben ihr, öffnete ihr die Tür zu einem großen hellen, mit erlesener Eleganz eingerichteten Zimmer. »Madame Jeuni läßt bitten …«

Unsicher trat Bettina ein. Ihre Füße versanken in den dick aufeinandergelagerten Teppichen. Schritt für Schritt näherte sie sich dem kunstvoll verschnörkelten Schreibtisch, hinter dem Madame Jeuni saß, sehr gerade, die schmalen, blaugeäderten Hände vor sich auf dem Tisch, und ihr aus sehr großen dunklen Augen entgegensah. Madame Jeuni war nicht mehr jung, ihr blasses Gesicht war von scharfen Falten gezeichnet, der Mund wirkte leicht verkniffen, aber sie schien immer noch sehr viel Wert auf ihr Äußeres zu legen. Ihr Haar war sorgfältig gelegt, in einem hellgrau getönten Weiß gefärbt, ihre Lippen waren scharlachrot nachgezogen, und an ihren Händen trug sie schwere Ringe.

Ohne zu wissen warum, wurde Bettina plötzlich von würgender Angst gepackt. Am liebsten hätte sie sich umgedreht und wäre aus dem Zimmer gerannt.

»Kommen Sie näher, mein Kind«, sagte Madame Jeuni in französischer Sprache. Ihre Stimme klang kalt und befehlsgewohnt. »Haben Sie eine gute Reise gehabt?«

»Ja …«

»Sie sind es nicht gewohnt, französisch zu sprechen?«

»Nein … ich … wir … ich … war haben es nur auf der Schule gelernt.«

»Sie werden bei uns Gelegenheit haben, Ihre Sprachkenntnisse zu vervollkommnen«, sagte Madame Jeuni. Dann wechselte sie zu Bettinas unendlicher Erleichterung in die deutsche Sprache über. »Wie alt sind Sie?«

»Sechzehn …«

»Darf ich Ihr Schulzeugnis sehen?«

»Bitte … nein … es tut mir leid«, stammelte Bettina, »der Pförtner … es ist in meiner Reisetasche.«

»Nun gut. Das hat Zeit.« Madame Jeuni ließ nicht eine Sekunde ihren schwarzen durchbohrenden Blick von Bettinas Gesicht. »Ich habe ein Telegramm bekommen«, sagte sie und spielte mit dem Papiermesser, »ein Telegramm eines …« Sie begann unter den Papieren auf ihrem Schreibtisch zu suchen, »eines Herrn Berthold Bürger …«

»Das ist mein Pflegevater«, sagte Bettina.

»Er kündete mir Ihre Ankunft an.« Madame Jeuni hatte das Telegramm endlich gefunden, nahm es in die Hand und hielt es mit einem gewissen Abstand vor Augen, las: »Bettina Steutenberg fliegt allein … ja, das ist es, worüber ich mit Ihnen reden wollte. Soviel ich weiß, sind Sie in Begleitung eines Herrn hier angekommen?«

»Ja«, sagte Bettina und ärgerte sich über sich selber, weil sie errötete, »Herr Bäumler … er war so nett, mich hierher zu begleiten.«

»Ein Bekannter von Ihnen?«

»Ja«, sagte Bettina, dann überwand sie sich und fügte hinzu: »Ich habe ihn auf dem Flug kennengelernt. Er … er war sehr nett zu mir, er war mir behilflich … wenn Sie verstehen, was ich meine.«

Unter dem durchbohrenden Blick Madame Jeunis war Bettina einfach außerstande, sich so auszudrücken, wie sie es sich gewünscht hätte.

»Hat Ihnen niemand gesagt, daß Reisebekanntschaften für ein junges Mädchen nicht nur … nicht nur gegen Anstand verstoßen, sondern möglicherweise auch sehr gefährlich werden können?«

»Doch, natürlich«, sagte Bettina, »natürlich weiß ich das … ich … ich lasse mich auch nicht einfach ansprechen, aber …«

»Dieser Herr hat Ihnen also gefallen?«

»Nein! Ich meine … ja, ich fand ihn sympathisch. Wir saßen auf dem ganzen Flug nebeneinander. Was war denn dabei?«

»Fragen Sie das im Ernst?«

»Anfangs habe ich versucht, ihn abblitzen zu lassen, wirklich … aber dann kam ich mir selber albern vor. Er hatte ja auch bestimmt keine bösen Absichten.«

»Sind Sie denn so sicher?«

»Ja, natürlich.«

»Hat er Sie nicht aufgefordert … na, vielleicht … ein wenig später ins Internat zu kommen? Oder … mit ihm zusammen irgendwo hinzufahren?«

»Nein!« sagte Bettina, und bei dieser Lüge schoß ihr das Blut in einer roten Welle ins Gesicht.

»Selbst wenn wir unterstellen, daß sich Ihre Flugreisebekanntschaft … daß dieser Herr ein absoluter Ehrenmann ist, selbst dann muß ich Ihnen ehrlich sagen, daß ich Ihr Benehmen äußerst tadelnswert finde, mein Kind. Man hat Sie mir als Tochter Stefan Steutenbergs sehr warm empfohlen. Ich muß Ihnen sagen, daß ich enttäuscht von Ihnen bin. Ich möchte nicht ungerecht sein, aber ich finde für Ihr Verhalten beim besten Willen keine Entschuldigung. Es ist genug, daß Sie sich auf der Reise von einem fremden Mann ansprechen ließen … ihn aber aufzufordern, Sie hierher ins Internat …«

»Ich habe ihn nicht aufgefordert«, sagte Bettina heftig, »er hat es mir angeboten!«

»Auch wenn Sie glauben, daß ich im Unrecht bin, mein Kind … es ist eine sehr schlechte Angewohnheit, einen Menschen mitten im Satz zu unterbrechen, noch dazu eine um so viele Jahre ältere und erfahrenere Frau wie mich.«

Bettina war den Tränen nahe, unfähig ein Wort hervorzubringen, starrte sie vor sich hin auf den Teppich.

»Sie halten es also nicht für nötig, sich zu entschuldigen?« fragte Madame Jeuni scharf.

»Doch, natürlich. Bitte, verzeihen Sie mir …«

»Es würde mir sehr leid tun, wenn es sich herausstellen sollte, daß Sie in den Kreis meiner Zöglinge nicht hineinpassen. Ich möchte Ihnen das von Anfang an klar vor Augen halten … ich kann keine störenden Elemente in meinem Internat dulden … die Mädchen, die mir anvertraut sind, sind durchwegs aus sehr guten Familien, sie haben eine ausgezeichnete Kinderstube hinter sich. Meine Aufgabe besteht nur darin, ihnen sozusagen den letzten Schliff zu geben … ihnen den Übergang von der Kindheit in das Gesellschaftsleben zu erleichtern. Ich hoffe, Sie werden sich Mühe geben, sich in unser Haus einzufügen. Vergessen Sie nicht, daß als Tochter Stefan Steutenbergs sehr bald schon gesellschaftliche Aufgaben auf Sie warten werden. Meine Assistentin, Fräulein Legrand, wird Sie jetzt auf Ihr Zimmer führen und Sie in die Hausordnung einführen. Ich bedauere es sehr, daß die Zeit hier bei uns mit einem solchen Mißklang anfangen mußte. Aber Sie werden zugeben, daß es einzig und allein Ihre Schuld ist!«

Madame Jeuni drückte auf die Taste einer kleinen Apparatur auf dem Schreibtisch. Wenige Augenblicke später erschien Jeanette Legrand, der das Signal gegolten hatte, und führte Bettina in ihr Zimmer.

Bettina brachte es nicht fertig, Mademoiselle Legrands Erklärungen Aufmerksamkeit zu schenken, sie spürte auch nicht den ehrlichen Willen der jungen Frau ihr zu helfen. Sie war so verstört, daß sie nur den einzigen Wunsch hatte, allein gelassen zu werden.

Als Fräulein Legrand endlich ging, stürzte Bettina zur Tür. Sie wollte abschließen, mußte aber feststellen, daß es keinen Schlüssel gab. Die Zimmertüren waren nur von außen zu verriegeln.

Diese Tatsache steigerte Bettinas Verzweiflung. Sie fühlte sich so elend wie noch nie in ihrem Leben. Wenn Madame Jeunis Vorhaltungen ungerechtfertigt gewesen wären, würde sie wahrscheinlich leichter darüber hinweggekommen sein, aber sie spürte deutlich, daß sie sich falsch benommen hatte. Grade deshalb schmerzte der Tadel wie eine brennende Demütigung.

Heimweh zerriß Bettinas Herz, Sehnsucht nach Bürgers, nach Ursel, nach Heiner, ja, selbst nach Bernd. Am liebsten hätte sie sich in einen dunklen Winkel verkrochen. Sie warf sich auf den bunten Krettoneüberzug ihres Bettes, verbarg ihren Kopf in den Armen und schluchzte wild auf. Sie fühlte sich allein und schutzlos einer fremden feindlichen Welt preisgegeben.

Es dauerte lange, bis ihre Tränen sanfter zu fließen begannen. Dämmerung fiel in das Zimmer. Bettina war erschöpft von den Aufregungen der letzten Tage, erschöpft von dem langen Flug. Die Augen fielen ihr zu.

Als eine Hand sie kräftig an der Schulter schüttelte, fuhr sie entsetzt hoch. Sie mußte sich erst besinnen, wo sie war. Dann begriff sie wieder alles. Sie war eingeschlafen, und das rothaarige junge Mädchen, das im Tennisdreß vor ihr stand, war wahrscheinlich ihre Zimmergenossin.

»Oh, entschuldigen Sie, ich … es tut mir leid … wie spät ist es?« fragte Bettina.

»Bist du Deutsche?« fragte das rothaarige Mädchen.

»Ja …«

»Hier im Haus ist es verboten, deutsch zu sprechen … wußtest du das nicht?«

Bettina errötete, weil sie offensichtlich schon wieder etwas falsch gemacht hatte. »Doch, ja«, sagte sie rasch, »Mademoiselle Legrand hat es mir erklärt … aber … ich spreche nicht sehr gut französisch.«

»Drum eben. Wir sollen es lernen…«

»Was sind Sie … oder darf ich du sagen … für eine Landsmännin?«

»Engländerin. Aber meine Mutter ist Deutsche. Deutsch und Englisch geht bei mir, jetzt haben sie mich nach Genf geschickt, damit ich Französisch lerne. Ich heiße Dotty Glenford … übrigens sagen wir hier alle du zueinander.«

»Bettina Steutenberg«, stellte Bettina sich vor, »ich komme aus Dortlingen.«

»Dortlingen? Nie gehört.«

»Eine kleine Stadt in Westfalen, am Rande des Ruhrgebietes.«

Dotty zuckte die runden Schultern. »Keinen Sinn«, sagte sie, »Geographie ist meine schwache Seite.« Sie setzte sich zu Bettina aufs Bett, schlug die langen nackten Beine übereinander. »Warum hast du geweint?« fragte sie neugierig. »War die Trennung so schlimm?«

»Madame Jeuni … sie hat mich furchtbar abgekanzelt.«

»Willst du etwa behaupten, daß du deshalb geheult hast?«

»Ja«, sagte Bettina erstaunt. »Ich … es war ganz furchtbar. Wirklich.«

Dottys grüne Augen begannen zu funkeln. »Alles kann ich vertragen«, sagte sie aufgebracht, »nur keine Lügereien!«

»Aber … ich lüge doch nicht! Warum sollte ich denn?«

»Du bist eine widerwärtige Heuchlerin, daß du's nur weißt. Glaubst du wirklich, du könntest mir was vormachen? Ausgerechnet mir? Das ganze Internat weiß, daß du dich von einem Mann hast bringen lassen.«

Bettina schwang die Beine zu Boden und sprang auf. »Ja, aber das ist es doch gerade! Deshalb war Madame Jeuni so böse auf mich. Das will ich dir ja gerade erklären.«

»Was Madame Jeuni dir gesagt oder nicht gesagt hat, interessiert mich nicht im geringsten … was war das mit dem Mann?«

»Der Mann? Herrgott, was soll denn mit dem Mann gewesen sein? Ich habe ihn ja kaum gekannt.«

»Ach so. Sicher hast du dich nur ganz zufällig von ihm hierher begleiten lassen, nicht wahr?« sagte Dotty, und ihre Stimme war von gefährlicher Sanftheit.

»Ich habe ihn im Flugzeug kennengelernt, wenn du's genau wissen willst. Er hat ein Gespräch mit mir angefangen, und weil er ganz nett war, bin ich drauf eingegangen. Das ist alles.«

Dotty trat dicht auf Bettina zu. »Das soll ich dir glauben?«

»Es ist die Wahrheit!« sagte Bettina mit fester Stimme.

»Lächerlich! Niemand weint wegen einer zufälligen Bekanntschaft. So was gibt es nicht.«

»Ich habe ja auch nicht wegen Ewald Bäumler geweint«, rief Bettina verzweifelt, »sondern weil Madame Jeuni mich ausgeschimpft hat. Kannst du das denn nicht begreifen?«

»Nein«, sagte Dotty, »das kann ich nicht. Das einzige, was ich begreife, ist, daß du mich anlügst. Du willst dein Geheimnis für dich behalten. Na, das ist deine Sache. Wärst du ehrlich zu mir gewesen, ich hätte dir geholfen. Vielleicht hätte ich sogar einen Weg gewußt, wie du dich mit ihm treffen könntest. Aber du glaubst, daß du alleine fertigwerden kannst. Bitte. Von mir aus. Mach, was du willst. Für mich bist du Luft.«

Damit wandte sie Bettina den Rücken zu und öffnete ihren Kleiderschrank.

»Aber, bitte, Dotty … wirklich … du tust mir unrecht«, sagte Bettina eindringlich. »Wenn du Herrn Bäumler gesehen hättest … es ist wirklich gar nichts an ihm dran. Wie kannst du glauben, daß ich in ihn verliebt wäre oder so etwas?«

Dotty gab keine Antwort. Sie zog ihre weiße Bluse und ihr Tennisröckchen aus, schlüpfte statt dessen in ein hellgrünes Sommerkleid.

Bettina machte noch mehrere Versuche, Dotty zu versöhnen. Sie spürte deutlich, in welch eine unerquickliche Situation sie geriet, wenn sie sich mit ihrer Zimmergenossin von Anfang an verfeindete. Aber Dotty reagierte nicht. Sie stellte sich einfach taub.

Erst als unten im Haus drei kräftige wohltuende Gongschläge ertönten, öffnete Dotty wieder den Mund. Sie sagte es auf französisch, vergewisserte sich nicht, ob Bettina sie verstanden hatte, sondern verließ erhobenen Hauptes den Raum.

Bettina mußte sich den Weg zum Eßsaal selber suchen.

Die nächsten Wochen wurden für Bettina die schwersten ihres jungen Lebens.

So sehr sie sich auch bemühte, sich in die Gemeinschaft einzufügen, es gelang ihr nicht. Sie war und blieb eine Fremde. Zwar gab es mehrere deutsche Mädchen in dem Internat Madame Jeunis, aber Bettina gelang es nicht, Kontakt zu ihnen zu finden. Sie kannten sich alle untereinander, und Bettina brachte nicht den Mut auf, sich in ihren Kreis zu drängen. Schon allein dauernd französisch zu sprechen, machte ihr große Schwierigkeiten. Offiziell durfte im Internat nur französisch gesprochen werden, damit die Mädchen – es waren zum allergrößten Teil Ausländerinnen – die fremde Sprache wirklich beherrschen lernen sollten. Bettina, die nur ein paar Jahre in der Schule Französisch gehabt hatte, fehlten die Worte, sich richtig auszudrücken. Sie mußte sich äußerste Mühe geben, um überhaupt dem Unterricht folgen zu können. Es gab niemanden, der sich ihrer angenommen oder ihr etwas erklärt hätte. Dotty zeigte ihr hartnäckig die kalte Schulter, sprach prinzipiell nur mehr französisch mit ihr.

Wenn Bettina sie deutsch ansprach, reagierte sie einfach nicht.

Frau Bürger hatte Bettina vor ihrer Abreise von Kopf bis Fuß neu eingekleidet, und in Dortlingen war Bettina von ihren Kleidern, Mänteln, Jacken und Schuhen begeistert gewesen. Hier mußte sie plötzlich erkennen, daß alle anderen Mädchen weit eleganter waren als sie selber. Jedenfalls schien es ihr so. Sie fühlte sich wie ein Aschenputtel, wurde von Tag zu Tag schüchterner und unglücklicher.

Das Schlimmste war, daß sie nicht gewußt hatte, daß zum Pensum der Schule Reiten und Tennisspielen gehörte. Die meisten der sehr reichen jungen Mädchen hatten diese Sportarten von kleinauf betrieben, Bettina ahnte nicht einmal etwas von den Anfangsregeln. Dazu kam, daß sie weder ein Reitdreß, noch Tenniskleider besaß. Weder Frau Bürger noch sie hatten daran gedacht, daß sie so etwas brauchen würde.

Bettina ging ins Büro von Mademoiselle Legrand und bat, sie vom Sportunterricht zu dispensieren.

»Aber warum denn nur?« fragte Mademoiselle Legrand erstaunt. »Reiten und Tennis, das sind doch die Lieblingsfächer der meisten Mädchen. Sie sind wirklich die erste, die keine Lust dazu hat!«

»Ich möchte wirklich nicht«, sagte Bettina mit niedergeschlagenen Augen, »bitte, Mademoiselle, würden Sie es Madame Jeuni erklären?«

»Aber, Bettina, wie könnte ich denn das? Ich begreife es ja selber nicht. Wenn Sie mir wenigstens einen einleuchtenden Grund angeben könnten ...«

Bettina rang nervös die Hände. »Es ... es ist nur so ...« Sie schlug die Lider auf, sah Mademoiselle Legrand aus ihren klaren, weit auseinander stehenden Augen flehend an, »ich kann es nicht. Ich habe es nicht gelernt.«

»Das macht doch nichts«, sagte Mademoiselle Legrand sofort, »wir haben auch Kurse für Anfängerinnen.«

»Ich ... ich bin sehr ungeschickt ... ich fürchte ...«

»Sie haben Angst, sich zu blamieren, nicht wahr? Nein, Bettina, Sie sollten sich wirklich nicht so gehenlassen. Sie müssen diese Angst überwinden ... überhaupt, ich wollte schon längst einmal mit Ihnen sprechen ... Sie sollten etwas mehr aus sich herausgehen. Sie dürfen nicht erwarten, daß die anderen Mädchen von sich aus versuchen werden, sich mit Ihnen zu befreunden. Sie sind es, die zuletzt gekommen ist, Sie müssen schon den ersten Schritt tun.«

Bettina fühlte sich außerstande, Mademoiselle Legrand zu erklären, daß ihr dies einfach unmöglich war. Sie unterdrückte einen Seufzer, sagte: »Gibt es denn gar keinen Ausweg? Muß ich wirklich mitmachen?«

»Ich fürchte ja, Bettina. Es sei denn, Sie brächten ein ärztliches Attest bei.«

»Das kann ich nicht.«

»Na, sehen Sie ... Sie geben also selber zu, daß Sie ganz gesund sind. Für einen jungen gesunden Menschen sollte es nichts Schöneres geben, als Sport treiben zu dürfen. Versuchen Sie es nur. Ich bin ganz sicher, es wird Ihnen Freude machen.«

Für Mademoiselle Legrand war das Gespräch damit beendet, sie erwartete, daß Bettina sich von ihr verabschieden würde. Aber das junge Mädchen rührte sich nicht von der Stelle.

»Sonst noch etwas?« fragte Mademoiselle Legrand.

»Ich habe kein Sportzeug, weil ... ich habe ja nicht gewußt ...«

»Ach so. Das ist natürlich ärgerlich. Aber, warten Sie, wir werden schon einen Ausweg finden. Haben Sie eine Ahnung, wieviel Sie auf Ihrem Konto haben?«

»Auf meinem ...? Nein, das weiß ich nicht. Habe ich überhaupt ein Konto?«

»Die meisten Schülerinnen haben eines, damit sie sich irgendwelche Extrawünsche erfüllen können. Warten Sie einen Augenblick, ich schaue auf Ihrer Karte nach ...«

Mademoiselle Legrand begann in einer großen Kartothek zu blättern; endlich hatte sie Bettinas Blatt gefunden, zog es heraus. »Nichts«, sagte sie enttäuscht. »Das tut mir leid. Das beste wird sein, Sie schreiben Ihrem Vater. Er ahnt gewiß nicht, daß Sie Geld brauchen. Bitten Sie ihn, ein ständiges Konto für Sie anzulegen. Sicher wird Ihr Vater diese Bitte verstehen.«

»Ich werde es versuchen«, sagte Bettina leise.

»Gut so, Bettina. Aber was machen wir bis dahin? Warten Sie mal, ich glaube, ich habe eine Idee ... ich werde mal nachschauen, ob ich Ihnen vielleicht aushelfen kann. Kommen Sie heute nach dem Abendessen auf mein Zimmer, ja? Dann werden wir zusammen schauen, ob wir etwas Passendes für Sie finden.« – –

So kam es, daß Bettina ihre ersten Reit- und Tennisstunden in den abgelegten Kleidungsstücken von Mademoiselle Legrand absolvieren mußte. Sie fühlte sich durch die Tatsache entsetzlich gedemütigt, glaubte, daß man hinter ihrem Rükken über sie spöttelte.

Trotzdem schrieb sie ihrem Vater nicht. Sie hatte noch nie in ihrem Leben einen Brief an ihn geschickt, und sie spürte deutlich, daß der erste Brief nicht gleich eine Bitte um Geld enthalten durfte.

Manchmal sehnte sie sich heiß nach ihrem unbekannten Vater, manchmal haßte sie ihn dafür, daß er sie in eine Situation gebracht hatte, der sie nicht gewachsen war. Abends, wenn sie nicht einschlafen konnte, setzte sie im Geiste oft lange Briefe an ihn auf, sehnsüchtige, anklagende, liebevolle oder zornige Briefe. Keinen von ihnen schrieb sie wirklich.

Ihre Mutlosigkeit wuchs von Tag zu Tag. – –

Dem Unterricht zu folgen, fiel Bettina, sobald sie sich daran gewöhnt hatte, Französisch als Umgangssprache zu gebrauchen, nicht schwer. Die Schülerinnen der Klasse 2 a, in die der Vater sie angemeldet hatte und zu der auch Dotty gehörte, wurden nicht für einen Beruf vorbereitet, sondern, wie Madame Jeuni immer wieder betonte, für das Leben, oder, genauer ausgedrückt, für die Ehe. Die Mädchen lernten Kochen, Schneidern, Säuglingspflege, Literatur, Kunstgeschichte, Musikerziehung – jede mußte mindestens ein Instrument beherrschen lernen – und dann natürlich der Sport. Es wurden keine Noten für die Leistungen in den einzelnen Fächern erteilt. Madame Jeuni setzte, wie sie immer zu sagen pflegte, voraus, daß die jungen Damen selber die Zeit im Institut ausnutzten, um sich so viele Fähigkeiten wie nur möglich anzueignen.

Allerdings stellte Bettina schon bald fest, daß das nicht zutraf. Ein großer Teil der Mädchen – sie waren durchweg aus sehr reichen Häusern, verwöhnt und verzogen – gab sich nicht die geringste Mühe, irgend etwas zu lernen. Sie benutzten den Aufenthalt im Internat nur dazu, die Zeit totzuschlagen, bis sie sich erwachsen nennen durften.

Dotty Glenford war eine der besten Schülerinnen. Sie war zwar nicht fleißig, aber begabt und von rascher Auffassungsgabe. Immer wurde sie den anderen als leuchtendes Beispiel vorgehalten. Niemand der Lehrpersonen schien zu durchschauen, daß sie eine Doppelrolle spielte. Den Erwachsenen gegenüber gab sie sich sanftmütig, gehorsam, eifrig und ungeheuer brav, sobald sie mit ihren Mitschülerinnen allein war, zeigte sie sich keck, vorwitzig, leichtsinnig und voller Spottlust. Bettina wußte oft nicht, welche die wirkliche Dotty war. Aber sie bewunderte ihre Zimmergenossin von ganzem Herzen, allein schon deshalb, weil sie imstande schien, jede Situation mit Leichtigkeit zu meistern. Aber Dotty behandelte sie nach wie vor wie Luft.

Bettina war diese kühle Ablehnung eines Menschen, zu dem sie sich von Herzen hingezogen fühlte, das Schmerzlichste von allem. Sie konnte nicht begreifen, warum Dotty so böse auf sie war, war überzeugt, daß der Fehler bei ihr liegen müßte. Anscheinend hatte sie Fehler, die ihr selber nicht bewußt waren. Mit ihrer Pflegeschwester Ursel war es ihr ja ganz ähnlich ergangen, wenn auch aus anderen Gründen. Sie hatte Ursel ehrlich gern gehabt, dennoch war es ihr nicht gelungen, Gegenliebe zu erwecken.

Bettina fühlte sich sehr unglücklich. Sie wagte nicht einmal mehr den Versuch, aus sich herauszugehen, Freundinnen zu gewinnen, sondern zog sich nur immer mehr in sich selber zurück. Oft spielte sie mit dem Gedanken, bei Nacht und Nebel auszureißen und das verhaßte Internat zu verlassen.

Eines Morgens, als Bettina gerade mit ihrer Klasse von einer Besichtigung des Musée d'Art et d'Historie zurückkam, fing Jeanette Legrand den Kunstgeschichtslehrer Monsieur Züngli in der Haustür ab. »Entschuldigen Sie bitte, Monsieur«, sagte sie, »wenn ich Ihnen Bettina Steutenberg entführe ... Madame Jeuni wünscht sie zu sprechen.«

Bettina erschrak. Zu Madame Jeuni gerufen zu werden, das konnte nichts Gutes bedeuten. Mit hängendem Kopf folgte sie der Sekretärin, die ihr die Tür zum Allerheiligsten der Vorsteherin öffnete. Zögernd, mit gesenktem Blick, trat sie ein.

Aber entgegen ihrer Erwartung klang die Stimme Madame Jeunis überraschend freundlich. »Bettina«, sagte sie herzlich, »Sie haben Besuch bekommen!«

Bettina hob die Augen und sah in ein männliches, wetterhartes Gesicht, braune Augen, die von zahlreichen Fältchen umgeben waren. Ihr Herz setzte für eine Sekunde aus vor Freude und Schreck. Ohne daß es ihr jemand gesagt hatte, wußte sie, daß dieser Mann ihr Vater war – Stefan Steutenberg.

III.

Stefan Steutenberg begegnete Bettinas Blick ohne ein Wort zu sprechen, ohne sich von der Stelle zu rühren. Er wirkte sehr viel jünger, als Bettina sich ihren Vater vorgestellt hatte. Sein Haar war von der Sonne gebleicht und bildete einen lebendigen Kontrast zu seinem dunklen Gesicht. Nase und Kinn waren energisch, der volle Mund schön geschnitten und sensibel. Er war ihr Vater und doch zugleich ein Fremder, ein wildfremder, nie gesehener Mann.

Ohne daß Bettina oder Stefan Steutenberg gewahr wurden, hatte die Vorsteherin lautlos das Zimmer verlassen. Schweigen lastete zwischen ihnen – knisterndes, spannungsgeladenes Schweigen.

Dann räusperte sich Stefan Steutenberg, und dennoch klang seine Stimme belegt, als er sagte: »Bettina!«

Mehr brachte er nicht über die Lippen. Er streckte seine rechte Hand nach ihr aus, ohne sich von der Stelle zu rühren, und als wenn eine magnetische Kraft von ihm ausginge, zog es Bettina zu ihm hin. Zaghaft berührte sie diese braune kräftige Hand.

Dann plötzlich war es um ihre Beherrschung geschehen. Sie warf sich an die Brust ihres Vaters, weinte sich bitterlich schluchzend ihr Leid von der Seele, spürte gleichzeitig beseeligt seine starke beschützende Umarmung.

»Weine doch nicht, Bettina!« sagte er immer wieder. »Es ist alles gut ... jetzt ist alles gut. Ich bin ja bei dir, mein Kleines. Bitte, weine nicht mehr.«

Dennoch dauerte es lange Zeit, bis Bettina sich einigermaßen beruhigt hatte. Endlich hob sie ihr tränenüberströmtes Gesicht zu ihm auf, stammelte: »Vater! Daß du ... daß du gekommen bist. Warum ...«

Er legte seine Finger auf ihre Lippen, sagte: »Frag jetzt nicht, Bettina ... bitte, frag nichts! Du wirst alles verstehen. Ich bin sicher.« Er zog ein Taschentuch, betupfte behutsam ihr blütenhaftes Gesicht, wischte die Tränen aus ihren klaren, weit auseinander stehenden Augen. Zärtlich blickte er auf sie hinab. »Wie sehr du deiner Mutter gleichst, mein Kleines ... wie sehr!«

»Meine Mutter ...«, begann Bettina.

»Ich werde dir von ihr erzählen«, unterbrach er sie, »... du sollst alles wissen. Alles. Aber jetzt wollen wir nicht länger sentimental sein ... laß uns lieber Pläne schmieden. Heute ist Freitag. Bis Sonntagabend kann ich in Genf bleiben. Ich habe schon mit Madame Jeuni gesprochen. Wir werden viel zusammen sein können. Hast du irgendeinen Wunsch?«

Bettina hätte am liebsten gebeten: Nimm mich fort von hier! – aber sie wagte es nicht. Der Vater war ihr noch zu fremd. Sie fühlte sich in seiner Nähe befangen. So schüttelte sie nur stumm den Kopf.

»Wirklich nicht?« fragte Stefan Steutenberg.

»Nein ...« sagte sie zögernd.

»Madame Jeuni hat mir berichtet, daß deine Ausstattung nicht vollkommen ist. Du brauchst ein Reitdreß und Tenniszeug! Warum hast du mir das nicht geschrieben?«

»Ich ... ich wollte dir nicht ... nicht gleich mit Wünschen kommen«, sagte Bettina.

Stefan Steutenberg legte seinen Arm um ihre Schulter, zog sie wieder an sich. »Das war sehr töricht von dir, mein Kleines ... ich bin ja dein Vater, und ich bin dazu da, all deine Wünsche zu erfüllen. Willst du dir das hinter die Ohren schreiben?«

Bettina nickte und sah ihn aus glücklichen Augen an.

»So, und jetzt werden wir beide erst mal essen gehen ... und nachher kaufen wir zusammen ein. Einverstanden?«

»Ja«, sagte Bettina, »ja.« Hand in Hand gingen sie zur Tür.

Plötzlich blieb Bettina stehen und sah ihren Vater an. »Darf ich dich etwas fragen?«

»Natürlich.«

»Wie lange ... ich meine ... wann kann ich zu dir?«

Er lächelte. »Wir sind doch jetzt zusammen ... oder?«

»Ich meine ... ich meine für immer!«

»Das soll doch wohl nicht heißen, daß du vor hast, den Rest des Lebens bei deinem alten Vater zu verbringen?«

»Doch. Das möchte ich!« Bettinas Stimme klang fast leidenschaftlich. »Jetzt ... wo du endlich gekommen bist ... ich möchte nie mehr allein sein, Vater.«

»Ich werde dich daran erinnern, wenn du dich das erste Mal verliebt hast.«

»Ich verliebe mich nie, Vater. Nie! Ich werde auch nicht heiraten. Ganz bestimmt nicht. Ich werde dich nie mehr verlassen.« Plötzlich stockte sie, ihre Stimme wurde leise, als sie sagte: »Wenn du mich überhaupt haben willst.«

»Natürlich will ich das. Sonst hätte ich dich doch mit Bürgers nach Indien fahren lassen, nicht wahr?«

»Und du holst mich zu dir?«

»Ja. Sobald mein Haus in München eingerichtet ist.«

»Wann wird das sein?«

»Du kannst es wohl gar nicht mehr erwarten!«

»Ich bin solange allein gewesen, Vater«, sagte sie und bemühte sich vergebens, das Zittern ihrer Stimme zu unterdrükken, »ich … ich habe mich so nach einem Menschen gesehnt, einem Menschen für mich allein.«

Fast wider seinen Willen fühlte Stefan Steutenberg sich gerührt. »Kleines …«, sagte er ein wenig unsicher und fuhr ihr mit der Hand über das seidenweiche blonde Haar. »Mein kleines Mädchen …«

»Du warst doch auch sehr einsam, nicht wahr, Vater? Ich meine … Frau Bürger, sie hat mir erzählt, seit Mutters Tod …«

Stefan Steutenberg unterbrach sie, klopfte ihr halb verlegen, halb kameradschaftlich auf den Rücken. »Müssen wir das alles gleich, jetzt besprechen?« fragte er. »Wenn ich ehrlich sein soll … ich habe einen grauenhaften Hunger. Du doch sicher auch, was?«

Bettina hatte das Gefühl, daß sie vor lauter Aufregung nicht einen einzigen Bissen hinunterwürgen konnte, trotzdem tat sie, was ihr Vater von ihr erwartete – sie nickte heftig mit dem Kopf.

»Na also. Dann gehen wir.«

Er öffnete die Tür zum Vorzimmer. »Bitte, Mademoiselle, würden Sie so freundlich sein, uns ein Taxi zu bestellen?« – –

Beim Mittagessen – Stefan Steutenberg hatte seine Tochter in ein schönes und behagliches Weinlokal in der Altstadt, »Le Chat noir« geführt – ließ er sich von Bettina über Bürgers und ihre Kinderjahre in Dortlingen erzählen. Bettina war erstaunt, wieviel der Vater von Bürgers wußte.

»Das wundert dich?« fragte er mit hochgezogenen Augenbrauen. »Du hast mich wohl immer für einen Rabenvater gehalten, was? Aber tatsächlich habe ich mir regelmäßig von Frau Bürger und auch von meinem Freund Bernhard berichten lassen.«

»Warum … warum hat mir niemand gesagt, daß ich … daß du mein Vater bist?«

Er zuckte die Achseln. »Wir hielten es für besser so. Vielleicht war's auch falsch.« Er sah seine Tochter mit einem seltsamen Blick an. »Ich bin kein Mann, an den man sein Herz hängen darf, Bettina ... ich bin kein Garant des Glückes. So geborgen wie bei Bürgers wirst du dich bei mir nicht fühlen können. Nie.«

»Aber ...« Bettina kam nicht dazu, ihren Satz zu Ende zu sprechen.

Der Kellner servierte die Vorspeise.

»Da ist ja unser Hummer-Cocktail«, sagte Stefan Steutenberg und drückte seine Zigarette aus. »Ich hoffe, daß es dir schmeckt, Kleines ... ich wünsche dir einen guten Appetit!«

Während des Essens wollte keine ernsthafte Unterhaltung mehr zwischen ihnen aufkommen, und Bettina mußte die Fragen, die ihr auf dem Herzen brannten, wohl oder übel unterdrücken.

Nachher schlenderten sie zusammen über die breiten eleganten Geschäftsstraßen auf dem rechten Ufer der Rhone, musterten die Auslagen in den Schaufenstern. Zum erstenmal in ihrem Leben durfte Bettina nach Herzenslust einkaufen.

»Such dir aus, was dir gefällt«, forderte Stefan Steutenberg sie auf. »Tu es mir zuliebe. Ich will, daß du schön bist ... ich möchte auf dich stolz sein.«

»Ich ... gefall' ich dir etwa nicht?« fragte Bettina erschrocken.

Er lachte. »Natürlich tust du das. Möchtest du mir vormachen, daß du selber nicht weißt, wie gut du aussiehst?«

Bettina errötete. »Andere sind viel hübscher.«

»Wer zum Beispiel?«

»Dotty. Dotty Glenford. Sie wohnt mit mir im Zimmer.«

»Ach so. Ist sie deine Freundin?«

Bettina schüttelte den Kopf. »Nein. Sie ... sie verachtet mich.«

Stefan Steutenberg blieb stehen, starrte seine Tochter erstaunt und gleichzeitig belustigt an. »Was sagst du da?«

»Sie kann mich nicht leiden.«

»Hast du ihr etwas getan?«

»Nein. Nie. Aber sie glaubt … daß ich eine Lügnerin bin.« Dankbar und erleichtert ergriff Bettina die Gelegenheit, endlich einem Menschen von ihrer Begegnung mit Ewald Bäumler, den Vorwürfen Madame Jeunis und der Mißachtung Dottys zu erzählen. »War es sehr schlimm, was ich getan habe?« fragte sie ängstlich, als sie geendet hatte. »Bist du mir böse?«

»Nicht die Spur«, versicherte Stefan Steutenberg rasch. »Aber diese Dotty scheint mir ein richtiges Früchtchen zu sein.«

»Nein … das ist sie nicht. Sie ist das netteste Mädchen vom ganzen Internat.«

»Bettina, Bettina«, sagte Stefan Steutenberg kopfschüttelnd, »ich zweifle an deiner Menschenkenntnis. Was du mir von dieser jungen Dame erzählt hast, klingt nicht grade sehr erfreulich. Auf alle Fälle möchte ich sie mir mal ansehen.«

Bettina war erschrocken. »Wieso?« fragte sie. »Nein, Vater, du willst ihr doch nicht etwa sagen, daß ich erzählt habe …«

»Das nicht. Aber … na eben … ich möchte mich mal mit ihr unterhalten. Schließlich ist es mir nicht gleichgültig, mit wem meine Tochter das Zimmer teilt. Wie wär's, wenn wir sie heute abend mit zum Essen einladen würden?«

Bettina schüttelte den Kopf. »Dotty wird nicht kommen.«

»Warum?«

»Das habe ich dir doch schon gesagt. Weil sie mich nicht leiden kann.«

»Nachdem, was du mir von dieser Dotty erzählt hast, bin ich überzeugt … sie wird jede Einladung annehmen, falls sie dadurch einen Abend dem Internat entrinnen kann. Was wollen wir wetten?«

»Vielleicht hast du recht«, sagte Bettina, »vielleicht würde sie kommen, aber …«

»Na?«

»Aber eigentlich möchte ich doch lieber mit dir allein sein!«

»Schäfchen! Wir sind doch noch zwei volle Tage zusammen. Nein, keine Widerrede, heute abend geht Dotty mit.« Er blieb vor einem Schaufenster stehen, zeigte auf ein duftiges jugendliches Kleid aus fliederfarbener Seide. »Wie würde dir das gefallen, Bettina? Ich könnte mir vorstellen, daß es dir steht. Komm, gehen wir hinein. Wenn es dir paßt, kannst du es gleich heute abend anziehen.«

Es blieb nicht bei diesem einen Einkauf. Stefan Steutenberg erstand für seine Tochter Schlafanzüge und Nachthemden, einen zauberhaften hellblauen Morgenrock, Hosen und Shorts, Blusen und Pullover, die verschiedensten Kleider, einen hellen Kamelhaarmantel, fünf Paar Schuhe und natürlich den ersehnten Reitdreß und die Tenniskluft. Bettina konnte es gar nicht fassen, daß sie so reich beschenkt wurde. Sie fühlte sich wie im Himmel.

»Danke, Vater«, sagte sie immer wieder, »danke! Ich weiß gar nicht, wie ich dir danken soll! Noch nie in meinem ganzen Leben bin ich so verwöhnt worden.«

»Dann wird es höchste Zeit«, sagte Stefan Steutenberg lächelnd, »eine richtige Frau muß das Talent haben, sich verwöhnen zu lassen. Hast du noch einen Wunsch?«

»Nein, ganz bestimmt nicht.«

»Vielleicht noch eine hübsche Handtasche?«

»Danke, nein, Vater, wirklich nicht. Meine alte genügt noch vollkommen.«

Er musterte kritisch das kleine graue Täschchen, das Bettina zum letzten Weihnachtsfest von ihrem Pflegevater geschenkt bekommen hatte.

»Glaub' ich nicht«, sagte er, »zu deinem neuen Mantel paßt die jedenfalls nicht.«

Er trat mit ihr ins nächste Lederwarengeschäft, suchte, ohne nach Bettinas Wünschen zu fragen, für sie aus – eine sehr elegante goldbraune Krokodilledertasche und einen großen schicken Sommerbeutel aus buntgemustertem grobem Leinen.

Bettina fand keine Worte mehr, sich zu bedanken. Sie fühlte sich überwältigt.

»Na, Kleines, nun sag mal ganz ehrlich«, fragte er, als er ihre Verwirrung sah, »was von all den neuen Sachen gefällt dir nun am besten? Was ist das Schönste? Ganz ehrlich, ich muß doch wissen, was du für einen Geschmack hast.«

Bettina strahlte ihn aus ihren klaren, weit auseinanderstehenden Augen selig an. »Das Schönste ... Vater, wie kannst du fragen ... das Schönste ist, daß du endlich bei mir bist!« – –

Stefan Steutenberg behielt recht. Dotty zeigte sich zwar nicht grade begeistert, aber sie war doch sofort und ohne Umstände bereit, den Abend mit Bettina und ihrem Vater zu verbringen.

Bettina zog, wie Stefan Steutenberg es gewünscht hatte, das neue fliederfarbene Seidenkleid an, tuschte sich zum erstenmal in ihrem Leben die Wimpern.

Stefan Steutenberg hatte es sich nicht nehmen lassen, mit seiner Tochter auch einen Kosmetiksalon aufzusuchen und sich alles zeigen zu lassen, was eine junge Dame zur Vervollkommnung ihres Make-up brauchen konnte. Bettina zog sich ihre hellen Augenbrauen mit einem dunkelgrauen Stift nach, wie es die Kosmetikerin ihr gezeigt hatte, tönte ihren vollen ausdrucksvollen Mund mit einem Stift, der genau zur Farbe des Kleides paßte, bürstete sich dann lang und hingebungsvoll das blonde Haar, legte es so weich wie möglich um ihr helles herzförmiges Gesicht. Behutsam prüfte sie, ob ihre Strumpfnähte gerade saßen, wählte hochhackige graue Schlangenlederpumps, legte eine weiße Stola um ihre Schultern und fragte, während sie noch einen letzten Blick in den Spiegel warf, ohne Dotty anzusehen. »Bist du fertig?«

»Sofort!« Dotty war noch dabei, ihr leuchtend rotes Haar auf dem Kopf hochzustecken, eine Frisur, mit der sie den Zweck erreichte, einige Jahre älter auszusehen.

Bettina blickte auf den Wecker auf ihrem Nachttisch. »Mein Vater wartet schon!«

Dotty wandte sich ihr zu, mit dem verschlossenen hochmütigen Gesicht, das sie stets aufzusetzen pflegte, um Bettina zu ärgern – aber bei Bettinas Anblick blieb ihr buchstäblich der Mund offen. Es dauerte einige Sekunden, bevor sie sich wieder gefaßt hatte. »Donnerwetter!« sagte sie dann, tief Atem holend. »Menschenskind, Bettina ... das ist ja toll.«

Bettina errötete unsicher. »Was? Was meinst du?«

»Dich! Schau doch mal in den Spiegel! Wirklich und wahrhaftig, das ist enorm!«

»Meinst du, ich habe mich ein bißchen zuviel angemalt?«

»Überhaupt nicht. Wer nicht weiß, daß du an dir herumgepinselt hast, der wird's gar nicht merken ... so was habe ich noch nie erlebt. Das häßliche junge Entchen wird zu einem schönen Schwan.«

»Ich bin nie häßlich gewesen!«

»Weiß ich. Weiß ich genau. Aber ... unscheinbar warst du. Ja, das ist der richtige Ausdruck. Unscheinbar! Und jetzt! Also wirklich, mir bleibt die Luft weg. Ich muß ja direkt Angst haben, neben dir zu verblassen!«

Bettina lachte.

Mit ihrem leuchtend roten Haar, den blitzenden Augen, deren Grün durch die Farbe ihres Kleides noch hervorgehoben wurde, sah Dotty alles andere als blaß aus.

»Dich wird man nie übersehen, Dotty«, sagte Bettina ehrlich, »nur keine Sorge ... du knallst überall heraus!«

Als Bettina neben der jungen Engländerin die Treppen hinablief, fühlte sie sich, ohne etwas getrunken zu haben, wie berauscht. Ihr Vater, ihr interessanter, gut aussehender Vater, wartete auf sie. Dotty hatte zum erstenmal seit Wochen freundlich und freundschaftlich mit ihr gesprochen. Sie war sehr glücklich, und doch konnte sie eine gewisse Furcht vor dem heutigen Abend nicht unterdrücken. Alles war zu schön, um wahr zu sein. Sie hatte Angst, daß irgend etwas schiefgehen könnte.

Aber es wurde wunderbar. Stefan Steutenberg ließ sich mit keiner Silbe anmerken, was er über das etwas komplizierte und gespannte Verhältnis zwischen Dotty Glenford und seiner Tochter wußte. Er tat so, als wenn er die beiden für Freundinnen hielt, behandelte beide wie junge Damen, war gleichmäßig charmant und galant zu jeder von ihnen, höchstens vielleicht, daß er seiner Tochter noch ein wenig mehr Aufmerksamkeit schenkte.

Er ließ sich von den beiden die kleinen Anekdoten und Skandale aus dem Internatsleben erzählen, und Bettina wunderte sich über sich selber – Dinge und Begebenheiten, die sie bisher nur bedrückt hatten, schienen ihr plötzlich nichts weiter als komisch. Dotty und Stefan Steutenberg lachten herzlich, als sie sehr malerisch erzählte, wie sie zum erstenmal in dem Reitdreß, den Mademoiselle Legrand ihr geliehen hatte, und der ihr viel zu groß war, sich auf ein Pferd geschwungen hatte – wie sie Angst gehabt hatte, daß sie herunterfallen könnte, und wie dumm und ungeschickt sie sich benommen hatte. Sie erzählte es so, als wenn es die lustigste Sache von der Welt wäre, und ihre Zuhörer schienen es auch so aufzufassen.

Dotty und Bettina durften essen, was und soviel sie wollten, und sie machten von dieser Gelegenheit auch reichlich Gebrauch. Bettina, die mittags noch zu aufgeregt gewesen war, um Hunger zu spüren, holte jetzt am Abend alles Versäumte nach.

Stefan Steutenberg verbarg nur mit Mühe sein Erstaunen darüber, wieviel diese beiden schlanken jungen Mädchen vertilgen konnten. »Sagt mal«, fragte er verblüfft, »mir kommt das sehr merkwürdig vor ... ist das Essen bei euch im Internat etwa so schlecht? Werdet ihr nicht satt dort?«

»Satt schon«, erwiderte Dotty prompt, »aber ... wenn's nicht richtig schmeckt, ißt man ja auch nur die Hälfte.«

»Die anderen bekommen alle Pakete«, sagte Bettina und ärgerte sich über sich selber, kaum daß es ihr entschlüpft war.

»Pakete? Was für ... Pakete?«

»Freßpakete natürlich«, erklärte Dotty gelassen. »Eigentlich ist es ja verboten, aber niemand hält sich daran.«

»Das hättest du mir schreiben müssen, Bettina«, sagte Stefan Steutenberg vorwurfsvoll zu seiner Tochter.

»Wozu?« Bettina lachte. »Du siehst ja, bis jetzt bin ich noch nicht verhungert. Auch ohne Pakete. Du brauchst mir wirklich nichts ... au!« Sie rieb sich mit der Hand das Schienbein.

»Was ist? Hast du dir weh getan?«

»Ich glaube, ich habe mich am Tischbein gestoßen!«

Dotty sah gleichmütig mit unschuldsvollen Augen vor sich hin, Stefan Steutenberg kam gar nicht auf die Idee, daß sie seine Tochter unter dem Tisch getreten hatte. »Wolltest du nicht etwas sagen, Bettina?« fragte er.

»Doch! Natürlich!« Bettina warf Dotty einen raschen Blick zu. »Ich würde mich sehr freuen, wenn du mir auch hin und wieder ein Eßpaket schicken würdest.«

»Es könnte auch was zum Trinken drinnen sein«, fügte Dotty hinzu, »eine Flasche Wein ... oder eine kleine Flasche Sekt.«

»Ja, ist das denn erlaubt?«

Dotty schnippte mit den Fingern. »Wer viel fragt, wird viel gewahr! Haben Sie in Ihrem ganzen Leben immer nur das getan, was erlaubt war?«

Stefan Steutenberg lachte. »Nein. Wahrhaftig nicht. Sonst ... sonst säße ich wahrscheinlich nicht hier!«

»Bist du ... ist jemand hinter dir her?« fragte Bettina erschrocken.

»Nein, so habe ich es nicht gemeint ... nur ganz allgemein, Kleines. Wenn ich nicht manches in meinem Leben gewagt hätte, weißt du ... dann wärst du wahrscheinlich gar nicht auf der Welt. Deine Mutter und ich, wir haben nämlich gegen den Willen unserer Eltern geheiratet. Eigentlich dürfte ich dir das gar nicht erzählen. Aber es war schon so. Wir sind beide von zu Hause ausgerissen und haben heimlich geheiratet ... und ich glaube, keiner von uns beiden hat es bereut. Wir hatten eine wunderbare Zeit zusammen. Bis ...« Stefan Steutenbergs Gesicht verdüsterte sich, »aber ich glaube, darüber sollten wir nicht gerade heute abend reden.«

Er wechselte das Thema und begann den jungen Mädchen aus seinem abenteuerlichen Leben zu erzählen. Dotty und Bettina lauschten mit angehaltenem Atem. Alles, was Stefan Steutenberg berichtete, klang wie ein abenteuerlicher Roman. Mit bitter wenig Geld war er nach dem Tode seiner Frau ins Ausland gegangen, nicht um etwas zu erreichen, sondern nur um zu vergessen. Er hatte sich, obwohl er ausgebildeter Bergbauingenieur war, in den verschiedensten Berufen durchgeschlagen, weil ihm jede regelmäßige Arbeit verhaßt geworden war. Er hatte sich vom Glück verlassen gefühlt. Aber das Glück hatte seine Hand über ihn gehalten. Eines Tages war er durch einen dummen Zufall auf die Spur einer reichen Mine gestoßen. Das Goldfieber hatte ihn gepackt. Plötzlich war seine Energie, die er längst verloren glaubte, wieder da. Er hatte nicht eher geruht und gerastet, bis er die Mine in seinen Besitz gebracht, ein Konsortium auf die Beine gestellt hatte, das imstande war, die Bodenschätze auszubeuten. Von da an war es aufwärts mit ihm gegangen. Ruhelos und mit besessenem Fleiß hatte er gearbeitet, war kreuz und quer durch die Welt gejagt. Heute war er ein reicher Mann.

Bettina und Dotty lauschten mit angehaltenem Atem. Sie fühlten sich fasziniert, hätten ihm stundenlang zuhören mögen. Aber viel zu schnell verging der aufregende Abend. Stefan Steutenberg mahnte zum Aufbruch.

Als er sie pünktlich, wie er es Madame Jeuni versprochen hatte, wieder im Internat ablieferte, flüsterte Bettina ihm zärtlich ins Ohr: »Ich danke dir, Vater, ich danke dir für alles!« Sie küßte ihn innig auf die Wange.

Auch Dotty bedankte sich. Ihre grünen Augen funkelten Stefan Steutenberg hingebungsvoll an. Aber er merkte es nicht.

»Morgen mittag hole ich dich ab, Kleines«, sagte er herzlich zu seiner Tochter. »Schlaf gut, denk immer daran … noch zwei Tage, zwei wundervolle Tage liegen vor uns!« – –

Aber schon am nächsten Morgen sollte Bettina merken, wie recht Stefan Steutenberg hatte, als er sie gewarnt hatte, sein Glück auf ihn zu bauen. Sie war nach dem Unterricht gerade dabei, sich für den Ausgang mit ihrem Vater umzuziehen, als Mademoiselle Legrand nach kurzem Anklopfen in ihr Zimmer trat.

»Ein Brief von Ihrem Vater, Bettina«, sagte sie und reichte ihr einen eleganten grauen Umschlag.

Bettina ahnte sofort, daß die Nachricht für sie nichts Gutes bedeuten konnte. Mit zitternden Händen riß sie den Brief auf. Sie las:

»Meine liebe kleine Bettina, es tut mir unendlich leid – ich wäre gerne noch bei Dir geblieben, das mußt Du mir glauben – aber ein Telegramm hat mich abberufen. Wenn Du diesen Brief in Händen hältst, sitze ich schon im Flugzeug nach London. Ich bin froh, daß Du so ein vernünftiges kleines Mädchen bist, Du wirst mir nicht böse sein, sondern verstehen, daß ich Dich verlassen mußte. Aber sei nicht traurig, Bettina, wir sehen uns bald wieder. Spätestens zu Beginn der großen Ferien – Du mußt mir noch das genaue Datum schreiben – hole ich Dich ab. Dann reisen wir zusammen kreuz und quer durch die Welt. Ich freue mich schon jetzt darauf. Also, Kopf hoch, mein Kleines – herzlichst und in Liebe

Dein Vater.«

Bettina ließ den Brief sinken. Die Enttäuschung war übergroß. Nur mit Mühe konnte sie die Tränen zurückhalten.

»Schreibt er was von mir?« fragte Dotty neugierig.

Bettina sah sie erstaunt an. »Von dir? Warum sollte er?«

»Man kann nie wissen. Was machst du für ein Gesicht?«

Stumm reichte Bettina Dotty den Brief.

»Deshalb spielst du die Leidende?« fragte Dotty erstaunt, als sie das Schreiben Stefan Steutenbergs überflogen hatte. »Menschenskind! An deiner Stelle würde ich in die Luft springen vor Freude! Kannst du denn nicht lesen? Er holt dich in den großen Ferien. Er nimmt dich mit auf seine Reisen. Das ist doch einfach toll. So einen Vater möchte ich auch haben. Bettina, du weißt ja selber nicht, was für ein Glückspilz du bist!«

Zwischen Dotty und Bettina war das Eis gebrochen. Dotty gab sich nicht mehr den Anschein, Bettina zu übersehen, dennoch war sie weit davon entfernt, Bettina freundschaftlich zu behandeln. Immer wieder fiel sie in ihre kalte und kratzbürstige Art zurück.

»Was hast du bloß gegen mich, Dotty?« fragte Bettina einmal, als sie während der Freizeit miteinander im Park spazieren gingen. Dotty war Bettina wegen einer harmlosen Bemerkung scharf über den Mund gefahren. »Was habe ich dir denn getan?«

»Getan? Nichts. Gar nichts.«

»Dann sei doch bitte nicht so gemein zu mir!«

»Das bildest du dir bloß ein. Ich behandle dich ... völlig neutral!«

»Das ist es ja eben. Manchmal tust du, als ob ich dir wildfremd wäre.«

Dotty fuhr herum und starrte Bettina aus schillernden Katzenaugen an. »Bist du denn das nicht? Was weiß ich von dir? Nichts. Was für einen Grund sollte ich haben, dir meine Freundschaft anzubieten? Dazu gehört doch etwas mehr, als daß man zufällig das Zimmer teilt.«

Bettina errötete, denn sie mußte innerlich zugeben, daß Dotty nicht so unrecht hatte. »Ich ... ich möchte aber gerne deine Freundin sein«, sagte sie mit einiger Selbstüberwindung.

»So? Ist das dein Ernst?«

»Ja, Dotty.«

»Das mußt du mir erst beweisen.«

»Was verlangst du von mir?«

»Daß du den Mund hältst. Weiter nichts.«

»Ich mache dich nervös, weil ich rede?« fragte Bettina verständnislos.

»Manchmal bist du wirklich dümmer, als die Polizei erlaubt! Mit mir darfst du reden soviel du willst ... nur Madame und den anderen sollst du nichts verraten. Du darfst mich nicht verpetzen ... begreifst du jetzt endlich?«

»Aber, Dotty ... so etwas würde ich doch nie tun!«

»Gut. Ich will dir glauben. Also du schwörst mir, daß du niemand ein Wort verrätst?«

»Selbstverständlich. Los, sag endlich, was hast du für ein gefährliches Geheimnis?«

»Ich werde morgen nacht oder übermorgen, so genau weiß ich es noch nicht ... aus dem Fenster klettern!« erklärte Dotty fast feierlich.

»Aber ... wozu?«

»Weil ich in der Stadt eine Verabredung habe, wenn du nichts dagegen hast!«

»Dotty! Das darfst du nicht! Das ist streng verboten. Außerdem ... es ist lebensgefährlich. Wir wohnen im zweiten Stock.«

»Tu doch nicht so, als hättest du Angst, ich könnte mir das Genick brechen! Es ist ganz leicht, an dem Spalier hinunterzuklettern ... das habe ich mir schon angeguckt. Aber ich wußte ja, daß auf dich kein Verlaß ist ... du bist ein elender Feigling. Du hast bloß Angst um dich selber ... daß es herauskommen könnte und du mit in der Tinte säßest. Pfui Kukkuck, und du willst meine Freundin sein!«

Dotty Glenford funkelte Bettina aus ihren katzengrünen Augen verachtungsvoll an, drehte sich auf dem Absatz um und lief auf das Haus zu.

Bettina stand einen Augenblick fassungslos. Dann raffte sie sich zusammen und rannte Dotty nach.

Noch bevor sie die junge Engländerin eingeholt hatte, hörte sie ihren Namen rufen. Es war Mademoiselle Legrand, die sie gesucht hatte, und wohl oder übel mußte sie stehen bleiben.

»Ja, Mademoiselle?« fragte sie atemlos und strich sich das blonde Haar aus dem erhitzten Gesicht.

Mademoiselle Legrand war dabei, die Post zu verteilen. »Ein Brief für Sie, Bettina«, sagte sie und prüfte noch einmal mit einem kurzen Blick die Adresse.

»Von ... meinem Vater?«

»Ich weiß es nicht.« Mademoiselle Legrand gab Bettina den Brief. »Sehen Sie selber!« Sie nickte dem jungen Mädchen freundlich zu und ging weiter in den Park hinein, um die Empfängerinnen der anderen Briefe zu finden, die sie noch in der Hand hielt.

Bettina betrachtete den Umschlag. Er trug eine ausländische Marke, aber er war nicht von Stefan Steutenberg. Ursel Bürger, ihre Pflegeschwester, hatte wieder einmal geschrieben. Bettina stellte es halb enttäuscht, halb erfreut fest.

Noch im Gehen riß sie den Umschlag auf, nahm den Brief heraus und begann zu lesen.

Ursel berichtete überschwenglich, wie es ihre Art war, von ihren Erlebnissen in Indien. Wenn man ihren Worten trauen durfte, war sie in kürzester Zeit der Mittelpunkt der europäischen Gesellschaft in Bihar geworden. Auf einer Party des englischen Konsuls war sie von jungen Männern geradezu umschwärmt worden. Aber sie hatte, wie sie behauptete, sich gar nichts daraus gemacht. »Die Knaben hier sind mir viel zu blöd«, behauptete sie. Bettina mußte lächeln, wenn sie daran dachte, wie sehr Ursel darunter gelitten hatte, daß die gewiß genauso »blöden Knaben« von Dortlingen ihr nicht genügend den Hof gemacht hatten.

Immer wieder tauchte in Ursels Brief ein gewisser Sven auf. »Sven sieht fabelhaft aus«, schrieb Ursel, und an einer anderen Stelle: »Vater sagt, daß Sven sehr tüchtig ist«, und dann wieder: »Also, wirklich, Bettina, Sven solltest Du kennenlernen! Der Junge hat's in sich!«

Zweimal schrieb Ursel: »Wie schade, daß Du nicht hier bist, Bettina!« – Dennoch las Bettina zwischen den Zeilen, daß Ursel heilfroh war, sie loszuhaben. Dabei wünschte sie selber manchmal, Ursel wäre hier bei ihr im Internat. Sie hatte immer an der Pflegeschwester gehangen, und sie wäre froh gewesen, alle Sorgen und Freuden ihres neuen Lebens mit ihr teilen zu können.

Warum nur wurde es ihr so schwer, Freundinnen zu finden? Warum wollten die Menschen, an denen ihr selbst am meisten lag, nichts von ihr wissen? Es mußte an ihr liegen. Es war wie ein Verhängnis. Immer machte sie alles falsch.

Bettina faltete den Brief nachdenklich zusammen und steckte ihn in die Tasche ihres blauen Leinenkleides. Sie machte sich auf die Suche nach Dotty. Ihr Entschluß war gefaßt. Sie würde Dotty helfen, auch wenn es noch so gefährlich war. Sie wollte einmal beweisen, daß sie echter Freundschaft fähig war.

Im Park und in den Aufenthaltsräumen war Dotty nirgends. Endlich fand Bettina sie auf ihrem Zimmer. Sie steckte rasch etwas fort, als Bettina eintrat.

»Du, Dotty …«, begann Bettina.

»Ach, laß mich in Ruhe!« Dotty wendete ihr brüsk den Rücken zu.

»Dotty, ich wollte dir ja bloß sagen …«

»Mich interessieren deine faulen Entschuldigungen nicht. Kannst du das wirklich nicht begreifen?« schrie Dotty aufgebracht.

»Aber ich will mich ja gar nicht entschuldigen!« rief Bettina, jetzt ebenfalls laut, zurück. »Ich will ja mitmachen! Ich bin bereit, dir zu helfen. Endlich zufrieden?«

Dottys Gesicht klärte sich auf. »Bettina! Ist das dein Ernst?«

»Ja.«

»Aber du hast doch eben gesagt …«

»Wenn es nicht mal erlaubt ist, seine Bedenken anzumelden …«

»Also doch.«

»Quatsch! Ich hab's mir eben überlegt. Natürlich ist das ganze eine gefährliche Sache. Bitte, hör' mich einen Augenblick an … es ist gefährlich, und das weißt du selber. Aber ich will dir helfen, weil … damit …« Bettina stockte. Es war ihr plötzlich ganz unmöglich, Dotty zu erklären, daß sie es um ihrer Freundschaft willen tat.

Dotty sah Bettina aus großen Augen an. »Das werde ich dir nie vergessen«, sagte sie ernsthaft. »Nie in meinem ganzen Leben.« Dann fügte sie mit einem raschen Lächeln hinzu. »Nur … notfalls mußt du mich natürlich daran erinnern!«

Bettina fühlte sich sehr glücklich. »Also … wann?« fragte sie.

»Morgen.« Dottys Wangen glühten.

»Vor zehn Uhr wird es nicht gehen«, überlegte Bettina. »Wir müssen warten, bis wir sicher sind, daß alle in der Klappe liegen. Um neun Uhr wird das Licht abgeschaltet. Ich denke … ja, so um zehn könnten wir's riskieren.«

»Du brauchst gar nichts dabei zu tun«, erklärte Dotty. »Ich schaffe das ganz alleine. Bloß das Fenster darfst du natürlich nicht zumachen, damit ich nachher wieder hereinkomme.«

»Glaubst du, es wird spät?«

»Bestimmt. Er hat mir versprochen …« Dotty sprach den Satz nicht zu Ende.

Bettina hatte keine Lust, Fragen zu stellen. Sie wollte nicht noch tiefer in diese Sache verwickelt werden, als es unbedingt nötig war. »Vielleicht solltest du deine Steppdecke aufbeulen«, schlug sie vor, »damit man bei einem flüchtigen Blick ins Zimmer glauben kann, du wärst da.«

»Gute Idee.«

Mehr wurde im Augenblick nicht über das bevorstehende Abenteuer gesprochen. Bettina war ein wenig beklommen zumute, trotzdem war sie überzeugt, daß ihre Entscheidung richtig gewesen war. – –

Vor dem Abendessen war Schreibstunde, und Bettina benutzte die Gelegenheit, Ursels langen Brief zu beantworten. Sie hätte gerne auch ihrem Vater geschrieben, wenigstens ihm über ihre Abmachung mit Dotty berichtet. Sie fühlte, daß sie es ihm schuldig gewesen wäre.

Aber Stefan Steutenberg hatte seit seiner plötzlichen Abreise Bettina nur verschiedene Postkarten geschickt – eine aus London, eine aus Kapstadt und eine aus Marseille. Bettina wußte nicht, wo er sich im Augenblick aufhielt. Zwar hatte er ihr eine Adresse in Hamburg angegeben, an die sie ihre Briefe richten sollte, aber Bettina wußte, das bedeutete nicht, daß ihre Schreiben ihn wirklich erreichten. Stefan Steutenberg hatte ihr gesagt, daß seine Sekretärin, ein Fräulein Murnauer, in Hamburg beauftragt und berechtigt war, die eingehende Post zu öffnen, im Notfall sogar selber Entscheidungen zu treffen.

Anscheinend war es auch diese Sekretärin, die er beauftragt hatte, sich um Bettina zu kümmern, denn regelmäßig alle vierzehn Tage trafen Lebensmittelpakete aus Hamburg für Bettina im Internat ein. Sie waren wunderbar zusammengestellt, enthielten Büchsenschinken und kandierte Früchte, Schokolade und Dosen mit echtem Seelachs, Artischockenböden und Ingwerspitzen. Niemals fehlte eine Baby-Flasche Sekt.

Bettina war nicht gekränkt, denn sie verstand, daß der Vater keine Zeit für eine persönliche Erledigung haben konnte.

Große Sorgen machte ihr jedoch Dottys Vorhaben. Sicher hatten sich da und dort bei Veranstaltungen Gelegenheiten ergeben, Bekanntschaften mit jungen Herren der Gesellschaft zu schließen. Es war ein angenehmer Zeitvertreib und brachte Abwechslung in das gleichmäßige Internatsleben, aber noch nie hatte Bettina gehört und bemerkt, daß sich aus diesen kleinen Flirts etwas Ernsthafteres entwickelt hätte. Tatsächlich hatten die Schülerinnen ja auch nie Gelegenheit, das Internat allein zu verlassen – es sei denn bei Nacht und Nebel durchs Fenster und über die Mauer. Aber Bettina konnte sich nicht vorstellen, daß irgend jemand außer Dotty sich das trauen würde. Außerdem glaubte sie, daß die Jünglinge, die ihre Aufmerksamkeit so großzügig verschenkten, zu Tode erschrocken wären, wenn eines der Mädchen ihre Einladungen tatsächlich ernstgenommen hätten.

Wer war der Mann, mit dem Dotty sich treffen wollte?

Bettina wurde es plötzlich ganz klar, daß es nicht anging, Dotty einfach zu helfen und beide Augen zuzudrücken. Sie mußte mehr wissen, wenn sie die Verantwortung mittragen sollte.

Aber erst als das Licht schon gelöscht war und sie beide im Ungewissen Mondlicht in ihren Betten lagen, wagte sie eine Frage zu stellen: »Du, Dotty«, sagte sie zögernd.

»Ja?«

»Sag mal, wo hast du ihn überhaupt kennengelernt?«

Bettina hatte eine abweisende Antwort erwartet, aber ganz im Gegenteil schien Dotty froh zu sein, endlich mit jemand sprechen zu können. »Schwörst du mir, daß du niemandem ein Wort verrätst?« fragte sie.

Bettina zögerte. »Dotty«, sagte sie, »warum ... warum muß das alles so heimlich sein? Wenn du ihn liebst und er dich ...«

»Ach, du Kamel!« Dotty lachte. »Davon kann doch keine Rede sein!«

»Nicht?!«

»Na hör mal! Bist du so naiv oder stellst du dich nur so? Wie kann ich denn einen Mann lieben, mit dem ich noch nicht einmal wirklich gesprochen habe!«

»Ja, aber er muß dir doch wenigstens sehr gut gefallen!«

»Warum?«

»Jetzt machst du dich über mich lustig, Dotty! Das ist gemein.«

»Aber wieso denn? Überhaupt nicht. Ich habe es ganz im Ernst gemeint.«

»Jetzt versteh ich nichts mehr.«

»Mein Gott, Bettina, manchmal habe ich das Gefühl, als wenn du geradewegs aus dem Kindergarten zu uns gekommen wärst.« Dotty richtete sich im Bett auf, schlang ihre weißen Arme um die Knie. »Ich langweile mich hier einfach zu Tode«, sagte sie, »das ist alles. Ich möchte etwas erleben. Ist das so schwer zu verstehen?«

»Aber wenn du dir gar nichts aus dem Mann machst?«

»Das ist doch Nebensache. Hauptsache, er macht sich was aus mir! Bettina, bitte, sei nicht so altjüngferlich. Sieh mal, wenn ich hier im Internat warten wollte, bis ich einen Mann treffe, der mir gefällt ... na, dann könnte ich wohl alt und grau werden.«

»Dotty! Was für ein Unsinn! Du bleibst doch bloß ein Jahr und dann ...«

»Ja, und dann kehre ich wieder in den Schoß meiner Familie zurück. Das wolltest du doch wohl sagen! Glaubst du etwa, dort ist es um einen Funken besser als hier? Da kennst du meine Eltern schlecht. Die haben mich noch niemals das tun lassen, was ich wollte.«

Bettina seufzte leicht. »Wie sieht er denn aus?« fragte sie. »Wie ist er?«

»Mittel. In jeder Beziehung. Das einzige, was für ihn spricht, ist, daß er mich anbetet.« Sie legte sich wieder hin und rollte sich zur Seite. »Aber nun, gute Nacht. Du weißt, ich muß ein bißchen vorschlafen.«

»Dotty, du machst es dir sehr einfach«, sagte Bettina. »Ich habe gedacht, da dir etwas an dem Mann liegt. Aber wegen nichts und wieder nichts uns beide in eine solche Situation zu bringen ...«

Dotty fuhr herum. »Wieso dich! Du hast doch überhaupt nichts damit zu tun. Selbst wenn es aufkommt. Du brauchst nur zu sagen, daß du nichts davon gewußt hast. Niemand wird dir das Gegenteil beweisen können. Außerdem ... es kommt nicht auf, verlaß dich drauf. Ich bin ja keine Anfängerin.«

An diesem Abend lag Bettina lange wach. Sie hörte Dotty tief und gleichmäßig atmen, wußte, daß die Freundin schlief – aber sie selber fand keine Ruhe. Sie war sich weniger denn je darüber im klaren, ob das, was sie tat oder vielmehr zuließ, richtig war.

Ihr Vater hatte gesagt, Dotty wäre ein Früchtchen, vielleicht hatte er sogar recht gehabt. Aber Bettina konnte ihr nicht böse sein. Sie konnte, genauso wenig wie die Lehrer und Lehrerinnen und die anderen Mitschüler, dem Charme dieses fröhlichen jungen Wesens widerstehen. Sie hatte nur den einen Wunsch, Dottys Freundin zu sein, Dottys wirkliche Freundin. Dieses Ziel zu erreichen schien ihr kein Preis zu hoch.

Als Dotty am nächsten Abend gegen zehn Uhr so lautlos wie möglich das Spalier hinunterkletterte, war Bettina weit aufgeregter als die Freundin, die den Reiz des Abenteuerlichen in vollen Zügen genoß.

Bettina stand klopfenden Herzens am Fenster, preßte krampfhaft ihre Daumen, während sie sah, wie Dotty wie ein grauer Schatten zwischen den Büschen des Parkes verschwand. Sie blieb stehen und lauschte fünf, zehn Minuten lang. Aber als kein Geräusch laut wurde, wußte sie, daß Dottys Flucht gelungen war.

Die Flucht ja, aber nicht die Heimkehr – siedendheiß überfiel es Bettina, als sie daran dachte, daß Dotty der fast noch schwierigere Rückweg noch bevorstand. Dotty hatte noch nicht gewußt, wann sie nach Hause kommen würde, es hatte keinen Sinn zu warten. Bettina legte sich ins Bett, zog die Steppdecke über die Ohren, versuchte zu schlafen.

Aber es gelang ihr nicht. In ihren Ohren dröhnte es. Tausend Ängste peinigten sie. Sie stellte sich vor, daß Dotty in der Stadt zufällig Madame Jeuni in die Arme laufen würde, malte sich aus, daß der Mann, mit dem sie sich verabredet hatte, Dotty verführen wollte oder – schlimmer noch, daß er es fertigbrachte, sie zu entführen. Morgen früh würde man entdekken, daß Dotty fort war, und sie allein war zurückgeblieben, um Dottys Abenteuer auszubaden.

Es war entsetzlich.

Bettina sah den Vater vor sich, nicht ruhig und verständnisvoll, wie sie ihn kennengelernt hatte, sondern bitterböse und voller Verachtung. Er sagte ihr, daß er ihr einen solchen Vertrauensbruch niemals zugetraut hätte, erklärte, daß er von nun an nichts mehr mit ihr zu tun haben wollte.

Bettinas Zähne klapperten. Sie fühlte sich wie im Fieber.

Unendlich langsam verging die Zeit. Sie zählte die Schläge der Kirchenuhren, warf sich unruhig in ihrem Bett hin und her.

Als sie dann endlich – nach langer, langer Zeit – ein leises Geräusch vom Fenster her hörte, schrak sie zusammen. Ohne es zu bemerken, mußte sie doch leicht eingeschlafen sein. Sie riß die Augen auf, sah Dotty vor sich, die gerade ins Zimmer gesprungen war.

»Schläfst du schon?« flüsterte Dotty.

»Endlich!« sagte Bettina erleichtert.

»Hast du etwa Angst gehabt?«

Bettina zögerte mit der Antwort; sie wollte nicht ausgelacht werden. »Nein«, log sie.

»Es war ganz leicht. Bestimmt kein Grund zur Aufregung. Fast langweilig war es«, erzählte Dotty vergnügt. »Über die Mauer zu kommen war überhaupt kein Kunststück. Aber stell dir so eine Frechheit vor, er hat sich verspätet! Ganze fünf Minuten hat er mich warten lassen. Aber das hat er mir büßen müssen! Junge, Junge! Der wird sich noch mal schwer überlegen, ob er mich wieder einlädt!«

»Hoffentlich«, sagte Bettina aus tiefstem Herzen und wünschte sich dabei, daß dieser Mann, der ihr und Dotty, ohne es zu wissen, so gefährlich geworden war, nie wieder etwas von sich hören ließ.

Dotty verstand sie falsch. »Du wünschst dir, daß er sich wieder meldet?« Sie lief an Bettinas Bett, küßte sie zärtlich auf beide Wangen. »Du bist doch ein feiner Kerl, Bettina. Keine verdammte kleine Heuchlerin, wie ich immer geglaubt habe.« – –

Bettinas Wunsch sollte sich nicht erfüllen. Dottys Verehrer meldete sich wieder. Schon zwei Tage später zeigte Dotty mit strahlenden Augen Bettina einen Brief, den er ihr zugeschmuggelt hatte.

Sie war so fest entschlossen, auch diese zweite Einladung anzunehmen, daß Bettina gar nicht erst den Versuch machte, es ihr auszureden. Sie wußte, daß sie nur damit erreicht hätte, ihre noch junge und zarte Freundschaft zu gefährden.

Wie beim vorigen Mal kletterte Dotty aus dem Fenster, wie beim vorigen Mal sah Bettina ihr nach, bis sie zwischen den Schatten des Parkes verschwunden war, und wie beim vorigen Mal fand sie keinen Schlaf, ehe Dotty zu Hause war.

Dotty bekamen die nächtlichen Ausflüge besser als der Freundin das lange Warten. Sie war am nächsten Morgen so munter und vergnügt, so selbstsicher und raffiniert wie immer, aber Bettina wurde von Tag zu Tag blasser. Sie konnte im Unterricht kaum die Augen aufhalten, ihre Leistungen gingen spürbar zurück. Sie verlernte es fast zu lachen.

Eines Tages – sie hatten französische Literatur bei Madame Jeuni – wäre sie während des Unterrichts fast eingenickt, wenn Dotty sie nicht rechtzeitig in die Seite gestoßen hätte.

»Nimm dich zusammen!« zischte Dotty ihr zu.

»Ich … was ist?« Bettina riß erschrocken die Augen auf.

»Achtung! Madame Jeuni sieht auf uns!«

Bettina holte tief Luft, um wieder wach zu werden, zwang sich Madame Jeuni mit einem aufmerksamen Lächeln anzusehen.

Aber es war zu spät. »Bettina … Dotty … Sie wissen, daß ich es nicht liebe, wenn während meines Unterrichtes gesprochen wird.«

»Entschuldigen Sie bitte, Madame«, sagte Dotty mit ihrem sanftesten Augenaufschlag, »ich habe Bettina nur eine Vokabel gefragt.«

»Dazu ist es nach dem Unterricht noch Zeit genug. Wußten Sie denn die Vokabel, Bettina?«

»Ja.« Bettina nickte.

»Das wundert mich sehr. Ich habe den Eindruck, daß Sie am Unterricht ziemlich desinteressiert sind, mein liebes Kind.«

»Nein … ich … aber ganz bestimmt nicht«, stotterte Bettina.

»Sie gefallen mir gar nicht mehr in letzter Zeit. Sie sehen blaß und überanstrengt aus. Fühlen Sie sich gesundheitlich nicht auf der Höhe?«

»O doch … ich …«

Dotty stand auf. »Bettina hat Heimweh«, sagte sie.

»Ach so. Ja, dann, mein Kind … es tut mir leid. Ich kann nur hoffen, daß Sie Ihre Sentiments recht bald überwunden haben werden.«

Als der Unterricht beendet war, nahm Bettina ihre Freundin beiseite. »Warum hast du Madame Jeuni angelogen?« fragte sie. »Du weißt genau, daß ich gar kein Heimweh habe. Warum …«

»Ich flehe dich an, frag nicht so blöd! Sei mir lieber dankbar. Begreifst du denn nicht, daß ich die Situation gerettet habe?«

»Ich kann doch jetzt nicht dauernd weiter die Heimwehkranke spielen!«

»Warum nicht? Das wäre doch die beste Erklärung für dein schlafmützige Benehmen. Bestimmt ist schon einigen anderen auch aufgefallen, daß du nicht ganz auf dem Damm bist.«

»Dotty … es tut mir furchtbar leid … es kommt bloß daher, weil ich immer so entsetzlich müde bin!«

»Wer hindert dich denn daran, nachts zu schlafen? Ich etwa?«

Bettina schluckte. »Ich habe Angst, Dotty.«

»Angst? Du bist verrückt!«

»Bitte, Dotty … bitte, mach Schluß! Warum mußt du die Dinge auf die Spitze treiben? Man wird uns erwischen, ich weiß es ganz genau.«

»Und ich weiß es besser … man wird nicht.« Dotty legte ihren Arm um Bettinas Schultern. »Sag mal, Bettina, warum mußt du nur immer so schwarz sehen? Gerade jetzt, wo ich mal ein bißchen vergnügt bin. Gönn mir doch den Spaß. So wild, wie du es dir vorstellst, ist es ohnehin nicht.«

Bettina war nicht getröstet, aber sie gab nach. Sie war wieder einmal nicht imstande, Dottys Charme zu widerstehen. Aber die spannungsvolle gefährliche Situation, der sie nicht gewachsen war, riß an ihren Nerven. – –

Die Katastrophe, mit der sie seit langem gerechnet hatte, trat wenige Tage vor Beginn der Sommerferien ein – in einem Augenblick, als Bettina gerade wieder einmal glaubte, aufatmen zu dürfen.

Es war kurz nach zehn. Sie hatte am Fenster gestanden, hatte Dotty im Dunkel des Parkes verschwinden gesehen, hatte abgewartet, bis die Zeit um war, die Dotty brauchte, um ins Freie zu gelangen. Dann hatte sie sich erleichtert umgedreht und war ins Bett geschlüpft.

Sie erschrak bis ins Herz hinein, als die Tür leise geöffnet wurde, glaubte sich aber im selben Moment wieder beruhigen zu können – sicher war es eines der anderen Mädchen, das noch zu einem heimlichen Plausch herüberkam.

Aber es war Mademoiselle Legrand.

»Dotty!« rief sie leise. »Dotty!«

Bettina schloß unwillkürlich die Augen. Sie tat es, um nicht angesprochen zu werden, tat es in der törichten Hoffnung, dadurch nicht miterleben zu brauchen, was jetzt geschah.

Sie hörte, wie Mademoiselle Legrand leise zu Dottys Bett ging, hörte den kleinen erstaunten Aufschrei – wußte, daß Mademoiselle Legrand Dottys Fliehen entdeckt hatte.

Ihr Herz schlug bis zum Halse, in ihren Schläfen hämmerte es, aber sie gab sich alle Mühe, tief und gleichmäßig zu atmen, um wie eine Schlafende zu wirken.

Mademoiselle Legrand verließ so leise, wie sie gekommen war, wieder das Zimmer. Bettina preßte die Hände zusammen, schickte ein Stoßgebet zum Himmel, flehte, daß noch einmal alles gutgehen würde – obwohl sie selber nicht wußte, wie das hätte zugehen können.

Sie hoffte ganz unsinnig und doch inständig auf ein Wunder. Nur ein Wunder konnte jetzt noch Rettung bringen.

Aber kein Wunder geschah.

Nach wenigen bangen Minuten kam Mademoiselle Legrand wieder zurück. Sie hatte offensichtlich nur im Waschraum nach Dotty geschaut.

Bettina hielt die Augen krampfhaft geschlossen, obwohl sie selber das Gefühl hatte, daß ihr Herz so laut hämmerte, daß auch Mademoiselle Legrand es hören mußte.

Mademoiselle Legrand beachtete sie nicht – noch nicht. Sie lief zu dem halbgeöffneten Fenster, blickte das Spalier hinab.

»Oh!« sagte sie, und noch einmal: »Oh!«

Dann knipste sie das Licht an, beugte sich über Bettina, die die Augen immer noch krampfhaft geschlossen hielt, schüttelte sie bei den Schultern. »Bettina!« rief sie. »Bettina!«

Nur langsam, ganz langsam hob Bettina die Augen, versuchte, die Schlaftrunkene zu markieren, aber ihre Aufregung und ihr schlechtes Gewissen machten sie zu einer miserablen Schauspielerin.

»Bettina«, fragte Mademoiselle Legrand, »wo ist Dotty?«

Bettina erhob sich zögernd.

Sie spürte, daß die Vorsteherin auf ein Wort von ihr, auf eine Erklärung wartete – aber was sollte sie sagen? Sie konnte sich nur entschuldigen, indem sie Dotty verriet. Aber gerade das war es, was sie nicht über sich brachte, auch wenn sie damit Madame Jeunis Zorn und ihre Verachtung auf sich lud.

So stand sie da, sehr gerade, mit beherrschtem Gesicht, aber innerlich zitternd und glühend vor Aufregung.

Nach einer Zeit, die ihr unendlich lang dünkte, brach Madame Jeuni das belastende Schweigen. »Nun, mein Kind, haben Sie mir nichts zu sagen?« fragte sie.

Bettina blieb stumm, biß sich auf die Lippen.

»Ich erwarte eine Erklärung von Ihnen!«

Bettina hob die Augen, sah Madame Jeuni flehend an. »Ich weiß nichts ... ich kann Ihnen nichts sagen, Madame.«

»Wo ist Dotty Glenford?«

»Ich weiß es nicht.«

»Seit wann ist sie fort?«

»Ich weiß nichts ... wirklich nicht, Madame!«

»Sie wollen also behaupten, daß Sie Dottys Verschwinden gar nicht bemerkt haben?«

»Ja, Madame.«

»Ist es heute das erste Mal, daß Dotty Glenford aus dem Fenster geklettert ist?«

»Ich weiß es nicht ...«

Madame Jeunis schwarze Augen funkelten. »Bettina«, sagte sie in einem veränderten, zornigen Ton, »wenn ich etwas hasse, dann sind es Lügen! Sagen Sie mir jetzt endlich die Wahrheit! Ich will die Wahrheit wissen ... los, reden Sie! Worauf warten Sie noch!«

Bettina schwieg. Wenn sie in dieser Sekunde hätte sterben können, sie würde ohne zu zögern den Tod gewählt haben.

»Bettina!« sagte Madame Jeuni. »Sie wissen, daß ich Ihren Vater benachrichtigen muß. Glauben Sie, es fällt mir leicht, ihm zu schreiben, daß Sie sich als eine verstockte Lügnerin entpuppt haben?«

»Nein!« rief Bettina entsetzt.

»Was ... nein!?«

»Sie dürfen meinem Vater nicht schreiben, Madame. Sie dürfen nicht. Ich habe doch nichts getan!«

»Was Sie getan oder unterlassen haben, werde ich feststellen, sobald Sie sich entschließen, mir die Wahrheit zu sagen ... die ganze Wahrheit!«

»Ich ... ich weiß nichts«, sagte Bettina gequält.

»Hat Dotty Glenford einen Freund? Gibt es einen Mann, mit dem sie sich trifft?«

Bettina hob mit einer verzweiflungsvollen Bewegung die Schultern, ließ sie wieder sinken.

»Bettina, begreifen Sie denn nicht, in was für einer Situation Sie stecken? Sie dürfen mich jetzt nicht belügen! Sie dürfen es nicht! Seit dreißig Jahren erziehe ich junge Mädchen. Ich habe sehr wohl beobachtet, wie Sie und Dotty Glenford sich angefreundet haben. Sie können mir nicht weismachen, daß Sie Dottys Geheimnis nicht kennen! Ist sie heute zum erstenmal nachts aus dem Fenster geklettert?«

Das Verhör nahm kein Ende. Bettina konnte nur immer und immer wieder das eine sagen: »Ich weiß es nicht ... ich weiß es nicht ... ich weiß gar nichts.«

»Bettina«, sagte Madame Jeuni eindringlich. »Ich verspreche es, wenn Sie ein Geständnis ablegen ... wenn Sie mir die Wahrheit sagen, werde ich Sie schonen. Ich werde davon Abstand nehmen, Ihren Vater zu unterrichten. Ich bin sogar bereit anzunehmen, daß Sie an der Entwicklung der Dinge unschuldig sind. Aber Sie müssen jetzt ehrlich zu mir sein ... ganz und gar aufrichtig! Bettina, bitte, sprechen Sie!«

Bettina schloß für eine Sekunde die Augen. Ihr schwindelte. Sie fühlte sich unendlich elend. »Ich kann nichts sagen«, flüsterte sie heiser.

»Vielleicht wollen Sie Ihrer Freundin helfen ... vielleicht glauben Sie, daß Sie sie schützen können ... aber das ist ein Irrtum, Bettina. Dotty Glenford ist nicht mehr zu helfen. Sie muß das Internat verlassen ... so oder so. Also, reden Sie! Verteidigen Sie wenigstens sich selber.«

Bettina war einer Ohnmacht nahe. Über eine Stunde hatte sie nun schon vor Madame Jeunis Schreibtisch gestanden ohne sich zu rühren. Sie hätte viel darum gegeben, wenn sie sich wenigstens hätte setzen dürfen.

Aber sie war nicht bereit nachzugeben. Sie atmete tief durch um ihre Übelkeit zu bezwingen.

»Ich warte auf Antwort, Bettina!« sagte Madame Jeuni.

Bettinas Mund war trocken. Sie brachte nicht mehr die Kraft auf, ein Wort zu sagen. Sie spürte deutlich, wie verfahren die Situation war. Alles war sinnlos geworden. Das einzige, was galt, war, der Freundin die Treue zu halten.

Wie von weit her hörte sie Madame Jeunis Stimme. »Ich kann nicht sagen, daß Sie mich enttäuscht haben, Bettina. Wenn ich ehrlich sein soll, haben Sie von Anfang an nicht den besten Eindruck auf mich gemacht. Ich hatte das ärgerliche Gefühl, daß mit Ihnen ein schlechter Geist in unser Haus einziehen wird, und jetzt muß ich feststellen, daß ich mich nicht geirrt habe. Sie wissen so gut wie ich, daß Dotty Glenford eine unserer beliebtesten Schülerinnen ist ... beliebt nicht nur bei den anderen Mädchen, sondern auch beim Lehrpersonal. Sie hat die allerbesten Noten, und ich bin fest überzeugt, daß sie niemals einer so bedauerlichen Handlungsweise fähig wäre, ohne Ihren Einfluß, Bettina. Es ist Ihre Schuld, wenn Dotty Glenford das Internat verlassen muß. Der Anstand müßte Ihnen eigentlich gebieten, das zuzugeben. Sie haben Dotty Glenford überredet, sich auf ein Abenteuer einzulassen, nicht wahr?«

Bettina blickte starr geradeaus. Sie preßte die Lippen fest aufeinander.

»Wahrscheinlich ... ich weiß, daß ich es Ihnen nicht beweisen kann ... aber sehr wahrscheinlich haben Sie selber schon des öfteren auf dem Weg durch das Fenster und über die Mauer das Internat verlassen. Geben Sie es zu, Bettina?«

Als wieder keine Antwort kam, fuhr Madame Jeuni fort: »Uns allen ist aufgefallen, daß Sie in letzter Zeit während des Unterrichts und auch in der Freizeit übermüdet wirkten. Dafür gibt es nur eine einzige einleuchtende Erklärung. Sie haben die Nächte nicht in Ihrem Bett verbracht. Glauben Sie nicht, daß ich Sie ungehört verurteilen möchte. Ich gebe Ihnen die Möglichkeit zu reden, sich zu verteidigen. Haben Sie das Haus schon einmal während der Nacht verlassen?«

»Nein«, sagte Bettina mühsam.

»Niemals?«

»Nie.«

»Und Dotty Glenford? Wie oft hat sie das Haus verlassen?«

»Ich weiß es nicht.«

»Nun gut. Ich muß wohl einsehen, daß ich mit Ihnen nicht weiterkomme«, sagte Madame Jeuni zornig und resigniert. »Sie halten es weder für nötig, sich zu verteidigen, noch etwas zu erklären. Ich muß daraus schließen, daß Sie mindestens genauso schuldig sind wie Dotty Glenford. Daß ich Sie dennoch nicht relegiere, wie Sie es verdient hätten, hat nur einen einzigen Grund ... ich wüßte beim besten Willen nicht, wohin ich Sie schicken könnte. Es bleibt mir also nichts anderes übrig, als Sie wohl oder übel in meinem Haus zu dulden. Allerdings werden Sie nicht überrascht sein, wenn ich Maßnahmen treffe, die anderen Mädchen Ihrem schlechten Einfluß zu entziehen.« – –

Als Bettina endlich wieder in ihrem Bett lag, fühlte sie sich erschöpft, gedemütigt und unendlich allein. Seit Wochen hatte sie befürchtet, daß es so kommen würde, und dennoch wurde ihr erst ganz allmählich das Ausmaß dieser Katastrophe klar.

Dotty mußte das Internat verlassen, sie selber hatte bei Madame Jeuni verspielt – ein für allemal. Von nun an wurde sie hier nur noch geduldet. Ihr Vater würde erfahren, daß sie versagt hatte. Vielleicht würde er sich sogar von ihr abwenden, würde er nichts mehr mit ihr zu tun haben wollen.

Angst und Verzweiflung würgten Bettina fast die Luft ab. Sie glaubte zu ersticken, richtete sich in ihrem Bett auf.

In dieser Nacht vermochte sie kein Auge zu schließen. Sie wachte Stunde um Stunde, wartete auf Dotty. Sie glaubte, wenn sie erst mit Dotty gesprochen hatte, würde ihr alles leichter erscheinen. Vielleicht würde Dotty sogar einen Ausweg wissen.

Aber Dotty kam nicht heim.

Bettinas Angst stieg und stieg. Wenn nun Dotty etwas zugestoßen war? Wenn man sie entführt hatte?

Sie hätte schreien mögen vor Verzweiflung. Aber sie brachte nur ein trockenes Stöhnen über die Lippen.

Erst als die Morgendämmerung den Lac Léman aufschimmern ließ, begriff sie, daß Dotty wahrscheinlich längst heimgekommen war. Bestimmt hatte der Concierge oder Mademoiselle Legrand sie abgefangen, und natürlich legte man jetzt alles darauf an, sie beide an einer Absprache miteinander zu hindern.

Bettina war nicht ganz sicher, ob Dotty durchhalten würde. Aber das war ihr fast gleichgültig. Trotz all ihrem Elend war sie stolz darauf, der Freundin die Treue gehalten zu haben. Wenn dies der Preis war, mit dem sie sich die ehrliche Zuneigung und Freundschaft eines Menschen erworben hatte, so war er nicht zu hoch.

Mit diesem glücklichen Gedanken fiel Bettina in einen unruhigen Schlaf.

Es schien Bettina, daß sie gerade erst die Augen geschlossen hatte, als sie schon wieder wachgerüttelt wurde.

Mademoiselle Legrand stand in ihrem Zimmer, und bei ihrem Anblick fiel das schreckliche Erlebnis der letzten Nacht mit voller Gewalt wieder über Bettina her.

Mademoiselle Legrand las das Entsetzen in ihren Augen, sie sagte ruhig und nicht einmal unfreundlich: »Bitte, stehen Sie auf, Bettina, ziehen Sie sich an. Sie müssen bitte Ihre Sachen zusammenpacken!«

Bettina fuhr hoch. »Warum? Wollen Sie mich … soll ich doch …«

»Bitte, beruhigen Sie sich, Bettina. Es handelt sich nur darum, daß Sie dieses Zimmer räumen müssen.«

»Aber …«

Mademoiselle Legrand unterbrach sie. »Madame Jeuni hat mich angewiesen, Sie in einem der Zimmer im Parterre unterzubringen.«

»Ach so«, sagte Bettina. Sie hatte begriffen. Die Zimmer im Erdgeschoß waren vergittert. Sie mußte lächeln bei dem Gedanken, daß Madame Jeuni wahrhaftig anzunehmen schien, sie selber wäre nachts ausgerissen.

Mademoiselle Legrand begriff, daß Bettina nicht aus Heiterkeit lächelte. »Nehmen Sie es nicht so schwer«, sagte sie,

»eine Zeitlang wird man Sie besonders im Auge halten ... aber nichts wird so heiß gegessen, wie es gekocht wird. Auf die Dauer renkt sich alles wieder ein.«

»Wo ist Dotty?«

»Auf der Krankenstation.«

»Ist sie ... ist etwas passiert?« rief Bettina entsetzt.

»Nein. Machen Sie sich keine Sorgen. Madame war nur der Ansicht, daß dies der beste Ort wäre, sie zu isolieren. In wenigen Tagen beginnen die Sommerferien, dann wird sie sowieso das Internat verlassen.«

»Darf ich ... darf ich mich nicht wenigstens von ihr verabschieden?«

Mademoiselle Legrand schüttelte den Kopf.

»Ich muß sie noch einmal sprechen.«

»Unmöglich.«

»Aber warum? Mit welchem Recht? Man kann mir doch nicht einfach verbieten ...«

»Doch. Man kann. Solange Sie Schülerinnen in unserem Internat sind.«

»Aber ich will nicht mehr ... ich will hier nicht länger bleiben, Mademoiselle. Bitte, verstehen Sie doch! Ich habe nie hierhergepaßt ... von Anfang an nicht. Dotty war meine einzige Freundin, und jetzt ... bitte, warum schicken Sie mich nicht ...« Bettina schluckte. Sie hatte darum bitten wollen, nach Hause geschickt zu werden. Aber bevor sie den Satz zu Ende sprach, war ihr klar geworden, daß sie kein Zuhause mehr besaß. Bürgers waren in Indien, ihr Vater reiste irgendwo durch die Welt. Sie war allein, ganz allein und auf sich gestellt.

»Sie haben etwas getan, Bettina, mit dem Sie sich außerhalb der Ordnung unseres Hauses gestellt haben«, erklärte Mademoiselle Legrand. »Ich persönlich möchte Sie deswegen nicht verurteilen, weil ich die Motive Ihres Verhaltens nicht kenne. Aber ich muß Ihnen einen Rat geben ... stehen Sie diese Sache jetzt durch, Bettina. Versuchen Sie nicht zu fliehen. Es nutzt nichts. Wenn Sie nach einem Jahr das Internat verlassen, haben Sie eine Menge gelernt ... Dinge, die Ihnen bestimmt nützlich sein werden. Ihr Vater wird stolz auf Sie sein. Aber wenn Sie jetzt versuchen auszubrechen ... es wäre sehr falsch, Bettina.«

»Ich kann nicht bleiben. Ich ... ich kann wirklich nicht länger ...«

»Nehmen Sie doch Vernunft an. Was bleibt Ihnen denn anderes übrig?« Mademoiselle Legrand hob sich auf die Zehenspitzen und holte Bettinas Koffer vom Schrank herunter.

»Ich werde mit meinem Vater reden. Er kommt zu Beginn der Sommerferien. Er hat versprochen mit mir zu verreisen.«

»Nun, dann verreisen Sie mit Ihrem Vater, Bettina. Wenn Sie zurückkommen, sind immerhin zwei Monate verstrichen ... ich bin sicher, daß diese unselige Geschichte dann schon ziemlich in Vergessenheit geraten sein wird.«

»Ich will nicht mehr zurück«, sagte Bettina. »Madame Jeuni ... sie hat mich von Anfang an nicht leiden können. Ich habe es genau gespürt. Ich passe nicht hierher.«

»Sie werden noch erfahren, Bettina, daß es sehr selten in unserer Kraft liegt, die Verhältnisse, in denen wir leben müssen, zu ändern ... jeder von uns muß lernen, sich den Verhältnissen anzupassen. Ich meine es gut mit Ihnen, Bettina, glauben Sie mir. Aber natürlich ... Sie müssen Ihre Erfahrungen selber machen. Leider. Ich hätte Ihnen gerne manches erspart.« –

Das Zimmer im Erdgeschoß, in das Mademoiselle Legrand Bettina führte, war ein kleiner, ziemlich dunkler Raum mit schweren Eisengittern vor dem Fenster.

Wie eine Gefängniszelle, das war Bettinas erster Gedanke. Aber dann mußte sie sich selber zugeben, daß das doch entschieden übertrieben war. Das Zimmer war anheimelnd, auch wenn es einfach eingerichtet war. Schreibtisch und Kleiderschrank waren aus schönem hellgemasertem Holz, die Vorhänge und die Überdecke der Schlafcouch waren bunt und lustig. Dennoch ... es war schwer, sich in diesem Raum wohl zu fühlen. Es roch seltsam staubig hier, als wenn das Zimmer lange Zeit nicht bewohnt gewesen wäre, was wohl auch stimmen mochte.

Mademoiselle Legrand verließ Bettina mit ein paar freundlichen Worten. Dann hörte Bettina, wie die Tür von außen abgeschlossen wurde.

Zorn stieg in ihr hoch. Was hatte sie denn getan? Warum behandelte man sie wie eine Verbrecherin? Es war lächerlich. Wie konnte man sie für so töricht halten, einfach fortzulaufen. Wohin hätte sie sich auch wenden sollen?

Sie räumte ihre Sachen ein, trat dann an das vergitterte Fenster und starrte in den Park hinaus. Sie stellte fest, daß ihr Zimmer an der Nordseite lag, man sah von hier aus nur ein paar Büsche und Bäume, nichts vom See und nichts von den Tennisplätzen.

Sie sah auf ihre Armbanduhr. Es war noch früh am Morgen. Sicherlich würde sie gleich zum Unterricht abgeholt werden.

Aber nichts dergleichen geschah. Anscheinend hielt Madame Jeuni es für eine gute Erziehungsmaßnahme, Bettina mit ihren Gedanken allein zu lassen. Es war sehr still. Ganz von weit her von den Tennisplätzen auf der anderen Seite des Hauses waren fröhliche Stimmen zu hören. Sie machten Bettina ihre eigene Einsamkeit nur noch fühlbarer.

Sie war todmüde, aber sie brachte es nicht über sich, sich hinzulegen und zu schlafen. Zuviele Gedanken schwirrten durch ihren Kopf. Sie wußte nicht mehr aus noch ein.

Dotty Glenford, um deren Freundschaft willen sie in diese Situation geraten war, hatte man von ihr getrennt. Vielleicht würden sie sich nie mehr im Leben wiedersehen. Sie sehnte sich nach einem Menschen, dem sie ihr Herz eröffnen durfte. Vielleicht hätte Mademoiselle Legrand Verständnis für sie gehabt. Aber sie wollte und konnte Dotty nicht verraten. Sie mußte ihr die Treue halten, auch wenn es ohne Sinn war.

Von Stunde zu Stunde stieg die Sehnsucht nach ihrem Vater. Ihm würde sie alles erzählen können, er würde sie verstehen. Noch wenige Tage, dann waren sie zusammen. Bis dahin mußte sie durchhalten. Wenn man ein Ziel vor Augen hatte, konnte es gar nicht so schwer sein.

Aber es war immer noch schlimm genug.

Beim Mittagessen mußte Bettina ganz allein an einem kleinen Tisch sitzen. Dotty war überhaupt nicht erschienen, sie blieb wahrscheinlich auf der Krankenstation eingesperrt.

Noch vor dem Mittagsgebet verkündete Madame Jeuni den Mädchen, was in der vergangenen Nacht geschehen war. Sie geißelte Dottys und Bettinas Verhalten mit scharfen Worten, eröffnete den anderen Zöglingen, daß Dotty das Internat verlassen mußte und daß man Bettina nur deshalb behielt, weil sie kein Zuhause hatte.

Bettina spürte, wie alle Augen sich, voller Schadenfreude wie sie glaubte, auf sie richteten, sie errötete heiß.

Madame Jeuni verbot den Mädchen bis zu Beginn der Sommerferien ein Wort mit Bettina zu sprechen. Die Teilnahme am Sport sollte für Bettina verboten sein, am Unterricht sollte sie auf einer Bank für sich allein teilnehmen.

Bettina nahm alles mit ausdruckslosem Gesicht zur Kenntnis. Sie wollte niemanden zeigen, wie tief sie die Demütigung empfand. Sie klammerte sich nur an den einzigen Gedanken: Der Vater wird mich holen! In drei Tagen kommt mein Vater! Mit meinem Vater werde ich über alles sprechen können. Nie, nie mehr komme ich hierher zurück!

Die Zeit bis zum Beginn der Sommerferien verbrachte sie wie in einem dumpfen Traum. Sie schloß sich innerlich ab, brachte keinerlei Interesse mehr für ihre Umgebung auf, unternahm keinen Versuch, mit ihren Mitschülerinnen ins Gespräch zu kommen. Sie fühlte sich ausgestoßen, in einer feindlichen Welt, atmete jedesmal auf, wenn sie sich endlich wieder in ihr Zimmerchen zurückziehen konnte. In der Freizeit lag sie stundenlang mit offenen Augen auf ihrem Bett, gab sich tröstenden Träumen hin, die mit der Wirklichkeit nichts, aber auch gar nichts zu tun hatten.

Am Abend vor Beginn der Ferien begann sie, wie die meisten Schülerinnen des Internats, ihre Koffer zu packen. Ohne es selber zu merken, sang sie dabei vor sich hin. Sie freute sich unsagbar, dem Internat, das für sie zu einem Gefängnis geworden war, entfliehen zu können, war selig bei dem Gedanken, ihren Vater wiedersehen zu dürfen.

Sie war so mit sich selber und ihren Hoffnungen beschäftigt, daß sie gar nicht hörte, wie die Zimmertür geöffnet wurde.

Mademoiselle Legrand war es, die eintrat. »Ich freue mich, daß Sie so guter Laune sind, Bettina«, sagte sie. Dann erst sah sie, daß Bettina beim Kofferpacken war. »Was tun Sie da?« fragte sie erstaunt.

Bettina lächelte. »Morgen beginnen die Ferien.«

»Ja, natürlich, aber … rechnen Sie mit solcher Sicherheit damit, zu verreisen?«

»Mein Vater hat mir versprochen, mich abzuholen. Das habe ich Ihnen doch schon gesagt.«

»Ja, ich erinnere mich … ja, natürlich.«

»Wenn Sie glauben, daß Sie mich hindern können, meinen Vater wiederzusehen …«

»Bettina, bitte! Sie sollten wissen, daß mir so etwas niemals in den Sinn käme.«

»Was wollen Sie dann? Warum … warum sehen Sie mich so komisch an?«

»Bettina … Ihr Vater hat ein Telegramm geschickt. Es ist an Sie gerichtet, aber Madame hat es geöffnet. Sie wissen, daß das bei uns so üblich ist.«

»Ja und … was telegrafiert er?«

»Es tut mir leid, Bettina, Sie müssen mir glauben, es tut mir wirklich leid …« Mademoiselle Legrand zog das Telegramm aus der großen Tasche ihres Kleides, reichte es Bettina. »Da. Lesen Sie selber!«

Mit vor Schreck weit aufgerissenen Augen überflog Bettina die großen Druckbuchstaben. »MEIN LIEBES KLEINES STOP ICH BIN SICHER DU WIRST VERSTEHEN STOP LEIDER UNMÖGLICH DICH ABZUHOLEN STOP UNAUFSCHIEBBARE GESCHÄFTE STOP SEI NICHT TRAURIG STOP TELEGRAFISCHE GELDÜBERWEISUNG FOLGT ALS TROSTPFLASTER STOP WERDE

MICH FREI MACHEN SO BALD WIE MÖGLICH STOP IN LIEBE DEIN VATER STEFAN STEUTENBERG.«

Als Bettina das Blatt sinken ließ, war alle Farbe aus ihren Wangen gewichen. Ihre klaren, weit auseinanderstehenden Augen waren schwarz vor Enttäuschung.

»Nehmen Sie es nicht so schwer, Bettina«, sagte Mademoiselle Legrand freundlich. »Wer weiß, wozu es gut ist.« Als sie sah, daß Bettina mit abwesenden Augen vor sich hinstarrte, schüttelte sie sie bei den Schultern. »Bettina! Bitte! Hören Sie mir überhaupt zu?«

Bettina schrak zusammen. »Ja? Was ist?«

»Wir werden uns eine schöne Zeit machen, Bettina. Ich bleibe auch im Internat ... und noch ein paar andere Mädchen. Sie sind ja nicht allein. Machen Sie nicht ein so trauriges Gesicht.«

Bettina sah Mademoiselle Legrand an. »Erwarten Sie etwa von mir, daß ich ... lache?« sagte sie bitter.

»Nein. Nur daß Sie sich ablenken. Es gibt viel schlimmere Dinge im Leben, Bettina, als Ferien am Genfer See zu verleben. Viele junge Mädchen würden Sie darum beneiden.«

»Um den Katzentisch?«

»Bettina! Seien Sie nicht zynisch. Sie werden doch wohl nicht ernsthaft annehmen, daß diese Maßnahme in den Ferien beibehalten wird? Wenn Sie sich deshalb Sorgen machen ... Sie werden auch morgen abend in ein anderes Zimmer übersiedeln ... zu Yvonne Boulanger. Sie ist ein wirklich nettes Mädchen. Ich bin sicher, daß Sie beide sich rasch anfreunden werden.«

Bettina hörte ihr gar nicht zu. In ihr arbeitete es. Bisher hatte sie den Gedanken, aus dem Internat auszureißen, immer weit von sich geschoben, jetzt erschien er ihr plötzlich gar nicht mehr so unsinnig. Ihr graute davor, die Ferienmonate hier zu verbringen. Ihre Sehnsucht nach dem Vater war übermächtig. Warum sollte sie nicht versuchen, auf eigene Faust zu ihm zu gelangen? Wenn er erst erfuhr, wie es ihr hier ergangen war, würde er ihre Flucht bestimmt gutheißen.

Aber sie traute sich nicht zu, einen so gewagten Plan allein durchzuführen. Es gab nur einen einzigen Menschen, der ihr helfen und raten konnte – Dotty Glenford.

Bettina wartete ungeduldig, bis Mademoiselle Legrand endlich das Zimmer verließ, lauschte an der Tür, bis die Schritte der Assistentin draußen verhallten. Dann drückte sie behutsam die Klinke nieder, hielt nach allen Seiten Ausschau – der Gang lag wie ausgestorben.

Bettina ging mit hocherhobenem Kopf und schnellen Schritten durch das Haus. Aus allen Zimmern summte und brummte es wie in einem Bienenstock. Die Ferienvorfreude der anderen schmerzte Bettina. Sie schritt noch rascher aus.

Ohne links und rechts zu sehen, durchquerte sie den großen Speisesaal, in dem grade zum Frühstück gedeckt wurde. Jeden Augenblick befürchtete sie angehalten zu werden, aber niemand achtete auf sie.

Bettina öffnete die Tür zur Terrasse, stellte mit Erleichterung fest, daß noch einige Schülerinnen die letzten Stunden des Tages im Garten verbrachten. So war die Gefahr, daß sie auffallen würde, weniger groß.

Rasch lief sie die breite Treppe hinunter, schlug einen Seitenweg ein, der an der Gartenmauer entlangführte, und erreichte so das Pförtnerhaus, in dessen erstem Stock die Krankenstation untergebracht war.

Jetzt erst überlegte sie sich, welche Möglichkeit sie überhaupt besaß, zu Dotty Glenford zu gelangen. Es gab kein Spalier am Haus, und auch das hätte wenig genützt, denn auch die oberen Fenster waren vergittert.

Es blieb ihr nur der Weg durch den Vordereingang. Sie wußte, daß ihr Vorhaben gewagt war. Aber was konnte ihr schon geschehen? Sie hatte nichts mehr zu verlieren.

Sie hob die Hand und klingelte an der Haustür.

Nicht der Pförtner, sondern seine Frau öffnete – das machte Bettinas Unternehmen immerhin aussichtsvoller.

»Guten Abend«, sagte sie höflich und mit fester Stimme.

»Mein Mann ist leider ...«, begann die alte Frau.

»Macht nichts«, sagte Bettina rasch. »Ich möchte nicht Ihren Mann sprechen. Mademoiselle Legrand schickt mich, ich soll Dotty Glenford etwas ausrichten. Wegen morgen.«

Eine Sekunde wurden die Augen der alten Frau mißtrauisch. »Zu Dotty Glenford?« fragte sie. »Aber soviel ich weiß ... ich glaube, mein Mann hat gesagt, daß sie keinen Besuch bekommen darf.«

»Stimmt auffallend«, sagte Bettina, »sie fliegt. Morgen um neun Uhr holen ihre Eltern sie ab. Das soll ich ihr ja grade sagen.«

Die Frau des Pförtners ließ sich durch Bettinas sicheres Auftreten täuschen. »Ach so«, sagte sie, »dann ... nun ... treten Sie nur ein.«

Bettina folgte der alten Frau in den dunklen Hausflur. »Sie kennen sich aus, ja? Dotty liegt oben im ersten Zimmer rechts. Der Schlüssel hängt am Haken neben der Tür. Meine alten Beine ... ich hoffe, Sie verstehen.«

»Aber natürlich. Machen Sie nur ja keine Umstände. Ich finde mich schon allein zurecht.«

Bettina mußte sich Mühe geben, die Treppen langsam und gelassen hinaufzuschreiten. Sie spürte den Blick der alten Frau im Rücken.

Sie nahm den Schlüssel, stieß ihn ins Schloß, klopfte an die Tür.

Von drinnen hörte sie Dottys Stimme: »Herein!«

»Bettina! Du?« Mit einem Aufschrei stürzte Dotty Glenford ihr entgegen. Sie riß dabei fast den großen Koffer herunter, den sie zum Packen geöffnet auf einen Stuhl gestellt hatte.

Dottys freudige Begrüßung wärmte Bettinas Herz. Aber sie wollte grade in diesem Augenblick nicht sentimental erscheinen.

»Du täuschst dich«, sagte sie deshalb mit erzwungenem Spott, »in Wirklichkeit bin ich Madame Jeuni und habe mich nur verkleidet.«

»Spaßvogel!« Dotty schüttelte vergnügt den Kopf, daß ihre roten Locken flogen. »Aber ganz ehrlich ... ich kann's immer noch nicht fassen! Ausgerechnet du! Wie hast du's fertiggebracht, hier einzudringen? Sie überwachen mich ja hier wie Rapunzel in ihrem Turm.« Sie zog die Augenbrauen hoch. »Oder ... hast du etwa eine Erlaubnis?«

»Keine Bange. Davon kann nicht die Rede sein. Ich komme auf eigene Faust.«

»Ich verstehe es immer noch nicht.«

»Ist auch nicht nötig. Paß auf, Dotty ... vielleicht haben wir nur wenig Zeit. Sobald sie entdecken, daß ich hier bei dir bin ... na, mehr brauche ich dir wohl nicht zu sagen. Du mußt mir helfen, Dotty. Ich sitze in einer scheußlichen Patsche.«

»Etwa meinetwegen?«

»Auch. Aber das Schlimmste ist, mein Vater holt mich morgen nicht ab, verstehst du? Ich müßte also die ganzen Ferien hier bleiben. Aber das ist zuviel. Das kann ich nach alldem nicht mehr ertragen.«

»Ja, und ich bin schuld«, sagte Dotty zerknirscht. »Ich hab' dich da hineingerissen. Verflixt und zugenäht.« Sie krauste die Nase und dachte nach. »Paß auf, ich kann dir helfen. Ich hab' eine prima Idee. Du kommst einfach mit mir!«

»Wohin?«

»Meine Eltern holen mich morgen früh ab. Sie haben über die Ferien ein Landhaus in Coppet gemietet. Komm mit uns, das ist doch das Einfachste.«

»Nein, Dotty, das geht nicht. Erstens weiß ich nicht, ob deine Eltern ...«

»Denen werde ich's schon beibringen, nur keine Sorge. Ich tu's nicht aus Menschenfreundlichkeit, Bettina, ich brauche dich ja als Kronzeugin.«

»Also deshalb ... na schön. Aber bildest du dir allen Ernstes ein, Madame Jeuni würde das je erlauben?«

»Stimmt auch wieder.« Dotty biß sich auf die Unterlippe. »Was kann man da machen? Nein, sag jetzt mal nichts ... laß mich in aller Ruhe nachdenken.« Sie klopfte sich mit dem Knöchel des Zeigefingers gegen die Stirn. »Hier, Köpfchen muß man haben, dann geht alles.« Sie funkelte Bettina aus ihren grünen Augen vergnügt an. »Du mußt die Erlaubnis deines Vaters einholen, verstanden?«

»Dotty! Wie soll ich das denn anfangen? Ich habe gar keine Ahnung, wo er ist.«

»Du brauchst ja nur auf dem Telegramm nachzuschauen.«

Bettina holte das schon reichlich zerknitterte Blatt Papier aus der Tasche ihres altrosa Leinenkleides, warf einen Blick darauf, reichte es Dotty weiter. »Barcelona«, sagte sie. »Was wird uns das nützen?«

»Aber er hat dir doch seine Adresse in Hamburg gegeben.«

»Ja. Aber dort ist meist nur seine Sekretärin da. Die erledigt seine Post und alles das.«

»Dann mußt du die eben anrufen. Bestimmt hat sie die Adresse deine Vaters. Heiz ihr tüchtig ein ... sie muß uns einfach helfen.«

Als Dotty sah, daß Bettina immer noch zögerte, fügte sie eindringlich hinzu: »Oder du mußt die ganzen Ferien unter Madame Jeunis Zepter verbringen. Was ist dir also lieber? Ein kurzer Anruf ... oder ...?«

»Aber von wo soll ich denn überhaupt anrufen? Vielleicht würde Mademoiselle Legrand es mir erlauben, aber bestimmt darf sie so etwas gar nicht.«

»Hier im Haus ist ein Telefon. Ich habe es öfter läuten hören. Frag, ob du's benutzen darfst. Du mußt den Leuten klarmachen, daß es ja nichts kostet. Du meldest natürlich ein R-Gespräch an.« Dotty ging an ihre schicke Tasche, holte ein Portemonnaie heraus. »Hier hast du zehn Franken, steck sie der Alten zu ... nur keine Hemmungen. Geld hilft immer.«

Es kostete Bettina eine ungeheure Überwindung, die Frau des Pförtners darum zu bitten, ihr Telefon für ein R-Gespräch nach Hamburg benutzen zu dürfen. Fast noch unangenehmer war es ihr, sich an das ihr völlig fremde Fräulein Murnauer mit der Bitte um die Adresse ihres Vaters zu wenden. Aber sie stürzte sich sozusagen mit geschlossenen Augen in dieses Unternehmen, denn der Wunsch, dem Internat zu entfliehen, war stärker als alle

Bedenken. Sie war so von Energie erfüllt, daß sie den mißtrauischen Widerstand der alten Frau einfach überrannte. Sie meldete ihr Gespräch an, wartete mit angehaltenem Atem. Inständig betete sie während dieser endlosen Minuten, daß Fräulein Murnauer zu Hause sein, daß sie ihr R-Gespräch annehmen möge, sie betete darum, nicht vorzeitig gestört zu werden.

Als sie dann tatsächlich eine helle Stimme, sehr leise und sehr klein aus weiter Entfernung hörte: »Hier Erna Murnauer!« – da schien es ihr so, als wenn sie das Schicksal allein durch ihren Willen bezwungen hätte.

»Fräulein Murnauer«, sagte sie hastig in die Sprechmuschel hinein, »hier spricht Bettina … Bettina Steutenberg. Fräulein Murnauer, Sie müssen mir helfen. Ich brauche unbedingt die Adresse meines Vaters … nicht nur die Adresse, auch die Telefonnummer.«

Am anderen Ende der Leitung blieb es ganz still. »Fräulein Murnauer!« rief Bettina fast in Panik. »Hören Sie noch? Haben Sie mich verstanden?«

»Ja. Sie wollen Ihren Vater anrufen, nicht wahr? Ich überlege eben, wie das zu machen sein könnte. Aber … ich glaube, es wird nicht gehen.«

»Es muß gehen, Fräulein Murnauer. Ich … es ist unerhört wichtig!«

»Aber ich weiß selber nicht, wo Herr Steutenberg im Augenblick ist.«

»Sie müssen es wissen! Überlegen Sie doch!«

»Nein. Ich weiß es nicht. Seine letzte Post kam aus Barcelona … aber ich nehme mit Sicherheit an, daß er nicht mehr dort ist.«

»Bitte, dann geben Sie mir doch auf alle Fälle seine Telefonnummer in Barcelona! Bitte! Bitte!«

Wieder entstand eine kleine Pause, dann sagte Fräulein Murnauer mit veränderter Stimme: »Bettina … ich darf Sie doch so nennen, ja? … bitte, Bettina, erklären Sie mir, wozu Sie Ihren Vater brauchen. Vielleicht könnte ich Ihnen helfen. Sie wissen, er hat mich beauftragt …«

»Ja! Aber in diesem Fall … ich brauche seine Erlaubnis, Fräulein Murnauer!«

»Wofür?«

»Eine Freundin … Dotty Glenford … sie hat mich eingeladen, die Ferien bei ihr … bei ihren Eltern zu verbringen. In Coppet, das ist ganz hier in der Nähe. Aber bestimmt darf ich sie nicht begleiten ohne Vaters Erlaubnis.«

»Ach so!« Die Stimme Fräulein Murnauers klang fast erleichtert. »Aber das ist doch kein Problem, Bettina. Ist dieses Mädchen mit Ihnen im Internat?«

»Ja, wir teilen das Zimmer.«

»Gut. Ich glaube doch, ich kann das verantworten. Ich werde ein Telegramm an die Vorsteherin schicken, Bettina … jetzt sofort. Ich hoffe, daß es morgen früh rechtzeitig dort ist. Ich werde im Namen Ihres Vaters telegrafieren. Das wird doch genügen?«

»Ja«, sagte Bettina. »Ja. Ich danke Ihnen, Fräulein Murnauer … ich danke Ihnen. Sie haben mir …«

»Gute Nacht, Bettina! Und frohe Ferien!«

»Danke«, sagte Bettina noch einmal, dann hörte sie, wie Fräulein Murnauer den Hörer ablegte.

Sie holte tief Luft. Das war geschafft. Sie mußte es sofort Dotty erzählen.

Aber als sie gerade die Tür zum Flur öffnen wollte, hörte sie, wie die Frau des Pförtners jemanden ins Haus ließ. Sie erkannte die Stimme Mademoiselles Legrands, hörte, wie sie die Treppe hinaufging.

Bettina begriff, daß Madame Jeunis Assistentin Dotty Glenford aufsuchte. Unmöglich konnte sie jetzt auch nach oben gehen. Aber dieser Zwischenfall hatte auch etwas Gutes. Sie konnte sich jetzt ungehindert auf den Rückweg machen.

Auf leisen Sohlen verließ Bettina das Pförtnerhäuschen, rannte durch den jetzt schon verlassenen Park, fand die Treppentür noch offen und erreichte grade in dem Augengenblick das Zimmer, als das Licht gelöscht wurde. Erst jetzt, nachträglich, kam ihr voll zum Bewußtsein, wie sehr sie an diesem Abend gegen alle Gesetze des Internatslebens verstoßen hatte. Aber diese

Tatsache erfüllte sie nur mit Genugtuung. Sie hatte Madame Jeuni ein Schnippchen geschlagen, und sie war stolz darauf.

IV.

Am nächsten Morgen beim Frühstück hatten sich die Reihen der Schülerinnen schon auffallend gelichtet. Viele hatten mit einem Frühzug Genf verlassen, einige waren schon von ihren Eltern abgeholt worden. Die anderen sprachen von nichts als von Ferienplänen, Reisen, Hoffnungen und Erwartungen. In Gedanken waren alle schon weit, weit fort.

Als sich die Mädchen nach beendeter Mahlzeit im Haus und im Park zerstreuten, überfiel Bettina plötzlich Panik. Sie war so sicher gewesen, dem Internat entrinnen zu können – wie, wenn ihre Pläne fehlschlugen? Plötzlich schien es ihr ganz und gar unwahrscheinlich, daß Dottys Eltern zustimmen würden, sie über die Ferien einzuladen. Schließlich war Dotty aus dem Internat relegiert worden, und das war gewiß kein Anlaß, ihr einen Wunsch zu erfüllen. Aber selbst wenn Glenfords einverstanden waren – woher konnte sie sicher sein, daß Fräulein Murnauers Telegramm rechtzeitig ankam?

Bei dem Gedanken, daß sie vielleicht doch die Ferien unter Aufsicht Madame Jeunis verbringen mußte, wurde Bettina ganz elend. Sie fühlte, wie ihre Handflächen feucht wurden, ihre Knie zitterten. Sie ließ sich auf den ersten besten Stuhl auf der Terrasse nieder.

Dort fand sie Mademoiselle Legrand. »Bettina«, sagte sie, »ich habe Sie überall gesucht.«

Bettina hob stumm den Blick.

»Wir haben ein Telegramm Ihres Vaters bekommen, Bettina«, sagte Mademoiselle Legrand.

Bettina fühlte, wie ihr das Blut in die Wangen schoß.

»Sie wollen also die Ferien bei Glenfords verbringen?«

Bettina sah plötzlich eine neue Gefahr auf sich zukommen. Wenn Mademoiselle Legrand erriet, daß sie gestern mit Dotty gesprochen hatte, daß sie sich selber das Hamburger Telegramm bestellt hatte – nicht auszudenken. Bestimmt würde sie unter diesen Umständen das Internat nicht verlassen dürfen. »Wir hatten es so geplant«, sagte sie vorsichtig, »falls mein Vater mich nicht abholen könnte. Wahrscheinlich ist ihm das erst jetzt wieder eingefallen. Aber ... ich weiß natürlich nicht, ob Glenfords nach allem, was vorgefallen ist ... ich weiß nicht, ob sie mich überhaupt noch wollen.«

Mademoiselle Legrand musterte Bettina mit einem seltsamen Blick. »Wann haben Sie zuletzt mit Dotty gesprochen?«

»Mit Dotty?«

»Ja.«

Es blieb Bettina nichts anderes übrig als zu lügen, immer weiter zu lügen. »An jenem Abend«, sagte sie, bemüht, ihrer Stimme Festigkeit zu geben.

»Sonderbar. Woher weiß Dotty dann, daß Ihr Vater Sie nicht abholen wird?«

»Eigentlich kann sie es nicht wissen«, behauptete Bettina. »Aber ... sie hat immer damit gerechnet. Sie hat mir dauernd damit in den Ohren gelegen, daß mein Vater bestimmt nicht kommen würde.«

»Bettina«, sagte Mademoiselle Legrand ernst, »alles, was Sie da erzählen, klingt ziemlich wahrscheinlich. Es könnte durchaus wahr sein ...«

»Warum sollte es nicht?«

»Bettina, ich habe das Gefühl, Sie sind im Begriff, eine große Dummheit zu begehen.«

»Ich verstehe Sie nicht!«

»Das glaube ich Ihnen. Ich bin zwanzig Jahre älter als Sie, Bettina. Wir dürfen also unterstellen, daß ich größere Erfahrungen habe, nicht wahr? Sie sollten der Einladung Glenfords nicht folgen. Ich warne Sie?«

Bettina sprang auf. »Ich bin also eingeladen?«

»Ja.«

Bettina atmete tief, breitete weit die Arme aus. »Gott sei Dank!« sagte sie aus vollem Herzen.

»Bettina ... wenn ich Sie nun bitte, hier zu bleiben ...«

»Warum? Was, glauben Sie, könnte mich hier halten?«

»Ich habe es immer gut mit Ihnen gemeint, Bettina, das wissen Sie ganz genau.«

»Vielleicht. Vielleicht haben Sie das wirklich. Aber ... Sie haben mir nie helfen können. Madame Jeuni hat mich nicht gemocht ... vom ersten Augenblick an nicht. Und die anderen ... aus denen mache ich mir nichts. Ich bin froh ... heilfroh, daß ich mit Dotty fahren darf.«

»Wollen Sie sich nicht wenigstens von Madame Jeuni verabschieden?«

»Wozu? Ich glaube kaum, daß sie Wert darauf legt.«

»Bitte, tun Sie es. Es ist besser, glauben Sie mir!«

Bettina zögerte einen Augenblick. Sie wußte, daß es richtig gewesen wäre, sich von der Vorsteherin zu verabschieden. Sie wußte es ganz genau. Aber sie war sich auch darüber im klaren, daß Madame Jeuni sie wieder einschüchtern würde. Der Gedanke, wieder wie ein unbeholfenes Kind vor ihr zu sehen, was ihr entsetzlich.

»Tun Sie es!« sagte Mademoiselle Legrand noch einmal. »Überwinden Sie sich!«

Bettina schüttelte den Kopf. »Nein«, sagte sie, »ich ... nein, ich möchte wirklich nicht.«

»Schade.«

Bettina reichte Mademoiselle Legrand die Hand. »Ich danke Ihnen für alles, Mademoiselle«, sagte sie. »Sie waren wirklich nett zu mir ... von Anfang an. Aber ... Sie werden sicher auch verstehen, wie froh ich bin, hier fortzukommen.«

»Ja. Im Augenblick, Bettina. Aber es gibt im Leben viel schlimmere Situationen, als in einem Internat zu leben, in dem man sich nicht heimisch fühlen kann. Glauben Sie mir.« Sie ließ Bettinas Hand los. »Ich wünsche Ihnen alles Glück. Trotzdem ... Sie wissen, daß Sie jederzeit zu uns zurückkommen können, nicht wahr? Sie müssen lernen durchzustehen, Bettina ... grade wenn es schwierig wird. Sonst werden Sie nichts im Leben erreichen.«

Ich habe erreicht, was ich will, dachte Bettina, aber sie sprach es nicht aus. »Ich werd' es mir merken«, sagte sie nur mit einem leichten Lächeln und wandte sich zum Gehen.

Die Begrüßung mit Dottys Eltern ging so rasch vor sich, daß Bettina nicht feststellen konnte, ob sie ihr freundlich oder kühl gesinnt waren.

Sie saßen im Fond eines schweren englischen Reisewagens, sie reichten ihr nicht die Hand, sondern nickten ihr nur kurz zu, sagten ein paar höfliche, belanglose Floskeln.

Der livrierte Chauffeur Henry verstaute Dottys und Bettinas Gepäck im Kofferraum. Dann stieg Dotty hinten zu ihren Eltern ein, Bettina bekam den Platz vorne neben dem Chauffeur, und schon ging es los.

Während der ganzen Fahrt bestritt Dotty fast allein die Unterhaltung. Sie plauderte vergnügt drauf los, erzählte harmlose und erbauliche Geschichten, von denen nur Bettina wußte, daß sie zum größten Teil frei erfunden waren. Mr. und Mrs. Glenford stellten einige Fragen, ließen aber Dotty im großen und ganzen reden. Offensichtlich wollten sie keine ernsthafte Unterhaltung in Anwesenheit des Chauffeurs.

Das Landhaus in Coppet war ein hübsches kleines Chalet, dessen gepflegter schöner Garten bis zum Seeufer und zur Bootslandestelle hinunter führte. Die schweizerische Haushälterin, ein Fräulein Mörli, wies Bettina ein hübsches Gästezimmer an. Aber Dotty bestand darauf, ihr Zimmer mit Bettina zu teilen, und so durften die beiden Mädchen denn nach einigem Hin und Her einen großen Schlafraum mit Balkon zum See hinaus beziehen, der ihnen beiden wunderbar gefiel. Bettina freute sich, daß Dotty sie gerne nahe bei sich haben wollte. Auch sie selber hatte nach den langen Tagen der Isolation ein starkes Bedürfnis nach Partnerschaft.

Beim Kofferauspacken war Dotty so übermütig, daß Bettina sich die Frage nicht verkneifen konnte: »Sag mal ... haben deine Eltern eigentlich gar nicht mit dir geschimpft?«

Dotty lachte vergnügt. »Noch nicht. Aber das kommt.«

»Und du machst dir gar nichts draus?«

»Wieso sollte ich? Schimpfen tut schließlich nicht weh.«

Zu dem Schlafraum gehörte ein sehr schönes Badezimmer. Bettina und Dotty nahmen es sofort in Gebrauch. Sie badeten beide lang und ausgiebig, brausten sich hinterher kalt ab, bevor sie sich anzogen.

Dann liefen sie Hand in Hand die Treppe hinunter, Dotty ganz vergnügt, Bettina etwas beklommen.

Mister und Missis Glenford saßen in dem großen Wohnraum, dessen Glastüren weit geöffnet waren und den Blick auf den See und die Gipfel der Voirons freigaben. Mr. Glenford hatte einen Whisky mit Soda vor sich stehen, er rauchte eine Pfeife. Mrs. Glenford nippte an einem Glas Portwein. Sie trug eine graue, sehr elegante Stola um die Schultern, die wunderbar mit ihrem silbergrauen Haar harmonierte. Ihr Gesicht war rund und weich, fast ein wenig kindlich. Bettina, die jetzt zum erstenmal Gelegenheit hatte, sie richtig zu betrachten, konnte sich nur schwer vorstellen, daß diese Frau die Mutter der sprühenden Dotty war.

»Hier sind wir!« sagte Dotty beim Eintritt burschikos. »Melde gehorsamst ... Kisten und Kasten voll.« Sie grüßte ihren Vater militärisch: »Stehe von nun an dem Herrn Oberst zur Verfügung!«

Das Gesicht Mr. Glenfords blieb ernst. Er fuhr sich mit dem Zeigefinger über seinen kurzgestutzten rötlichblonden Schnurrbart, sagte: »Ich denke tatsächlich, daß wir einiges zu besprechen haben, Dorothee!«

Dotty lachte unbekümmert. »Das klingt bedrohlich, Daddy. Aber vielleicht gönnst du uns doch vorher einen kleinen Stärkungsschluck?«

»Ich habe Frau Mörli gebeten, für euch beide ein Glas Traubensaft zu bringen«, sagte Mrs. Glenford mit ihrer milden Stimme.

»Traubensaft! Ich höre wohl nicht recht? Schließlich bin ich fast achtzehn«, sagte Dotty empört.

Aber obwohl sie noch diesen und jenen Trick versuchte, konnte sie nichts ändern. Für sie und Bettina gab es Traubensaft.

Die beiden Mädchen setzten sich nebeneinander auf die breite Couch. Dotty schlug keck die Beine übereinander. Der enge Rock ihres großblumigen Sommerkleides rutschte dabei bis weit über die Knie hinauf.

Mr. Glenford sah es, aber er wendete, offensichtlich schokkiert, sofort seinen Blick wieder ab. »Ich muß sagen, Dorothee«, erklärte er langsam und sog wieder an seiner Pfeife, »... ich muß schon sagen, die Eröffnung Madame Jeunis hat mir keine Freude gemacht. Du bist aus dem Internat relegiert. Das ist peinlich ... mehr als peinlich. Ich erinnere mich nur eines einzigen Falles ... übrigens, vielleicht ist es dir lieber, wenn wir diese Unterhaltung nicht im Beisein von Zeugen führen?«

»Was für Zeugen meinst du, Daddy?«

»Deine ...« wieder sog Mr. Glenford an seiner Pfeife, »... Freundin Bettina.«

»Nein. Bettina kann ruhig dableiben. Sie weiß schließlich über alles Bescheid. Ich bin sicher, Madame Jeuni hat euch einen großen Bären aufgebunden. Sie ist eine völlig hysterische Ziege.«

»Dotty!« rief Mrs. Glenford mahnend.

»Madame Jeuni hat uns nichts weiter mitgeteilt als eine Tatsache«, erklärte Mr. Glenford langsam, »nämlich die, daß du heimlich nächtlicherweise das Internat verlassen hast. Ich möchte jetzt wissen ... wo hast du dich herumgetrieben?«

Dotty sprang auf. »Herumgetrieben? Überhaupt nicht, Väterchen! Ich ... wer hat gewagt, so etwas zu behaupten?«

»Madame Jeuni.«

»Das ist ... eine Unverschämtheit!«

Dotty spielte ihre Entrüstung so echt, daß selbst Bettina ihr fast geglaubt hätte, obwohl sie es doch wahrhaftig besser wußte.

Mr. Glenford war sichtlich beeindruckt. »Du willst sagen, daß alles nicht stimmt?« fragte er stirnrunzelnd.

»Als ihr angerufen habt … am Abend vor fünf Tagen … erinnert ihr euch noch? Da war ich nicht auf meinem Zimmer, das ist alles. Weiter ist nichts an der ganzen Geschichte.«

»Aber wo warst du dann?«

»Im Park natürlich. Ich hatte Kopfschmerzen. Es war schauderhaft schwül. Da bin ich noch ein wenig im Park spazierengegangen.«

»Allein?«

Dotty lachte. »Aber, Daddy! Du kennst doch das Internat. Die Mauern sind so dick und so hoch. Du glaubst doch nicht im Ernst, daß da jemand hinüberklettern könnte?«

»Das klingt ja ganz schön und gut«, sagte Mr. Glenford, immer noch nicht ganz überzeugt, »aber möchtest du mir bitte auch erklären, wieso Madame Jeuni dazu kommt, dich auf diesen doch an sich harmlosen Vorfall hin vom Internat zu weisen?«

»Weil sie hysterisch ist. Ich sagte es ja schon. Ich glaube fast …« Dotty legte die Stirn in Falten und sagte mit seltsamer Betonung: »Sie hat eine schmutzige Phantasie.«

»Aber warum hast du dich nicht bemüht, die Tatsachen richtigzustellen? Du hättest doch leicht …«

Dotty unterbrach ihren Vater. »Weil ich es satt hatte«, erklärte sie leidenschaftlich. »Du hast ja keine Ahnung, Daddy, wie schauderhaft es in diesem blöden Internat ist. Du kannst dir das gar nicht vorstellen. Frag Bettina!« Sie wandte sich an Bettina: »Bitte, sag du ihm doch, wie es scheußlich war.«

»Ja«, bestätigte Bettina, erleichtert, die Wahrheit sagen zu können, »es ist gräßlich dort. Ich hoffe bloß, daß ich nie mehr zurück muß.«

»Warum hast du uns das nicht einfach geschrieben, Dotty?«

»Ihr hättet mir doch nicht geglaubt.«

»Nur eines verstehe ich nicht«, sagte Dottys Mutter. »Wieso konnte deine Freundin nicht … wieso haben Sie, Bettina, Madame Jeuni nicht die Wahrheit gesagt? Sie mußten doch wissen, daß Dotty nur an die frische Luft gegangen war?«

Ehe Bettina noch antworten konnte, rief Dotty dazwischen: »Aber glaubt ihr denn, das hat sie nicht getan? Mit Engelszungen hat sie gepredigt. Aber das ist ja gerade das Gräßliche an dieser Frau ... sie ist so mißtrauisch ... ich kann gar nicht sagen, wie. Sie glaubt keinem Menschen, vielleicht nicht mal sich selber.«

Mr. Glenford sog an seiner Pfeife, sah Dotty durchdringend an. »Wenn ich nur wüßte, ob du die Wahrheit sagst ...«

»Daddy! Wie kannst du nur so etwas fragen?« rief Dotty in heller Empörung. »Habe ich euch je belogen?«

»Das hast du wirklich noch nicht, Dotty«, sagte Mrs. Glenford milde. »Nicht wahr, Arthur? Belogen hat sie uns noch nie.« – –

Nach dieser – für Bettina erstaunlichen – Aussprache, folgten Tage unbeschwerten Frohsinns. Bettina und Dotty waren von früh bis spät zusammen. Das Wetter war prächtig. Die beiden Mädchen verbrachten fast den ganzen Tag am See. Sie schwammen, ruderten oder ließen sich von Henry, dem Chauffeur, im Motorboot über die spiegelnde Wasserfläche fahren.

Abends saßen sie mit Dottys Eltern vor dem Fernsehschirm, oder sie spielten alle zusammen eine Partie Bridge, ein Spiel, dessen Anfangsregeln Bettina im Internat gelernt hatte. Meist gingen alle früh schlafen.

Bettina war sehr glücklich. Sie hatte eine Freundin gefunden, einen Menschen, der bedingungslos zu ihr hielt.

Eines Morgens – sie lagen in ihren knappen, bunten Bikinis auf den Bohlen des Landestegs und ließen sich die Sonne auf den Körper prallen – sagte Dotty: »Übrigens ... morgen abend gibt's eine Party.«

Bettina öffnete die Augen, rollte sich auf die Seite. »Aber ... davon weiß ich ja gar nichts.«

»Drum eben sag ich's dir«, erwiderte Dotty gelassen.

»Wer kommt?«

»Eine ganze Menge Leute.«

Bettina legte sich wieder auf den Rücken. »Na schön, wenn du die Geheimnisvolle spielen willst ...«

»Will ich gar nicht. Damit du's ganz genau weißt ... die Party wird für William C. Baker gegeben.«

»Und wer ist das?«

»Ein amerikanischer Sohn irgendeines hohen Tieres. Sehr reich. Kurzum … es ist der Mann, mit dem meine Eltern mich verheiraten wollen.«

V.

Bettina lernte William C. Baker am nächsten Morgen kennen, als er einen kurzen Antrittsbesuch bei Glenfords machte.

Dieser Tag – der dreizehnte August, war für Bettina in mehr als einer Hinsicht bedeutsam; heute vor siebzehn Jahren war sie zur Welt gekommen. Sie hatte Dotty nichts davon gesagt, weil sie keine Gratulationen herausfordern wollte. Dennoch war sie unsinnigerweise davon enttäuscht, daß Dotty keine Notiz von ihrem Ehrentag nahm. Vergeblich sagte sie sich immer wieder, daß die Freundin gar nichts davon wissen konnte; das schmerzende Gefühl von grundloser Traurigkeit und Verlassenheit blieb. Sie hatte fest auf einen Brief von Bürgers gehofft. Aber auch diese Hoffnung schlug fehl. Bettina wußte, daß wenigstens Ursel ihr bestimmt geschrieben hatte, sie war sicher, daß sich die Post nur verspätet hatte, doch war ihr diese Gewißheit kein Trost. Von Stefan Steutenberg, ihrem Vater, kam keine Nachricht. Bettina war überzeugt, daß er ihren Geburtstag einfach vergessen hatte. So wenig bedeutete sie ihm.

Bettina hatte vorgehabt, Dotty zur Feier des Tages in das Strandcafé zu Kaffee und Apfeltorte mit Schlagsahne einzuladen. Aber auch daraus wurde nichts. Die bevorstehende Party machte alle Pläne zunichte.

»Wie gefällt er dir?« fragte Dotty, als sich die Mädchen nach dem Mittagessen noch einmal hingelegt hatten, um am Abend so frisch wie möglich zu sein.

Bettina wußte genau, wen Dotty meinte, trotzdem fragte sie: »Wer?«

»William natürlich.«

»Ach so.«

»Du warst nicht sehr freundlich zu ihm.«

»Warum sollte ich. Du willst ihn ja heiraten … nicht ich.«

»Von wollen kann gar keine Rede sein.« Dotty wandte ihr Gesicht der Freundin zu. »Ganz ehrlich … was hältst du von ihm?«

Bettina hatte William C. Baker aus tiefster Seele mißfallen. Sie wußte selber nicht, was ihr an ihm so unsympathisch war. Wahrscheinlich waren es die sehr hellen grauen Augen mit den auffallend kleinen Pupillen, deren Blick Bettina geradezu erschreckend fand. Meist waren diese Augen allerdings halb verhangen, von langen schwarzen, fast weiblich gebogenen Wimpern bedeckt. William C. Baker wirkte nicht wie ein Amerikaner, oder jedenfalls nicht so, wie Bettina sich einen Amerikaner vorgestellt hatte. Er hatte nichts Sportliches an sich, obwohl seine Bewegungen von einer fast gefährlichen Elastizität waren. Seine Manieren waren ausgezeichnet.

»Los, sag doch schon!« drängte Dotty in Bettinas Gedanken hinein.

»Wie kann ich einen Menschen beurteilen, den ich ein einziges Mal gesehen habe … und dazu noch ganz flüchtig, Dotty! Was könnte dir mein Urteil nützen? Du kennst ihn ja länger als ich … und wahrscheinlich besser.«

»Das ist es ja eben«, bekannte Dotty unfroh, »ich kenne ihn schon ein paar Jahre … immer, wenn er nach Europa kommt, besucht er meine Eltern. Aber ich werde nicht klug aus ihm. Er ist mir … irgendwie unheimlich. Kannst du das verstehen?«

»Ja«, sagte Bettina.

»Ich habe noch mit niemandem darüber gesprochen … aber … ich mag ihn nicht. Ich glaube nicht, daß ich ihn heiraten kann.«

»Mußt du denn das?«

»Wer spricht von müssen? Meine Eltern wünschen es. Sie haben es mir gesagt.«

»Wann?«

»Vor ein paar Tagen. Weil ich aus dem Internat geflogen bin, möchten sie mich jetzt so rasch wie möglich unter der Haube haben. Das ist schließlich begreiflich, nicht wahr?«

»Hat er denn … ich meine, will er dich überhaupt?«

Dotty richtete sich auf und schüttelte ihre rote Mähne. »Was für eine Frage, Bettina!« sagte sie. »Das will doch jeder.«

Bettina war verblüfft. »Wirklich?«

»Sicher. Erstens bin ich ein sehr hübsches Mädchen, das wirst du nicht bezweifeln … zweitens bekomme ich eine ganz schöne Mitgift. Da ist es doch kein Wunder, daß die Männer zuschnappen.«

»Willst du behaupten, du hast schon Heiratsanträge bekommen?«

»Nicht direkt«, gab Dotty zu. »Ich war ja noch zu jung, da haben sie sich nicht getraut. Aber jetzt geht's los, du wirst sehen.«

»Dein Selbstbewußtsein möchte ich haben, Dotty! Ich kann mir nicht vorstellen, daß so bald jemand auf die Idee kommen würde, mich heiraten zu wollen.«

»Mach dir nichts daraus, Bettina. Natürlich wirst du's ein bißchen schwerer haben … ich will nicht behaupten, daß du häßlich bist, nein, ganz im Gegenteil … aber weißt du, dir fehlt der Sex! Der Sex-Appeal, verstehst du?«

»Auf den lege ich auch nicht den geringsten Wert, Dotty. Damit du Bescheid weißt, ich mache mir nichts aus Männern … überhaupt nichts. Ans Heiraten habe ich noch nie gedacht. Wozu auch.? Ich finde, dafür sind wir beide noch viel zu jung.«

»Du vielleicht. Ich nicht. Ich werde bald heiraten, verlaß dich darauf … schon, damit ich endlich tun und lassen kann, was ich will.«

»Etwa William C. Baker?«

»Mal sehen. Das muß ich mir noch überlegen. Wenn er mir auch nicht gerade sympathisch ist, eines spricht für ihn … er hat klotzig viel Geld. Das ist wahrscheinlich das Wichtigste.«

Bettina schwieg. Sie hatte keine Lust, sich mit der Freundin herumzuzanken. Früher hatten Dottys oberflächliche und zynische Ansichten sie häufig schockiert. Inzwischen glaubte sie zu wissen, daß Dotty nur so daherredete, um sich interessant zu machen. Sie war überzeugt, daß Dotty im Grunde ihres Herzens ganz anders war, als sie nach außen hin tat.

Sie wagte es nicht, Dotty vor William C. Baker, vor einer verfrühten Entscheidung zu warnen – sie spürte, daß sie eifersüchtig war und wußte, daß dieses Gefühl kein guter Ratgeber sein konnte.

Da Bettina nicht zur Familie gehörte, nahm sie am Abend nicht an der Begrüßung der Gäste teil, sondern kam erst später herunter.

Alles war viel festlicher, als sie es sich vorgestellt hatte. Die Glastüren zur Terrasse standen weit offen und gaben den Blick auf den Garten frei, der durch die bunten Lampions wie verzaubert wirkte.

Aus einem Tonbandgerät kam zärtliche Musik, nicht zu laut und nicht zu leise, gerade so, daß sie das fröhliche Stimmengewirr und Gläserklirren nicht übertönte, sondern nur untermalte. Die meisten Damen waren im großen Abendkleid erschienen, einige in sommerlichen Cocktailkleidern, die Herren teils im Frack, teils im Smoking. Bettina fühlte sich in ihrem fliederfarbenen Seidenkleid, das ihr der Vater geschenkt hatte, nicht ganz passend angezogen, obwohl sie es doch so sehr liebte. Es kostete sie Überwindung, weiterzugehen; sie hatte plötzlich das ganz starke Gefühl, daß sie nicht hierher gehörte.

Auf der Längsseite des Wohnzimmers stand ein kaltes Buffet, ein langer weißgedeckter Tisch, auf dem allerlei Köstlichkeiten angerichtet waren Kaviar auf Eis, Hummer, Artischokkenböden, verschiedene Salate.

Ganz in der Nähe stand William C. Baker und rauchte eine Zigarette. Bettina wunderte sich, daß er alleine war. Ihre Augen suchten Dotty. Sie stand in einem ganzen Kreis von Verehrern, flirtete nach allen Seiten und versuchte, wie es Bettina schien, die Aufmerksamkeit des Amerikaners auf sich zu lenken, ohne daß es ihr gelang.

William C. Baker trug eine weiße Smokingjacke, die die Bräune seines Gesichtes hervorhob. Bettina mußte zugeben, daß er sehr gut aussah, wenn auch das leicht spöttische

Lächeln um seine vollen Lippen ihn ihr nicht sympathischer machte. Ohne ihn voll anzusehen ging sie an ihm vorbei und trat auf die Terrasse hinaus.

Bettina kannte die meisten der Gäste. Es waren ausnahmslos Engländer, unter ihnen nur wenige junge Leute. Sie mochte sich nicht in Dottys Kreis drängen, hatte auch keine Lust, sich in die Unterhaltung einiger älterer Herrschaften zu mischen, die um den offenen Kamin herumsaßen – die Nacht war warm genug, daß man auch ohne Feuer ausgekommen wäre, aber die lodernden Flammen boten einen reizvollen Anblick, das Knistern und Knacken des Holzes verbreitete eine gemütliche Atmosphäre.

Bettina ließ sich auf einer der Hollywood-Schaukeln nieder, lehnte sich zurück und genoß das festliche Bild. Henry, der Chauffeur, der heute mit weißen Handschuhen servierte, bot auf einem Tablett Gläser mit Sekt an. Bettina nahm eines, lächelte Henry dankbar zu. Sie trank, stellte das Glas ab, schaukelte ein wenig.

Sie versuchte sich einzureden, daß dies ein schöner Abend war, daß sie allen Grund hatte, ihn zu genießen. Aber es gelang ihr nicht. Das Gefühl, nicht hierher zu gehören, wurde immer stärker. Sie war umgeben von fröhlichen, festlich gestimmten Menschen, und doch war sie so allein wie nie zuvor. Dies war ihr siebzehnter Geburtstag, und niemand hatte, außer einem kurzen Nicken, außer einem flüchtigen Lächeln, Notiz von ihr genommen.

Jetzt kam eine Gruppe junger Leute auf sie zu. Sarah, ein etwas knochiges und farbloses, aber sehr nettes Mädchen, bat, ob sie bei ihr Platz nehmen könnte. Die jungen Männer blieben vor ihnen stehen, rauchten Zigaretten und blickten auf sie herab. Bettina mußte Konversation machen, mußte zu Witzen lachen, die sie alles andere als komisch fand. Ihr Unbehagen wurde so stark, daß sie es nicht länger aushielt. Sie stand auf, murmelte eine Entschuldigung und zog sich zurück.

Sie wollte ins Haus hineingehen, aber dort stand William C. Baker, ein Whiskyglas in der Hand, in der Terrassentür.

Bettina wandte sich ab und lief in den illuminierten Garten hinein.

Erst ganz unten am See fand sie einen Platz, der dunkel genug war, um Schutz und Einsamkeit zu versprechen. Sie setzte sich nieder, kroch ein wenig in sich zusammen, denn hier unten am See war es kühl, faltete die Hände und versuchte sich zu beruhigen. Ihr Herz brannte. War es Heimweh, was ihr so zu schaffen machte? Plötzlich erschienen ihr die ereignislosen, geborgenen Jahre, die sie in der Familie Bürger verbracht hatte, wie ein verlorenes Paradies. Sie sehnte sich nach Dortlingen, sehnte sich in das alte Haus zurück, das nun verlassen war von den Menschen, die sie lieb hatte. Sie hätte weinen mögen, aber ihre Augen blieben trocken.

Warum hatte der Vater nicht zu ihrem Geburtstag geschrieben? Warum hatte er nicht wenigstens angerufen? Er wußte doch, wo sie war. Wie war es möglich, daß er diesen Tag einfach vergessen hatte? Gab es denn niemand, dem wirklich etwas an ihr lag?

Bettina zuckte zusammen, als sie hinter sich ein Geräusch hörte.

»Habe ich Sie erschreckt?« fragte gleich darauf eine männliche Stimme.

Bettina brauchte sich nicht umzudrehen, um zu wissen, daß es William C. Baker war, der mit ihr sprach.

»Nein«, sagte sie verwirrt, »nur ...« Sie stand auf. »Ich wollte sowieso wieder ...«

»Bitte nicht!« sagte er. »Sonst muß ich glauben, ich habe Sie verjagt.«

»Aber ... ich wollte wirklich ...«

»Was haben Sie so Wichtiges zu tun? Bleiben Sie noch ein paar Minuten ... ich bitte Sie darum!«

Bettina sah keine Möglichkeit, sich davonzumachen, ohne daß es wie Flucht wirkte. Sie ließ sich wieder auf die Bank sinken, hielt den Rücken sehr gerade und sah William C. Baker an. Sein Gesicht lag im Dunkeln, nur jedesmal, wenn er an seiner Zigarette zog, leuchtete es im Ungewissen Licht der roten Glut auf. Bettina sah sein fast griechisches Profil. Sie wußte nicht, was sie sagen sollte, hoffte, daß irgend etwas geschah, was sie aus dieser peinlichen Situation rettete.

»Darf ich mich zu Ihnen setzen?« fragte William C. Baker.

»Bitte«, sagte Bettina steif. Sie war dankbar, daß er sich an das äußerste Ende der Bank setzte. Zwischen ihnen war eine Entfernung von gut einem halben Meter.

»Warum sind Sie so traurig?« fragte der Amerikaner.

»Ich bin nicht traurig.«

»Dann sollten Sie auch nicht so traurige Augen machen. Das ist verwirrend für alle anderen.«

»Ich ... es tut mir leid, aber ...«

»Es braucht Ihnen nicht leid zu tun, Bettina. Warum erzählen Sie mir nicht, was Sie bedrückt?«

Bettina versuchte zu lachen. »Nichts«, sagte sie, »gar nichts. Mir geht es großartig. Wirklich ... ich fühle mich sehr wohl.«

»Sind Sie deshalb zum See geflohen?«

»Geflohen? Nein ... wie kommen Sie darauf? Ich wollte nur ein bißchen Luft schnappen.«

»War Ihnen oben auf der Terrasse nicht Luft genug?«

»Ich ... sagen Sie, was fällt Ihnen ein, mich zu verhören?!«

»Haben Sie ein schlechtes Gewissen, oder warum mögen Sie nicht, daß andere Leute sich für Sie interessieren?«

»Ich habe nichts verbrochen, wenn Sie das meinen ... und ich bin durchaus imstande, mit meinem Schicksal alleine fertigzuwerden.«

»Wirklich? Sind Sie das?«

Bettina hatte eine Antwort schon auf der Zunge, aber sie brachte kein Wort mehr über die Lippen. Sie saß wie erstarrt, wagte sich nicht zu rühren. William C. Baker hatte seine Hand auf ihre nackte Schulter gelegt – eine warme Hand mit zärtlichen Fingern.

Bettina wußte, daß sie diese Hand hätte abschütteln, daß sie hätte aufspringen müssen – aber sie war außerstande sich zu rühren. Etwas Seltsames, nie Gefühltes hatte von ihr Besitz ergriffen. Es war ihr, als wenn sie zu Eis erstarrte, gleichzeitig fühlte sie, wie glühende Schauer über ihren Körper liefen.

Sie wußte nicht, wie lange sie so da saß, ohne sich zu rühren, ja, fast ohne zu atmen. Es war sehr still. Wie aus weiter Ferne klangen Musik und Gelächter zum Ufer hinunter, das Wasser schlug leise gegen die Steine.

Auch William C. Baker schwieg. Aber seine warmen Finger streichelten mit sanfter Intensität ihre Schulter, tasteten zu ihrem Nacken, jagten elektrische Stöße durch ihren Körper.

Bettina hielt die Augen geschlossen. Dennoch wußte sie, daß er sich über sie beugte, spürte seinen warmen Atem auf ihrem Gesicht – dann waren seine Lippen auf ihrem Mund.

Selbst in dieser Sekunde, da er sie voll Leidenschaft und Leidenschaftlichkeit küßte, wußte Bettina, daß sie ihn nicht liebte, ja, daß er ihr nicht einmal sympathisch war. Trotzdem hatte sie nicht die Kraft, ihn zurückzustoßen. Es war, als wenn ein fremder Wille von ihrem Körper Besitz ergriffen hätte. Sie gab sich den Küssen dieses wildfremden ungeliebten Mannes hin, als wenn es für sie keine Wahl gäbe.

Erst als seine Hände tiefer glitten, wurde Widerstand in ihr wach. Er spürte ihre Abwehr sofort, gab nach. Aber da hatte der Rausch, der Bettina überfallen hatte, schon an Kraft verloren. Sie stemmte ihre Hände gegen seine Schultern, versuchte sich frei zu machen.

In diesem Augenblick hörte sie eine helle Stimme, voll zorniger Empörung: »Bettina!« Ein heller Schein traf ihre Augen.

Sie wandte den Kopf, sah sich Dotty gegenüber, die vor ihnen stand, eine Taschenlampe in der Hand, die Bettina und William C. Baker in helles Licht tauchte, sie selber im Schatten ließ. Trotzdem konnte Bettina sich den Ausdruck von Abscheu in den Augen der Freundin vorstellen, als wenn sie ihn sähe.

William C. Baker schien dieser mehr als peinlichen Situation durchaus gewachsen. Er hielt Bettina fest beim Handgelenk, verbeugte sich leicht in Richtung der Taschenlampe hin, sagte mit einem mokanten Lächeln um den vollen Mund: »Fräulein Dotty? Was können wir für Sie tun?«

Außer sich vor Zorn versuchte Dotty mit aller Kraft, ihm die Taschenlampe ins Gesicht zu werfen. Er bückte sich blitzschnell, die Taschenlampe flog ins Gebüsch, schlug klirrend gegen einen Stein.

Die eine Sekunde, in der William C. Baker seinen Griff um Bettinas Handgelenk gelockert hatte, genügte ihr, sich freizumachen. Sie rannte los, wie von Furien gehetzt, ohne auf seine Stimme zu achten, die hinter ihr herrief: »Bettina! Bettina!«

Sie stürzte auf die kleine Pforte zu, die den Park mit dem Nachbargrundstück verband, setzte hinüber, rannte durch den dunklen Park, lief auf die Straße.

Sie rannte und rannte und hatte nur den einen Wunsch, weit fort zu sein, weit fort von Dotty, von William C. Baker und vor allem von sich selber. – –

Als Bettina zum Chalet der Glenfords zurückkehrte, war die Party längst beendet. Die Lampions waren erloschen, das Haus lag zur Straße hin dunkel da.

Bettina war froh, daß sie einen Hausschlüssel hatte. Vielleicht würde es ihr gelingen, unbemerkt hineinzukommen. Sie mochte niemanden sehen, weder Dotty noch ihre Eltern. Sie war sich völlig darüber im klaren, daß sie nicht länger bei den Glenfords bleiben konnte.

Morgen früh mit dem ersten Omnibus wollte sie nach Genf zurückfahren. Mademoiselle Legrand hatte ihr ja gesagt, daß das Internat sie wieder aufnehmen würde. Damals hatte sie sich geschworen, nie wieder zurückzukehren; jetzt war sie froh, daß es noch diesen Ausweg für sie gab.

Ganz leise steckte sie den Schlüssel ins Schloß, drehte ihn vorsichtig um, drückte die Tür auf.

Auf Zehenspitzen durchquerte sie im Dunkeln die Diele, hatte schon die ersten Stufen der Treppe genommen, als plötzlich das große Deckenlicht angeknipst wurde.

Ihr erster Gedanke war – William C. Baker. Nur er konnte ihr zu dieser Nachtzeit aufgelauert haben, aber diesmal würde sie sich nicht von ihm hypnotisieren lassen – denn nicht anders konnte sie sich ihre Schwäche vorhin im Park erklären.

Sie war entschlossen, ihm Bescheid zu sagen, drehte sich blitzschnell um und sah – ihren Vater.

Stefan Steutenberg lächelte ihr mit geschlossenem Mund zu, um seine hellen Augen bildeten sich unzählige Fältchen, sein männlich dunkles Gesicht wirkte vertrauenerweckend wie immer. In diesem Augenblick erschien er Bettina wie ein Fels in der Brandung, ein Halt, an den sie sich klammern konnte.

Sie stürzte die Treppe hinunter, lief auf ihn zu, warf sich in seine Arme. »Vater! Vater! Ach, Vater!«

Er stand ganz ruhig, klopfte ihr zärtlich auf den Rücken, sagte: »Na, na, na! Nicht so aufgeregt, Kleines. Du tust ja geradeso …« Er packte sie bei den Schultern, hielt sie von sich ab. »Sag mal, hast du eigentlich nicht damit gerechnet, daß ich heute kommen würde?«

»Nein«, sagte sie atemlos. »Nein … wie sollte ich denn?!«

»Du mußt ein schönes Bild von mir haben, Bettina«, sagte er schmunzelnd. »Immerhin, heute ist ja doch wohl dein siebzehnter Geburtstag, wie? Hast du etwa angenommen, ich hätte das vergessen?«

»Ich wußte nicht, Vater … weil du doch … du hast immer so furchtbar viel zu tun, und deshalb …«

»Schäfchen. Was hältst du denn eigentlich von mir? Immerhin bist du meine einzige Tochter … mein einziges Kind. Meinst du nicht, ich wüßte, wie wichtig du für mich bist? Und wie wichtig für ein junges Mädchen der siebzehnte Geburtstag ist?«

»Ich bin so glücklich, daß du da bist, Vater!«

»Das habe ich gemerkt. Ist etwas schiefgegangen?«

Bettina brachte es nicht über sich, dem Vater ihr Erlebnis mit William C. Baker zu beichten – jetzt noch nicht, zwischen Tür und Angel in einem fremden Haus.

»Nein, Vater! O nein!« sagte sie rasch.

»Um so besser! Wie lange dauern deine Ferien noch?«

»Bis Ende des Monats.«

»Fein. Dann können wir beide ja noch zusammen verreisen. Jetzt wollen wir Mr. Glenford nicht mehr länger aufhalten …

er ist nämlich extra unseretwegen wachgeblieben. Ich hole dich dann morgen früh ab … so gegen zehn Uhr, damit du noch Zeit hast, in aller Ruhe deine Koffer zu packen.«

»Vater, bitte …« Bettina stockte.

Er schien zu spüren, daß es etwas sehr Wichtiges war, das sie auf dem Herzen hatte.

»Na?« sagte er. »Nur los! Raus mit der Sprache!«

»Könnte ich nicht schon heute nacht … mit dir kommen?«

Stefan Steutenberg lachte. »Du hast wohl Angst, morgen früh bin ich wieder weg?«

»Nein … nein, bestimmt nicht. Oder doch! Bitte, Vater … warte auf mich. In einer halben Stunde habe ich alles zusammengepackt … ganz bestimmt!«

»Ich halte das zwar nicht für sehr vernünftig …«

»Bitte, Vater.«

»… aber wenn du darauf bestehst … schließlich ist heute dein Geburtstag, und da hast du einen Wunsch frei. Allerdings müssen wir erst fragen, ob Mister Glenford nichts dagegen hat. Immerhin bist du ja eine ziemliche Zeit sein Gast gewesen.«

Mr. Glenford war sofort einverstanden. Bettina hatte das Gefühl, daß er genauso froh war, sie loszuwerden, wie sie es war, dieses Haus für immer zu verlassen. Trotzdem zeigte er sich nicht unfreundlich, sondern nur sehr gelassen und zurückhaltend.

Dotty war noch wach.

Als Bettina ihre Nachttischlampe anknipste, sah sie die Freundin mit hinter dem Kopf verschränkten Armen in ihrem Bett liegen. Sie starrte wortlos, mit brennenden Augen ins Leere. Sie sah aus, als wenn sie geweint hätte.

Bettina konnte nicht einfach so tun, als wenn Dotty nicht existierte. Sie trat zu ihrem Bett. »Es tut mir leid, Dotty«, sagte sie zaghaft. »Ich kann dir nicht sagen, wie leid es mir tut …«

Dotty schwieg. Ihr Gesichtsausdruck blieb starr.

»Wenn ich dir bloß erklären könnte, wie das gekommen ist! Ich wollte es nicht! Wirklich nicht! Ich …«

»Hör auf!« Dotty schrie es fast. »Hör endlich auf mit deinem verlogenen Geschwätz. Du brauchst mir nichts zu erklären! Nichts! Gar nichts! Ich bin selber an allem schuld. Wie konnte ich mich mit dir einlassen. Dabei habe ich es von Anfang an gewußt!«

»Was? Was willst du gewußt haben?«

»Daß du eine verlogene kleine Heuchlerin bist!«

»Dotty! Das ist doch nicht wahr! Ich ...«

»Still!« Dotty hielt sich die Ohren zu. »Ich will nicht ... ich will nichts hören ... von dir nicht mehr! Laß mich in Ruhe!«

Bettina seufzte tief. »Ich bin ja nur gekommen, um meine Sachen zu packen. Mein Vater ... du weißt sicher, daß er hier ist.«

»Dein Glück! Wenn er dich nicht geholt hätte, ich hätte dich hinausgeworfen! Noch heute nacht!«

»Ich wäre so und so gegangen, Dotty«, sagte Bettina mit fester Stimme. »Du hättest dich nicht zu bemühen brauchen.«

Sie holte ihre Koffer vom Schrank und begann rasch und umsichtig zu packen. Als sie fertig war, trat sie noch einmal zu Dottys Bett. »Falls ich was vergessen haben sollte«, sagte sie, »vielleicht bist du so gut, es mir zu schicken. Ich schreibe dir meine Adresse.«

Dotty schwieg und sah an ihr vorbei.

»Bitte«, sagte Bettina eindringlich, »bitte ... wir haben uns doch gut verstanden, nicht wahr? Lange Zeit. Willst du mir nicht wenigstens die Hand geben?«

Aber Dotty rührte sich nicht.

Bettina blieb nichts anderes übrig, als den Koffer zu nehmen und das Zimmer zu verlassen.

Als sie ins Wohnzimmer hinunterkam, war Mr. Glenford schon zu Bett gegangen.

»Du möchtest die Haustür abschließen«, sagte Stefan Steutenberg, »und dann die Hausschlüssel durch den Briefkastenschlitz werfen.«

»Ja«, sagte Bettina nur.

Sie litt unter dem unfreundlichen Abschied aus diesem Haus, in dem ihr soviel Gutes widerfahren war. Sie hatte das beschämende Gefühl, wieder einmal versagt zu haben.

Doch die Freude auf das Zusammensein mit ihrem Vater war stärker als alles andere. Sie hoffte von Herzen, sich nie mehr von ihm trennen zu müssen.

VI.

Stefan Steutenberg war diesmal nicht geflogen, sondern in seinem schwarzen Mercedes SL in die Schweiz gefahren.

Noch in dieser Nacht brachte er seine Tochter bis Rolle, wo sie im »Au Domino«, einem gepflegten Hotel, weit genug von der lauten Landstraße, am Nordufer des Genfer Sees, übernachteten. Sie standen spät auf, frühstückten ausgiebig und schlenderten dann durch das freundliche Städtchen. Sie nahmen sich Zeit, das Schloß mit seinen drei wuchtigen Ecktürmen zu besichtigen, das ein Fürst von Savoyen im dreizehnten Jahrhundert hatte erbauen lassen.

Dann stiegen sie wieder in den offenen Sportwagen und fuhren weiter.

Bettina genoß es in vollen Zügen, ihrem Vater so nahe zu sein. Sie bewunderte seine geschickte, rasante Fahrweise, fühlte sich seit langer Zeit endlich wieder einmal völlig geborgen.

Dennoch brachte sie es nicht über sich, offen zu ihm zu sein.

Als sie am Spätnachmittag in Zürich ankamen, hatte sie ihm noch nichts von Dottys nächtlichem Ausreißen aus dem Internat erzählt, nichts von ihrem Zusammenstoß mit Madame Jeuni und nicht ein Wort von ihrem Erlebnis mit William C. Baker. Jedesmal, wenn sie dazu ansetzen wollte, schien sich etwas wie eine Mauer zwischen ihr und ihrem Vater aufzurichten. So vertraut er ihr noch eine Minute vorher gewesen war, plötzlich war er nur noch ein sehr fremder, fast unbekannter Mann. Dabei hätte sie sich so gerne einem Menschen voll und ganz anvertraut.

Sie stiegen im »Baur au Lac« ab. Stefan Steutenberg schien hier sehr bekannt zu sein. Sie bekamen zwei schöne große Einzelzimmer, die durch ein Bad miteinander verbunden waren. Bettina packte rasch die notwendigsten Dinge aus. Sie machten sich frisch, bummelten noch ein wenig am Seeufer entlang, aßen zusammen im Pavillon des Hotels zu Abend.

Es war eine warme Sommernacht, vom See her funkelten Tausende von Lichtern, auf dem Platz vor dem Hotel, zwischen hohen Bäumen, spielte eine italienische Band zum Tanz. Von ihrem Tisch im Pavillon aus konnte Bettina zur Tanzfläche hinübersehen.

Stefan Steutenberg folgte ihrem Blick. »Wir können es nachher auch mal versuchen«, schlug er vor, »sicher tanzt du gerne, wie?«

»Sehr«, sagte Bettina und lächelte ihn zärtlich an. »Es ist so wunderschön hier ... ich weiß nicht, wie ich dir danken soll.«

»Hoffentlich langweilst du dich nicht mit deinem alten Vater.«

»Du und alt?« Bettina lachte. »Ich wette, keine von allen Mädchen in unserem Internat hat einen so jungen Vater.«

»Mag sein. Aber immerhin, ich fürchte, es wäre für dich doch netter, mit jungen Menschen zusammen zu sein.«

Bettina schüttelte den Kopf. »Bestimmt nicht. Schließlich ... der Altersunterschied zwischen uns ist ja gar nicht so groß. Siebzehn Jahre, was bedeutet das schon?«

Sie sah sich im vollbesetzten Pavillon um. »Bestimmt halten die meisten Leute hier mich für deine Geliebte ... oder vielmehr auch für deine Frau. Daß ich deine Tochter bin, darauf kommt niemand.«

Stefan Steutenberg lachte. »Und das macht dir Spaß?«

»Sicher. Ich ... ich komme mir so bedeutend vor.«

»Du bist doch noch ein rechter Kindskopf, Kleines«, sagte er und streichelte ihre Hand.

Bettina faßte sich ein Herz. »Vater«, begann sie, »wann ... ich meine, ist dein Haus in München jetzt schon eingerichtet?«

»Warum fragst du?«

Sie errötete unter seinem prüfenden Blick. »Nur so«, sagte sie unsicher.

»Du hast mit niemandem darüber geredet?«

Sie sah ihn aus großen Augen an. »Mit wem denn?«

»Mir kam nur eben der Gedanke ... natürlich ist das völlig unsinnig. Aber manchmal hat man eben komische Ideen. Also, paß auf, Kleines, das ist nämlich so ... mit München wird nichts.«

»Nein!?«

»Bitte, mach nur nicht gleich so ein entsetztes Gesicht.« Stefan Steutenbergs Stimme klang so ärgerlich, wie sie ihn noch nie gehört hatte. »Ich kann solch ein Getue nicht ertragen. Was ist denn schon weiter dabei? Du tust gerade so, als wenn ich dir mitgeteilt hätte, daß ... nun ja, daß die Welt untergeht.«

Sie senkte die Wimpern. »Bitte, verzeih«, sagte sie leise.

»Ich hatte eine Gelegenheit, das Münchener Haus sehr günstig zu vermieten ... sehr, sehr günstig. Hätte ich mir das entgehen lassen sollen? Das wirst du nicht von mir verlangen!«

Bettina legte ihre Hand auf seinen Arm. »Bitte, sei mir nicht böse, Vater ... es war nur ... nur eben ein kleiner Schock für mich.«

»Wieso?! Warum hast du dich so auf München kapriziert?«

»Nicht auf München ... auf ein Zuhause.«

»Wenn es nur das ist!« Er lachte erleichtert auf. »Dein Zuhause sollst du kriegen, Kleines ... Ehrensache. Bloß wird es nicht in München, sondern in Hamburg sein. Ich habe sehr günstig ein Haus am Harvestehuderweg erwerben können. Es ist noch diesen Herbst beziehbar. Na, was sagst du jetzt?«

Sie strahlte ihn an. »Fabelhaft!«

»Wirklich? Macht es dir nichts aus, daß die Sache mit München ins Wasser gefallen ist?«

»Warum? Mir ist es doch ganz egal, wo ich lebe. Hauptsache, ich bin mit dir zusammen.«

»Weißt du«, sagte er und zündete sich eine Zigarette an. »Natürlich war das alles kein Zufall. Ich habe schon seit langem mit Hamburg geliebäugelt. Du weißt, daß ich sehr viel unterwegs sein muß. Hamburg ist für mich doch der günstigste Ausgangspunkt.«

»Natürlich«, sagte sie und nahm einen Schluck Wein.

»Möchtest du noch einen Mokka trinken?« fragte er.

Sie schüttelte den blonden Kopf. »Nein ... nein danke. Ich habe Angst, daß ich sonst nicht schlafen kann. Außerdem ...« Sie warf einen sehnsüchtigen Blick zur Tanzfläche hinüber.

Ihm war es nicht entgangen. »Ein bißchen Geduld mußt du schon noch haben, Kleines ... ich habe nämlich doch noch Lust auf eine Tasse Kaffee, weißt du.« Er bestellte ihn bei einem der weißbejackten Kellner, bat gleichzeitig um die Rechnung.

»Vater«, sagte Bettina, als sie wieder allein am Tisch waren.

»Ja?«

»Wenn du soviel auf Reisen bist ... wirst du mich manchmal auch mitnehmen?«

»Mal sehen. Aber stell dir das nur nicht so interessant vor. Wenn ich geschäftlich unterwegs bin, habe ich für nichts anderes Zeit. Es ist ziemlich langweilig, den ganzen Tag im Hotelzimmer zu sitzen.«

»Ich könnte mir ja alleine dies und jenes ansehen.«

»Könntest du. Gewiß. Aber ... sei nicht böse, Kleines ... ich habe in diesem Punkt so meine Erfahrungen gemacht.«

»Mit mir?« fragte sie erstaunt.

»Nein, überhaupt. Ich bin darauf gekommen, daß sich Frauen in manchen Punkten doch sehr ähneln.«

»Die Frauen ... vielleicht«, sagte sie rasch, »aber ich ... mit mir ist das doch etwas anderes. Ich bin ja deine Tochter.«

»Stimmt auffallend. Aber doch eine Frau ... oder nicht? Jedenfalls nehme ich an, daß du eine werden willst.«

»Du scheinst sehr schlechte Erfahrungen gemacht zu haben«, sagte sie ernsthaft.

»Das kann ich nicht mal behaupten. Nur das Normale.«

»Du wirst sehen, ich werde dich nicht enttäuschen«, behauptete Bettina eifrig. »Wir werden es wunderschön zusammen haben ... ganz bestimmt. Ich werde alles tun, was du willst. Ich werde mit dir zusammen sein, wenn du mich brauchst, und mich zurückziehen, wenn du allein sein willst. Ich werde dir nie zur Last fallen, Vater, das verspreche ich dir!«

»Du bist ein liebes Kind«, sagte er mit einem seltsamen Ausdruck in den Augen, »aber ich fürchte ...«

»Was?«

»Du machst dir Illusionen über mich. Ich ... ich bin kein ganz einfacher Mensch, Bettina.«

»Gott sei Dank. Sonst wärst du ja nicht so interessant. Ich freue mich unsagbar darauf, mit dir zusammen zu leben. Am liebsten ...«

Der Kellner brachte den Mokka und die Rechnung. Bettina kam nicht dazu, den Satz zu Ende zu sprechen.

Erst als sie wieder allein waren«, sagte der Vater: »Du bist vorhin unterbrochen worden, Bettina ... was wolltest du sagen?«

»Am liebsten«, platzte Bettina heraus, »möchte ich gleich mit dir fahren.«

»Ach«, sagte er nur.

»Geht es nicht? Könntest du es nicht tun? Wenn ich dich sehr, sehr bitte?«

»Gefällt es dir nicht im Internat? Es ist mir als eines der besten Institute der Schweiz empfohlen worden.«

Wieder traute sie sich nicht, die Wahrheit zu gestehen. »Ich möchte bei dir sein«, sagte sie statt dessen und fühlte selber, daß diese Erklärung ziemlich lahm klang.

Stefan Steutenberg nahm einen Schluck Kaffee. »Hör mal, Bettina«, sagte er dann, »ich glaube, wir beide müssen uns mal ganz ernsthaft unterhalten.«

Sie erschrak zutiefst, Angst überfiel sie, daß er von Madame Jeuni, daß er von Mr. Glenford schon alles über sie erfahren haben könnte.

»Mach nicht so entsetzte Augen«, sagte er, »es ist ja gar nichts Schlimmes, was ich dir sagen muß. Nur … ich fürchte, du machst dir falsche Vorstellungen.«

»Ich verstehe nicht …«

»Vielleicht bin ich sogar selber Schuld«, fuhr er fort, »aber ich … ich mochte es dir nicht schreiben, und das letzte Mal, als wir zusammen waren, ergab sich keine Gelegenheit. Das klingt albern, nicht wahr? Gerade so, als wenn ich ein schlechtes Gewissen hätte.«

»Wovon sprichst du eigentlich?« fragte Bettina irritiert.

»Ich bin nicht mehr allein, Bettina … ich meine, wir werden nicht sehr viel allein sein können, wenn du erst bei mir lebst. Es ist nämlich … ich bin wieder verheiratet.«

Sie blieben an diesem Abend noch lange zusammen, tanzten, tranken Sekt. Stefan Steutenberg war so charmant und besorgt um Bettina wie immer. Dennoch schien es ihr, als wenn der Abend seinen zärtlichen Glanz verloren hätte. Die Tatsache, daß ihr Vater verheiratet war, hatte sie wie ein Schlag aufs Herz getroffen.

Stefan Steutenberg hatte ihr Entsetzen wohl bemerkt, aber er glaubte, daß sie Angst vor der Stiefmutter hätte. Er erzähle ihr, wie klug, wie vernünftig, wie einsichtig und wie liebenswert seine Frau wäre, spürte nicht, daß jedes seiner Worte den Stachel noch tiefer in Bettinas Herz bohrte. Sie hatte geglaubt, ihrem Vater viel, wenn nicht alles zu bedeuten. Jetzt mußte sie erkennen, daß der Platz nächst seinem Herzen schon besetzt war, von einer anderen Frau. Sie war eifersüchtig und haßte ihre Stiefmutter, ohne sie überhaupt zu kennen. Gleichzeitig war sie sich bewußt, wie dumm, ungerecht und egoistisch ihre Gefühle waren. Aber diese Erkenntnis machte sie nur noch elender.

Sie blieben über eine Woche in Zürich, und es hätte eine wunderbare Zeit sein können. Stefan Steutenberg tat alles, um seiner Tochter eine Freude zu machen, er las ihr buchstäblich jeden Wunsch von den Augen ab. Aber Bettinas Herz blieb überschattet. Nur selten und auch dann nur für wenige Minuten gelang es ihr, die Frau ihres Vaters zu vergessen. Dann war der eifersüchtige Schmerz wieder da.

Eines Morgens erwachte Bettina von einem leisen Geräusch. Sie schlug die Augen auf, sah sich im Zimmer um, begriff erst nicht, was sie geweckt haben konnte.

Dann entdeckte sie, daß die Tür zum Badezimmer geschlossen war. Sie erinnerte sich genau, daß sie sie am Abend zuvor offen gelassen hatte wie in jeder Nacht. Sie glaubte, daß der Vater schon auf war, und, um sie nicht zu stören, die Tür ins Schloß gezogen hatte. Sie wartete darauf, ihn im Badezimmer hantieren zu hören. Aber es blieb ganz still.

Leise stand sie auf, durchquerte auf nackten Sohlen den mit einem dicken Teppich belegten Raum, trat ins Bad – auch die gegenüberliegende Tür zum Zimmer ihres Vaters war geschlossen. Sie begriff nicht, was das bedeuten konnte, trat näher – da hörte sie, daß Stefan Steutenberg mit jemandem sprach, ziemlich laut, wie ihr schien.

Sie konnte dem Drang nicht widerstehen, ihr Ohr an die Tür zu legen – jetzt verstand sie deutlich, was er sagte, begriff, daß er telefonierte.

»So bald wie möglich, Philine«, sagte er nachdrücklich. »Was glaubst du denn?« Und dann: »Sie hat bis Ende August Ferien. Ich kann sie doch jetzt nicht einfach im Stich lassen, siehst du das nicht ein?« Nach einer Pause: »Ich auch. Was für eine Frage!« Und dann wieder: »Natürlich liebe ich dich. Sonst würde ich es längst nicht mehr mit dir aushalten!« Er lachte. »Ja … ja … ja!«

Rot vor Scham zog Bettina sich rasch und leise wie möglich aus dem Badezimmer zurück, drückte die Tür ins Schloß, verkroch sich in ihr Bett, stellte sich schlafend. Sie fühlte sich erbärmlich elend und zutiefst gedemütigt. – –

Kaum zehn Minuten später kam Stefan Steutenberg, noch im Pyjama und rotseidenem Morgenmantel, durch das Bad in ihr Zimmer, grüßte fröhlich: »Hallo, Kleines! Gut geschlafen?«

Sie öffnete, scheinbar verschlafen, die Augen, markierte ein Gähnen.

»Nanu?!« sagte ihr Vater erstaunt. »Noch nicht munter? Dabei sind wir doch gestern abend wirklich zeitig zu Bett gegangen.«

Bettina dehnte und streckte sich. »Ich habe wunderbar geschlafen.«

»Das freut mich, Kleines. Steh jetzt rasch auf und zieh dir etwas über. Ich habe das Frühstück nach oben bestellt … oder wärst du lieber hinuntergegangen?«

»Bestimmt nicht. Du weißt, wie gerne ich auf dem Balkon frühstücke.«

Bettina hatte sich kaum ihren Morgenrock übergezogen, als schon ein Kellner mit einem großen Tablett erschien und auf dem Balkon deckte.

Während sie aßen und tranken, wechselten sie nur wenige belanglose Worte. Es war ein frischer klarer Morgen, der See schimmerte wie Silber, es versprach ein wunderbarer Tag zu werden.

Bettina spürte mit quälender Traurigkeit, wie schön alles hätte sein können, wenn nicht diese andere Frau zwischen ihr und ihrem Vater gestanden hätte. Nur mit Mühe konnte sie ein Brötchen hinunterwürgen. Ihr Herz brannte vor Liebe und Kummer.

»Du, Vater«, sagte sie, als er sich nach dem Frühstück eine Zigarette anzündete, »eigentlich habe ich einen Wunsch … aber ich habe Angst, daß du ihn mir krumm nimmst.«

»Bestimmt nicht, Kleines«, sagte er und sah sie an. »Wo drückt der Schuh?«

»Nicht, daß ich nicht liebend gern mit dir zusammen wäre, Vater … nur, ich glaube, es ist besser, ich fahre nicht erst am letzten Tag ins Internat zurück.«

Er hob die Augenbrauen. »Auf einmal?«

Sie zwang sich, ihr Lächeln beizubehalten. »Nein. Immer. Ich … ich hatte bisher nur nicht den Mut, es dir zu sagen.«

»Hm«, machte er nur, sonst nichts.

»Bist du mir böse?« fragte sie mit zitternder Stimme.

»Nein, Bettina … ich hatte bisher aber nicht den Eindruck, daß du dich so sehr zum Internat zurückdrängst.«

»Tu ich auch nicht. Aber da ich doch wieder zurück muß, wäre es wirklich besser ...«

»Du mußt gar nicht, Kleines! Ich habe heute morgen mit meiner Frau gesprochen ...« Er sah sie mit festem Blick an, und unwillkürlich schlug Bettina die Augen nieder. »Philine meint, wenn es dir im Internat nicht so besonders gefällt, sollst du doch einfach nach Hause kommen.«

»Nach Hause? Wohin?«

»Warum redest du so? Ich habe geglaubt, dieser Vorschlag würde dich freuen.«

»Natürlich, das tut er auch, Vater ... nur ... es kommt mir ein bißchen plötzlich.«

»Du zierst dich wie eine alte Jungfrau, der man einen Heiratsantrag macht. Ich hatte immer geglaubt, du brennst darauf, zu mir zu kommen. Was ist los? Warum stellst du dich auf einmal so an?«

»Ich habe Angst«, sagte Bettina leise.

»Angst? Etwa vor Philine?«

Bettina schwieg und starrte vor sich hin auf ihren leeren beschmutzten Teller. Sie fühlte sich außerstande, ihrem Vater die Gefühle klarzumachen, die ihr fast das Herz abschnürten.

»Ich habe ziemlich viel Geduld mit dir gehabt, Bettina«, hörte sie ihren Vater sagen. »Ich begreife, daß es nicht einfach für dich war, dich daran gewöhnen zu müssen, daß ich dein Vater bin ... und nachher war es sicher auch ein kleiner Schock, daß ich nicht all die Jahre darauf gewartet habe, mit dir leben zu können.«

»Vater! Wie kannst du so etwas sagen?!« Sie schlug die klaren, weit auseinanderstehenden Augen auf und sah ihn an.

»Stimmt es etwa nicht? Philine ist der gütigste und klügste Mensch, den ich kenne. Vor ihr Angst zu haben ... so etwas gibt es ja einfach nicht. Du bist doch kein Baby mehr, das an die böse Stiefmutter im Märchen glaubt, oder?«

»Ich möchte euch nicht stören«, sagte Bettina mit trockenem Mund.

»Stören? Du uns? Wir freuen uns ja darauf, dich endlich bei uns zu haben. Nicht nur ich … ganz besonders meine Frau. Sie ist ein wirklich kluger Mensch … du solltest froh sein, sie zur Freundin zu bekommen. Du wirst allerhand von ihr lernen.«

»Ich will gar nichts lernen«, sagte Bettina hilflos, und sie spürte im selben Augenblick, wie ganz und gar töricht das klang.

»Jetzt wirst du plötzlich albern, Bettina«, sagte der Vater ärgerlich. »Ich kann dich beim besten Willen nicht mehr verstehen. Ich glaube, es ist das beste, wir lassen das Thema vorläufig fallen. Du scheinst heute mit dem linken Fuß aufgestanden zu sein.« Er drückte seine Zigarette aus und erhob sich.

Bettina hatte das Gefühl, als wenn ein Teufel in sie gefahren wäre, der sie dazu zwang, Dinge zu sagen, die sie gar nicht meinte. »Ich möchte ins Internat zurück, Vater«, sagte sie tonlos, »ist das wirklich zuviel verlangt?«

»Durchaus nicht. Ich begreife nur nicht, warum du solch ein Theater daraus machst. Bildest du dir etwa ein, daß ich dich mit Gewalt zurückhalten will?«

Jetzt stand auch Bettina auf. »Gut, dann werde ich also meine Koffer packen!«

Er packte sie bei der Schulter, schüttelte sie. »Sag mal, bist du verrückt geworden? Was ist los mit dir? Warum …«

Ihr Widerstand brach. Tränen schossen ihr in die Augen, aufschluchzend ließ sie sich an die Brust ihres Vaters sinken. Er nahm sie fest in die Arme, streichelte sie tröstend.

Als er spürte, daß ihr Schluchzen schwächer wurde, ihre Tränen zu versiegen begannen, zog er ein großes weißes Taschentuch aus seinem Hausmantel, wischte ihr zärtlich die Tränen von den Wangen, hielt ihr das Tuch vor die Nase, damit sie schnauben konnte.

»Du bist schon ein verrücktes kleines Ding«, sagte er liebevoll, »ich möchte wirklich wissen, von wem du das geerbt hast. Von mir bestimmt nicht. Und deine Mutter war der ausgeglichenste, fröhlichste Mensch, den ich je gekannt habe. Was ist bloß los mit dir, Kleines?«

»Nichts!« sagte sie mit einer Stimme, die immer noch von Tränen erstickt war. »Bloß … ich hab dich so lieb.«

»Ist das etwa ein Grund, verrückt zu spielen? Na, erlaube mal, ich habe dich doch auch lieb, was willst du denn mehr!? Philine und du … ich bin sicher, ihr beide werdet euch großartig verstehen.«

»Ja, Vater«, sagte sie gehorsam.

»Willst du also mit nach Hamburg kommen … ja oder nein?«

Bettina schwieg, sah ihren Vater flehend an. Sie hoffte von Herzen, daß er sie bitten würde, ihn zu begleiten.

Statt dessen sagte er: »Glaub nur nicht, daß ich dir böse bin, wenn du dich für Madame Jeuni entscheidest. Natürlich wäre es vernünftiger, wenn du erst dein Internat in der Schweiz hinter dich brächtest. Wir beide … wir alle drei können ein ganzes Leben zusammenbleiben, wenn wir wollen. Die Internatszeit ist doch etwas ganz Einmaliges für dich. Das ist meine Ansicht. Aber natürlich liegt die Entscheidung ganz bei dir.«

»Ich fahre zurück, Vater«, sagte Bettina, bemüht, ihrer Stimme Festigkeit zu geben. »Ich glaube, es ist besser so.« Sie seufzte. »Viel besser.«

VII.

Die Rückkehr ins Internat Madame Jeunis war viel leichter, als Bettina sich vorgestellt hatte. Mademoiselle Legrand empfing sie voller Herzlichkeit, und Madame Jeuni nahm ihre Entschuldigung gnädig entgegen.

Sie bekam ein neues Zimmer zugewiesen, das sie mit Yvonne Boulanger, einer fröhlichen und, wie es Bettina schien, noch sehr kindlichen, kleinen Französin teilte. Die beiden Mädchen freundeten sich rasch an, und diesmal war es Bettina, die die Führung übernahm. Yvonne bewunderte sie; Bettina nahm es als selbstverständlich hin. Sie hatte selber das Gefühl, in den letzten Wochen sehr gereift zu sein.

Sie hatte bei ihrer Rückkehr nicht nur einen Geburtstagsglückwunsch ihrer Pflegeschwester Ursel vorgefunden, sondern auch Herr Bürger hatte ihr ausführlich und sehr herzlich geschrieben. Es wartete sogar noch ein zweiter Brief von Ursel auf sie, in dem sie mit nicht ganz überzeugender Begeisterung schrieb, daß sie sich verlobt hatte – nicht mit jenem Sven, von dem sie in ihren vorigen Briefen noch so geschwärmt hatte, von diesem jungen Mann war überhaupt nicht mehr die Rede – sondern mit einem Witwer, einem Engländer namens Tony Tower, der zwei »zum Fressen süße Gören«, wie Ursel sich, ausdrückte, mit in die Ehe brachte.

Bettina zwang sich, sehr herzlich und warm zu gratulieren, obwohl sie sehr in Versuchung war, Ursel zu warnen. Ihr schien eine Verlobung, noch dazu mit einem Witwer, sehr verfrüht. Sie kannte Ursel gut genug, um ihr zuzutrauen, daß sie sich hauptsächlich deshalb verlobt hatte, um sich selber und allen anderen zu beweisen, daß sie imstande war, einen Mann zu fesseln. Bettina wunderte sich, daß ihre Eltern diese überstürzte Verlobung guthießen.

Sie selber überwand sich, einen langen Brief an Dotty zu schreiben, in dem sie ihr erklärte, daß sie wieder ins Internat zurückgekehrt war und sich noch einmal für den Zwischenfall mit William C. Baker entschuldigte. Sie versuchte Dotty klarzumachen, daß der Amerikaner sie einfach überrumpelt hatte, daß das, was Dotty gesehen hatte, gegen ihren Willen geschehen war.

Sie rechnete nicht mit Antwort und war um so freudiger überrascht, als kaum acht Tage später ein sehr herzliches Schreiben von Dotty eintraf. »Es war saublöd von mir, mich so aufzuregen«, schrieb Dotty, »von mir aus kannst du diesen Knaben geschenkt haben. Mir hat ja von Anfang an gar nichts an ihm gelegen. Ich weiß wirklich nicht, was in mich gefahren war. Wahrscheinlich hatte ich einfach ein bißchen zuviel getrunken. Übrigens war es meine Schuld, daß ich dich unterschätzt habe, Bettina – du hast den Knaben ganz schön verrückt gemacht, glaube ich. Ich hätte dir das nie zugetraut. Ich bin jetzt ganz froh, daß du dich an ihn herangemacht hast, denn ich stand doch immer noch in deiner Schuld – du weißt schon weswegen. Jetzt sind wir quitt. Bitte, schreib mir bald wieder. Ich vergehe fast vor Langeweile. Du hast mir gar nicht erzählt, wie es mit deinem Vater war. Bestimmt habt ihr eine tolle Zeit zusammen gehabt.«

Bettina antwortete Dotty noch am selben Tag, und von da an korrespondierten sie eifrig und regelmäßig miteinander.

Bettina war im Institut Madame Jeunis immer noch nicht gerade glücklich, aber sie hatte gelernt sich einzufügen. Yvonnes Anbetung tat ihr wohl, und ohne daß sie selber wußte, wie es dazu kam, verstand sie es auch, sich bei den anderen Mädchen Respekt zu verschaffen. Vielleicht war immer noch der Abglanz ihrer Freundschaft zu Dotty der Grund.

Die Tage vergingen zwischen Lernen, Sport und Freizeit wie im Fluge. Bettina stürzte sich voller Eifer ins Internatsleben. Sie hatte herausbekommen, daß sie sich desto besser fühlte, je weniger sie über sich und ihr eigenes Schicksal nachdachte. Meist fiel sie abends todmüde ins Bett, schlief tief und traumlos bis zum nächsten Morgen.

Bettina war ganz darauf eingestellt, auch die Weihnachtsferien im Internat zu verbringen – sie hatte sich zusammen mit Yvonne und einigen anderen Mädchen, die auch dablieben, schon ein genaues Programm für die Ferien aufgestellt – als ein Brief Stefan Steutenbergs ihre Pläne zum Wanken brachte. Er schrieb: »Natürlich kommst du in den Weihnachtsferien zu uns nach Hamburg. Philine freut sich schon mächtig darauf, dich kennenzulernen. Die Flugkarten lege ich dir gleich bei.«

»Hei!« rief Yvonne, die ebenfalls ihre Post gelesen hatte. »Meine Mama hat heute mein Weihnachtspaket aufgegeben! Du, ich platze schon jetzt vor Spannung, was drin ist.« Sie ließ ihren Brief sinken und sah Bettina an. »Was ist los mit dir?« fragte sie erstaunt. »Was machst du für ein Gesicht?«

Bettina faltete rasch den Brief ihres Vaters zusammen, steckte ihn mit den Flugkarten in den Umschlag zurück. »Das bildest du dir nur ein«, sagte sie abwehrend.

»Na, ich mag ja ein bißchen blöd sein«, sagte Yvonne, durchaus nicht beleidigt, »aber Augen habe ich immer noch im Kopf. Du bist ja ganz weiß geworden. Schlechte Nachrichten?«

»Nein«, sagte Bettina mühsam.

»Sag es mir doch«, bettelte Yvonne. »Ich kann vor lauter Neugier die ganze Nacht nicht schlafen, wenn du so geheimnisvoll tust. Das weißt du doch.«

»Es ist nichts, was dich interessieren könnte«, sagte Bettina abweisend. Sie hatte nicht die geringste Lust, mit Yvonne ihre Probleme zu besprechen, aber da sie wußte, wie hartnäckig die Freundin sein konnte, wenn sie ein Geheimnis witterte, entschloß sie sich mehr zu sagen. »Es ist nur … mein Vater lädt mich zu Weihnachten nach Hause ein.«

»So eine Gemeinheit!« rief Yvonne impulsiv.

Bettina verstand nicht gleich. »Wieso? Er meint es doch bestimmt gut.«

»Mit sich selber vielleicht, aber nicht mit uns. Jetzt hatten wir uns alle schon so auf die Feiertage gefreut! Ich habe ehrlich gestanden seit langem befürchtet, daß etwas schiefgehen würde. Aber daß ausgerechnet du jetzt nicht mitmachst!«

»Wer hat denn das gesagt?«

»Du. Dein Vater hat dich doch eingeladen.«

»Das heißt aber noch keineswegs, daß ich wirklich hinfahre.«

Jetzt blieb Yvonne buchstäblich der Mund offenstehen. »Nicht?!« fragte sie ungläubig. »Bettina … aber … jetzt begreife ich überhaupt nichts mehr.«

»Du hast wohl gar keinen Stolz, wie?«

»Wie meinst du das?«

»Ganz einfach. Wenn deine Mutter dich Weihnachten zu Hause haben wollte …«

»Dann würde ich einen Luftsprung bis zur Decke machen vor Vergnügen, verlaß dich darauf. Aber das ist es ja eben … sie will gar nicht.«

»Du würdest wirklich nach Hause fahren, obwohl … obwohl deine Mutter einen anderen Mann geheiratet hat?«

»Deshalb bleibt sie doch meine Mutter.«

»Aber ihr liegt ja nichts mehr an dir, sonst würde sie dich doch nach Hause holen.«

»Quatsch. Sie will mich ja bloß deshalb nicht dahaben, weil sie ein Baby erwartet. Denn ... na, du weißt ja, wie Mütter sind. Wahrscheinlich bildet sie sich ein, daß ich heute noch an den Klapperstorch glaube. Sag mal, Bettina ... hast du eigentlich auch noch Geschwister?«

»Nein«, sagte Bettina, ganz fassungslos. »Ich glaube nicht.«

»Was heißt das ... du glaubst. So was muß man doch wissen.«

»Ich nicht. Ich habe niemals mit meinem Vater darüber gesprochen. Ich bin gar nicht auf den Gedanken gekommen.«

»Na ja. Wenn's so wäre, hätte er es dir auch sicher gesagt.«

»Meinst du?«

»Ganz bestimmt. Erwachsene sind gar nicht so taktvoll, wie sie glauben. Kennst du wenigstens deine Stiefmutter?«

Bettina schüttelte den Kopf.

»Dann wird's aber höchste Zeit. Ich glaube, du hast einfach Angst vor ihr, deshalb willst du nicht fahren. Aber das ist Quatsch. Selbst wenn sie eine gräßliche Person ist ... was kann sie dir schon tun? Nicht das geringste. Also ... auf in den Kampf, Torrero! Wann fährst du?«

Bettina holte die Flugkarten wieder aus dem Umschlag. »Ich fliege«, sagte sie, »mit der Lufthansa ... am zwanzigsten Dezember.«

In Genf begann es Mitte Dezember zu schneien. Yvonne und die anderen Mädchen, die im Internat bleiben mußten, freuten sich auf weiße Weihnachten. Aber als Bettina in Hamburg-Fuhlsbüttel die Gangway hinunterschritt, stellte sie fest, daß es in schrägen Strichen regnete.

Erst als sie den Raum, in dem die Zollkontrolle stattfand, verließ, sah sie ihren Vater. Er wirkte sehr schlank und jugendlich in dem eng gegürteten Regenmantel, hatte die Hände in den Taschen und sah ihr, wie es seine Art war, mit lächelnden Augen entgegen. Sie fühlte sich seltsam befangen, wagte nicht ihn zur Begrüßung zu umarmen, wie sie es sonst zu tun pflegte. Aber er zog sie, die linke Hand noch immer in der Tasche, an seine Brust und küßte sie zärtlich auf Wangen und Stirn.

»Kleines«, sagte er herzlich, »wie war der Flug? Hast du's gut überstanden?«

»Es war wundervoll. Von Zürich an waren wir dauernd über den Wolken!«

Er nahm ihr den Koffer aus der Hand, sie hakte sich bei ihm ein und trabte neben ihm her zum Parkplatz. Er ließ sie einsteigen, ging dann noch einmal zurück und verstaute den Koffer im Gepäckraum, bevor er sich ans Steuer setzte.

»Gut siehst du aus«, sagte er, während er den Motor anließ. »Ich frage mich wirklich, wie ich an eine so hübsche Tochter komme!«

Ihre gesunden weißen Zähne blitzten, als sie lächelte. »Du möchtest jetzt sicher hören, daß ich nach dir geraten bin, Vater«, sagte sie, »aber ...« plötzlich verdunkelte sich ihr Gesicht, »ähnele ich eigentlich meiner Mutter? Wie sah sie aus?«

Er griff in die Anzugtasche, holte seine Brieftasche heraus, sagte mit hochgezogenen Augenbrauen, als wenn er sich über sich selber lustig machte: »Zufällig habe ich ein Bild deiner Mutter bei mir. Das ist natürlich Unsinn. Ich hab's nicht zufällig eingesteckt, Bettina ... ich habe mir gedacht, daß du sie gern einmal sehen würdest.«

Während Bettina die kleine, schon ein wenig vergilbte Fotografie betrachtete, gab er Gas. Der Sportwagen schoß mit einem Satz voran, Stefan Steutenberg riß ihn in die Kurve. Erst als sie auf der Straße zur Stadt waren, warf er seiner Tochter einen beobachtenden Blick aus den Augenwinkeln zu. Bettina schwieg immer noch, betrachtete versonnen das Bild ihrer Mutter. Sie sah weit auseinanderstehende Augen, die sie an ihr Spiegelbild erinnerten und die doch anders waren, fröhlicher, weniger grüblerisch, sah einen lächelnden, kühn geschwungenen Mund.

Er ging nicht darauf ein. »Du kannst es ruhig behalten«, sagte er nur, »ich denke, daß du es gerne haben möchtest.«

»Und du?«

»Ich habe noch mehr. Steck es in deine Tasche, aber schau es nicht allzuoft an. Es hat keinen Sinn, auf den Friedhöfen der Vergangenheit spazierenzugehen. Du bist jung, einzig das Heute und das Morgen sollte dich interessieren.«

Gehorsam öffnete Bettina ihre Handtasche und tat das Bild hinein. »Ja«, sagte sie, »ja, ich weiß, du hast recht. ... ich habe sie ja nicht einmal gekannt. Aber ... hast du sie wirklich vergessen?«

Er zuckte die Schultern. »Was vergißt man schon wirklich? Vielleicht würde es dir Freude machen, etwas anderes zu hören. Aber ganz ehrlich, ich denke nicht mehr sehr oft an sie.«

Als sie schwieg, sagte er rasch: »Habe ich dich verletzt, Kleines?«

»Nein, natürlich nicht. Ich danke dir, daß du nicht versuchst, mir etwas vorzumachen.«

Er lachte rauh. »Das ist nicht meine Art, du wirst es schon noch erleben. Wahrscheinlich wäre sonst leichter mit mir auszukommen, würde meine Frau sagen.« Er warf einen Blick auf die Uhr auf dem Armaturenbrett. »Erst kurz nach fünf, da brauchen wir uns nicht zu beeilen. Ich denke, ich werde dich erst mal ein bißchen durch die Stadt fahren. Warst du schon mal in Hamburg?«

»Nein.«

»Dann reiß die Augen auf, es ist eine faszinierende Stadt.«

Sie fuhren über den Ballindamm, den Jungfernstieg und den Neuen Wall, aber Bettina konnte die vornehmen Geschäfte mehr ahnen, als erkennen. Es regnete unablässig, der leuchtende Weihnachtsschmuck spiegelte sich auf dem nassen Asphalt. Den Hamburgern schien es wenig auszumachen; sie drängten und schoben sich auf den Geschäftsstraßen und auch auf der Promenade. Stefan Steutenberg zeigte Bettina vom Auto aus den Alsterpavillon, er fuhr mit ihr über die berühmte

Lombardsbrücke und die Mönckebergstraße hinunter, ja, sogar bis nach Altona, um Bettina einen Blick auf das Heiligengeist-Feld werfen zu lassen, auf dem jetzt, kurz vor Weihnachten, der »Dom« aufgebaut war, ein Weihnachtsmarkt mit vielen Buden, Karussells und Luftschaukeln.

Bettina wußte selber nicht warum, aber sie hatte den Eindruck, daß ihr Vater das alles nur tat, um ihre Ankunft in seinem Haus zu verzögern, oder vielleicht, weil er ihr noch etwas sagen wollte, das ihm nicht leicht fiel.

»Hast du noch irgendeinen Wunsch?« fragte er immer wieder. »Jetzt wäre die beste Gelegenheit … wir können aussteigen und einkaufen gehen!«

Aber Bettina schüttelte jedesmal den Kopf. »Ich wüßte wirklich nichts, Vater. Du verwöhnst mich schon so viel zu viel.«

Erst als sie an der Außenalster entlangfuhren, wagte sie sich an eine Frage heranzutasten, die ihr seit langem auf dem Herzen brannte. »Für dich und deine Frau«, sagte sie, »habe ich natürlich etwas besorgt … nur eine Kleinigkeit, wie du dir denken kannst, aber ich wußte natürlich nicht … ich meine … lebt sonst noch jemand in deinem Haus?«

Er zog die Augenbrauen zusammen. »Wie meinst du das?«

»Wie ich es gefragt habe.«

»Wir haben eine Köchin, ein nettes freundliches Wesen namens Elvira und ein Zweitmädchen, Ines, an der Philine immer allerhand auszusetzen hat. Aber heutzutage ist es nicht so einfach, gutes Personal zu bekommen. Wieso interessiert dich das?«

»Das doch nicht«, sagte Bettina, »ich wollte wissen, ob ihr … es wäre doch möglich, daß ihr Kinder habt!«

»Ach so.« Stefan Steutenberg lachte, aber es klang unfroh. »Nein, über diesen Punkt kann ich dich beruhigen. Mit Stiefgeschwistern brauchst du nicht zu rechnen.«

»Es hätte mir nichts ausgemacht, Vater.«

»Wirklich nicht? Na ja, unsere Ehe ist auch nicht mit Rücksicht auf dich kinderlos geblieben.«

Bettina biß sich auf die Lippen. »Vielleicht hältst du mich für furchtbar neugierig, Vater … aber ich möchte doch so gern alles wissen, was dich betrifft.«

»Was denn noch?«

»Wie lange seid ihr schon verheiratet?«

»Sieben Jahre … fast sieben Jahre heißt das. Wir haben im Mai vor sieben Jahren geheiratet. Bist du nun zufrieden?«

»Ich möchte dir nicht auf die Nerven gehen …«

»Das ist sehr rücksichtsvoll von dir, aber frage nur! Schließlich hast du ein Recht darauf, alles zu wissen.«

»Es geht mich wirklich nichts an«, sagte Bettina unsicher.

»Du möchtest wohl wissen, warum wir keine Kinder haben?«

Bettina nickte heftig. »Ja … ja, warum nicht?«

»Philine hat zweimal Pech gehabt. Ich erzähle dir das, damit du dieses Thema möglichst nicht in ihrer Gegenwart anschneidest. Sie ist in diesem Punkt sehr empfindlich.«

»Gut, daß ich das weiß. Ich werd' mir's merken. Hast du mir sonst noch etwas zu sagen, Vater?«

Er warf ihr einen überraschten Blick zu. »Wie kommst du darauf?«

Sie errötete. »Ich dachte nur …«

»Nein, ich wüßte nicht, was ich sonst noch mit dir besprechen müßte … es sei denn, Bettina, du bist doch schon ein großes Mädchen, fast erwachsen, nicht wahr?«

»Ja, Vater?«

»Philine ist ein wertvoller Mensch, sie ist eine wundervolle Frau, ich weiß das ganz genau, aber … ich sage es dir, weil du es bestimmt auch von selber merken wirst … in unserer Ehe klappt es nicht mehr so ganz. Ich kann dir nicht sagen, warum … beim besten Willen nicht. Aber ich bin überzeugt, daß es einzig und allein an mir liegt.«

»Niemals, Vater!«

Er lächelte bitter. »Doch, doch, Bettina, es ist alles mein Fehler. Ich hätte nie heiraten dürfen, weder deine Mutter noch Philine. Ich bin nicht für die Ehe geschaffen.«

»Unsinn! Du hast nie eine Frau gefunden, die dich wirklich versteht.«

»Mag sein. Aber es ist die Frage, ob ich überhaupt verstanden sein will.«

»Wenn Philine dich genug lieben würde …«

»Vorsichtig, Bettina, sehr vorsichtig! Du kennst meine Frau ja noch gar nicht. Bitte, urteile nicht so rasch. Sei nett zu Philine, ich bitte dich darum. Gerade weil ich es oft nicht bin … sei du recht lieb zu ihr, ja? Glaub mir, sie hat es verdient.«

Bettina schwieg. Ihr schwirrte der Kopf. Was der Vater ihr erzählt hatte, schien ihr sehr verworren, sie wurde nicht klug daraus. Sie begriff nur, daß ihr Vater in seiner Ehe nicht glücklich war; das genügte ihr, die Frau, die zwischen ihnen stand, nur noch mehr zu hassen.– –

Das Haus am Harvestehuderweg war ein sehr gediegener Bau aus rotem Backstein von beträchtlichen Ausmaßen. Bettina, die sich immer noch nicht ganz daran gewöhnt hatte, die Tochter eines reichen Mannes zu sein, war beeindruckt. Sie dachte an Bürgers Haus, in dem sie sich so lange Jahre wohlgefühlt hatte und stellte fest, daß es gar keinen Vergleich mit diesem vornehmen und prächtigen Gebäude aushielt.

Ines, im schwarzen Kleid, weißem Schürzchen und Häubchen, öffnete die Tür, lächelte Bettina pfiffig wie einen Spießgesellen an, nahm ihr den Koffer aus der Hand.

»Laß dich mit Ines nicht in Vertraulichkeiten ein«, raunte ihr der Vater zu, als sie aus ihren nassen Mänteln geschlüpft waren und durch die gläserne Schwingtür ins Wohnzimmer traten, »sie ist ziemlich ausgekocht, du würdest bestimmt den kürzeren ziehen.«

Philine Steutenberg stand vor dem lodernden Backstein-Kamin, als sie eintraten. Sie trug ein einfach geschnittenes dunkelgrünes Wollkleid, das ihre straffe schlanke Figur zur Geltung brachte, hatte ihr dunkelbraunes weiches Haar in einer aparten Frisur über den Kopf gelegt. Sie lächelte ihnen entgegen, aber ihre Augen blieben ernst.

Von weitem hatte sie auf Bettina sehr jung gewirkt, aber als sie ihr jetzt gegenüberstand, sah sie die Fältchen um Augen und Mund, begriff, daß sie über dreißig sein mußte.

»Willkommen zu Hause!« sagte Philine Steutenberg herzlich und streckte Bettina beide Hände entgegen. Einen Augenblick sah es so aus, als wenn sie sie umarmen wollte, aber dann beließ sie es doch bei einem festen Händedruck. »Ich hoffe, du wirst dich hier wohlfühlen.«

»Danke«, war alles, was Bettina hervorbringen konnte.

»Abendessen gibt es erst in einer halben Stunde ... aber wenn du großen Hunger hast oder vielleicht etwas trinken möchtest ...«

»Danke«, sagte Bettina wieder. »Am liebsten möchte ich jetzt meinen Koffer auspacken.«

»Soll ich dir helfen?«

»Nein, danke. Ich werde schon allein damit fertig.«

»Aber ich würde gerne ...«

»Du hörst ja, daß es nicht nötig ist«, sagte Stefan Steutenberg schroffer, als nötig war. Er wandte sich seiner Tochter zu: »Ines wird dir dein Zimmer zeigen.« Er zog an der Klingelschnur neben dem Kamin.

Ines erschien in einer dunkelgetäfelten Tür, blieb erwartungsvoll mit vor Neugier blanken Augen stehen.

»Bitte, führen Sie meine Tochter hinauf«, sagte Stefan Steutenberg, »aber halten Sie sich nicht auf, wenn ich bitten darf. Bringen Sie mir bitte dann gleich eine Flasche Selterswasser aus dem Eisschrank.«

Ines drehte sich um, öffnete Bettina die große Schiebetür zur Diele, fragte am Fuß der geschwungenen Treppe: »Darf ich vorgehen?« Sie schlüpfte leichtfüßig hinauf.

Bettina sah, daß die Absätze ihrer lackschwarzen Schuhe sehr hoch und pfennigschmal waren, sah, daß sie über den ziemlich muskulösen Waden hauchdünne Strümpfe trug, deren linke Naht ein wenig verrutscht war.

Das Zimmer, in das Ines Bettina führte, war ein großer, behaglich eingerichteter Schlafraum, der ganz in Blau und Silbergrau gehalten war. Der Boden wurde von einem dicken weißen Schafwollteppich bedeckt. Das Bett hatte eine silbergraue Überdecke, einen blauen Himmel, den man in den Seiten mit silbernen Kordeln schließen und auch öffnen konnte. Es gab einen großen, dreiteiligen Spiegel über einem Toilettentisch, der in Blau und Silber lackiert war, davor einen bequemen kleinen Sessel. Die weiträumigen Kleiderschränke, die Ines jetzt öffnete, waren eingebaut.

Es war ein schöner, geschmackvoller und sehr behaglicher Raum, und dennoch fühlte sich Bettina schmerzlich enttäuscht. Es war klar, daß sie sich hierhin nur zum Schlafen oder doch zum Ausruhen, zum Umziehen oder zum Frisieren zurückziehen konnte, und das war nicht ganz das, was sie sich gewünscht hatte.

»Darf ich auspacken?« fragte Ines beflissen.

»Nein, danke ... ich mach' das schon selber«, sagte Bettina. »Nur ... kann ich mir hier irgendwo die Hände waschen?«

Ines lief zu einer schmalen, silbergrauen Tür, stieß sie auf. »Hier ist Ihr Badezimmer, gnädiges Fräulein!«

Bettina blieb überrascht auf der Stelle stehen. Das Bad, das offensichtlich nur für sie bestimmt war, denn es führte keine andere Tür hinein, war ganz in Altrosa und Grau gehalten, hatte eine große gekachelte Badewanne, ein breites Waschbekken, eine Standbrause und ein Bidet. »Donnerwetter!« sagte sie unwillkürlich.

»Toll, wie?« sagte Ines sofort. »Sie brauchen nicht rot zu werden, gnädiges Fräulein ... ich habe Ihnen gleich angesehen, daß Sie so etwas nicht gewohnt sind.«

Bettina hob die Augenbrauen. »Wie kommen Sie darauf?«

»War doch ganz klar. Sehen Sie, Herr Steutenberg meint es ja bestimmt gut mit Ihnen ... ich kann das auch verstehen, aber ich bin schließlich auch nicht von gestern.«

»Wovon reden Sie eigentlich?«

»Na, sehen Sie, gnädiges Fräulein ... nur keine Angst, ich werd' es nie an dem nötigen Respekt fehlen lassen ... aber es ist doch ganz klar, wenn so plötzlich mir nichts dir nichts eine fast erwachsene Tochter auftaucht, von der man nie was gewußt hat … na, woher kann die wohl kommen? Ich frage Sie! Sehen Sie, jetzt wissen Sie keine Antwort, aber ich kann es Ihnen sagen. Es ist ja auch keine Schande, denn damals war Herr Steutenberg ja noch nicht mit der gnädigen Frau verheiratet.«

»Was sagen Sie da? Ich verstehe kein Wort.«

»Nun tun Sie aber nur nicht so, Fräulein Bettina … Sie wissen genau, was ich meine.« Ines lächelte Bettina vertraulich an. »Es ist ja halb so schlimm, und vor mir brauchen Sie sich gewiß nicht zu genieren … ich bin selber ein Fräuleinkind, wie man so sagt.«

Bettina schoß das Blut in die Wangen. »Ach so. Das meinen Sie. Da irren Sie sich. Ich bin Stefan Steutenbergs Tochter aus erster Ehe.« Plötzlich fiel ihr etwas ein: »Sonst könnte ich ja auch nicht Bettina Steutenberg heißen.«

»War das immer Ihr Name, Fräulein? Ehrlich?«

Bettina zögerte. Sollte sie Ines zugeben, daß sie noch vor einem Jahr geglaubt hatte, Bettina Bürger zu heißen?

Ines spürte ihre Unsicherheit sofort. »Hab' ich's mir doch gedacht«, sagte sie triumphierend. »Geben Sie's ruhig zu, Fräulein. Es ist ja wirklich nichts dabei.«

»Aber jetzt heiße ich Bettina Steutenberg«, sagte Bettina hilflos. »Sie können meinen Paß sehen, wenn Sie mir nicht …«

»Ach du lieber Himmel! Als wenn das was zu bedeuten hätte. Geld … und noch dazu, wenn man so massig viel Geld hat wie Herr Steutenberg … da läßt sich alles ausbügeln. Bei reichen Leuten geht's immer glatt, nur bei unsereinem, da bleibt was hängen.«

»Ich glaube Ihnen nicht«, sagte Bettina.

»Haben Sie es etwa selber nicht gewußt?« Ines schlug sich vor den Mund. »Das sieht mir wieder mal ähnlich! Herrje … vergessen Sie, was ich gesagt habe, Fräulein Bettina, vergessen Sie es rasch. Es braucht ja auch gar nicht zu stimmen. Jedenfalls … ich will nichts gesagt haben.« Sie drehte sich um und lief flink aus dem Zimmer.

Bettina blieb sehr nachdenklich zurück. Während sie die Hähne aufdrehte und sich mit einem riesengroßen Stück duftender Seife die Hände wusch, wälzte sie die Andeutungen und Behauptungen des Stubenmädchens in ihrem Kopf herum. Vieles sprach dagegen und doch auch eine Menge dafür, daß Ines recht hatte. Bettina wußte nicht mehr, was sie denken sollte.

Als sie sich die Hände an dem weichen, dicken Frottierhandtuch abgetrocknet hatte, trat sie in den Schlafraum zurück. Sie hatte das Bedürfnis, frische Luft zu schöpfen und schlug einen der schweren, hellblauen Samtvorhänge zurück, die von der Decke bis zum Boden reichten.

Aber sie stieß nicht auf ein Fenster, wie sie erwartet hatte. Der Anblick, der sich ihr bot, kam so überraschend, daß sie ganz verblüfft stehenblieb. Der Vorhang, den sie zurückgeschlagen hatte, trennte den Schlafraum von einem anheimelnd eingerichteten Wohnzimmer mit hellen modernen Möbeln, fröhlichen, bunt überzogenen Sesseln, einem zierlichen Schreibtisch, einem gefüllten Bücherschrank. Sie begriff, daß dies ihr Reich war, das der Vater ihr zugedacht hatte. Nichts schien vergessen. Ein Strauß Nelken stand auf dem niedrigen Tisch. Es gab eine Teakholzdose mit Zigaretten, einen Satz Aschenbecher und, was dem Raum erst seinen gemütlichen und eigentümlichen Reiz gab – in einem kleinen, weißverputzten Kamin brannte ein fröhliches Feuer.

In jedem anderen Augenblick wäre Bettina hingerissen vor Begeisterung gewesen, wäre glühend vor Dankbarkeit zu ihrem Vater gestürzt, hätte das Bedürfnis gehabt, ihrer freudigen Überraschung laut Ausdruck zu geben.

Aber die Verwirrung, die Ines in ihrem Herzen angerichtet hatte, war so groß, daß ihr die liebevoll und sorgfältig vorbereitete Freude verdorben wurde. – –

Als Bettina ihren Koffer ausgepackt hatte und wieder hinunter kam, waren ihr Vater und ihre Stiefmutter noch in dem großen Zimmer, wo sie sie verlassen hatte. Sie hoben den

Kopf, als sie eintrat, sahen ihr erwartungsvoll, fast gespannt entgegen.

Bettina merkte es nicht. Sie überlegte krampfhaft, wie sie ihren Vater fragen konnte, ob Ines die Wahrheit gesagt hatte oder nicht.

»Na, wie gefällt dir dein kleines Appartement?« fragte der Vater.

»Es ist sehr hübsch«, sagte Bettina, spürte selber, wie lahm diese Antwort klang und fügte hinzu: »Wirklich wundervoll.«

»Sehr begeistert scheinst du nicht zu sein. Haben wir deinen Geschmack etwa nicht getroffen, Bettina?«

»Doch, natürlich. Ich war ganz überrascht. Nur ...« Bettina benutzte die erste beste Ausrede, die ihr einfiel, »ich habe Kopfschmerzen. Vielleicht ist mir der Flug doch nicht so gut bekommen.«

Philine erhob sich sofort. »Ich werde dir ein Pulver holen ...«

»Nein, laß das!« sagte Stefan Steutenberg heftig. »Ich möchte nicht, daß aus meiner Tochter eine Primadonna wird.«

»Aber, Stefan, wenn sie doch ...«, begann seine Frau.

»Setz dich, Philine.« Stefan Steutenberg sah seine Tochter so prüfend an, daß sie den Blick niederschlagen mußte. »Kopfschmerzen? Jetzt auf einmal? Sag doch lieber gleich, es ist dir eine Laus über die Leber gelaufen.«

Bettina schwieg, rang nervös die Hände.

»Vielleicht ...«, begann Philine, aber wieder kam sie nicht dazu, ihren Satz zu Ende zu sprechen.«

»Du hast wohl mit Ines geplaudert, wie?« fragte Stefan Steutenberg.

Bettina fühlte sich durch seinen Ton und die Art, wie er sie ins Verhör nahm, tief verletzt. »Ist das etwa verboten?«

»Durchaus nicht. Du kannst reden, mit wem du willst. Ich mag nur nicht, daß du dich schlecht benimmst.«

»Entschuldige bitte ...«

»Was hat Ines dir gesagt?«

Bettina hob die Schultern, ließ sie wieder sinken. »Nur ... daß ich ... daß Mutter und du ... nicht verheiratet gewesen seid!«

Stefan Steutenberg starrte Bettina eine Sekunde mit einem rätselhaften Ausdruck an, dann warf er sich in einen Sessel zurück und lachte schallend. Es dauerte eine ganze Weile, bis er sich wieder beruhigt hatte.

»Bettina«, keuchte er, »Kleines ... und das hast du etwa geglaubt? Also, nein, ich hätte dich doch wahrhaftig für ein bißchen klüger gehalten.«

Philine stand auf. »Ich werde mit Ines reden«, sagte sie.

»Laß das, Philine ... um Himmels willen laß das! Du kennst doch diese verlogene Person. Sie wird einfach sagen, daß sie nichts dergleichen gesagt hat und daß Bettina sich etwas eingebildet hat.«

»Ein fürchterliches Mädchen«, sagte Philine.

»Zugegeben. Aber wir werden es nicht ändern.« Er streckte seinen Arm aus, zog Bettina zu sich. »Schau mich mal an, Kleines. Erklär mir bloß, was in dich gefahren ist, daß du so einen Blödsinn glauben konntest.«

»Ich ... ich hab' es nicht geglaubt, Vater«, sagte Bettina, entsetzlich verlegen. »Bloß ... ich wußte einfach nicht mehr, was ich glauben sollte.«

Philine versuchte Bettina aus der peinlichen Situation zu helfen. »Ich denke, es ist Zeit ... wir sollten ins Eßzimmer hinüber gehen.«

Stefan Steutenberg überhörte ihre Bemerkung. »Ich hätte dich niemals für so töricht gehalten, Bettina«, sagte er, »wahrhaftig nicht.«

Philine stand auf und nahm Bettinas Hand. »Komm, laß es gut sein, Stefan«, sagte sie, »Bettina ist eben auf Ines hereingefallen. Du kennst sie ja, sie kann so etwas sehr geschickt einfädeln.«

»Aber das ist doch immer noch kein Grund ...«

»Ich wußte eben nicht mehr, woran ich war!« rief Bettina verzweifelt. »Es hätte doch ... es hätte doch auch wahr sein können, was sie sagt.«

»Na, erlaube mal!«

»Bettina hat durchaus recht«, sagte Philine Steutenberg, »theoretisch wäre das durchaus möglich gewesen. Schließlich ... zuzutrauen ist dir alles!«

Stefan Steutenbergs Gesicht verschloß sich. Mit einem Ruck sprang er aus seinem Sessel auf. »Danke«, sagte er mit harter Stimme, »jetzt reicht's mir!«

Mit großen Schritten ging er zur Tür.

Philine Steutenberg hielt Bettinas Hand fest. »Reg dich nicht auf«, sagte sie leise, »bitte, reg dich nicht auf!«

Aber Bettina riß sich von ihr los und lief hinter ihrem Vater her.

Bettina gelang es, den Vater zu versöhnen, aber es war nur eine Art Scheinfrieden, den sie damit errang. Bis zum Weihnachtsfest kam es noch zu verschiedenen Reibereien zwischen ihrem Vater und seiner Frau, in die Bettina, ob sie wollte oder nicht, hineingezogen wurde. Sie spürte, daß sie nicht die eigentliche Ursache dieser Auseinandersetzung war, sondern daß schon seit langem Spannungen zwischen Stefan und Philine Steutenberg bestanden, deren Ursache sie nicht ergründen konnte. Sie hätte nicht sagen können, wer mehr oder weniger schuld daran hatte, aber sie stellte sich rückhaltlos auf die Seite ihres Vaters. Er war in seinem Hause nicht der kluge, überlegene, ausgeglichene Mann, als den sie ihn kennengelernt hatte, sondern er war ständig gereizt, leicht geneigt aufzubrausen, ungerecht und ausfallend. Bettina war überzeugt, daß Philine ihn nicht glücklich, ja, daß sie ihn unglücklich machte. Ohne ihre Stiefmutter, so glaubte sie, hätten sie beide ein wunderbares Leben haben können; Philine war der Störenfried.

Sie spürte, wie die Stiefmutter sich um sie bemühte, wie sie sich anstrengte, ihr eine Freude zu machen – aber sie konnte nicht glauben, daß das aus wirklicher Sympathie für sie geschah. Sie war überzeugt, Philine bemühte sich nur deshalb, um sie auf ihre Seite zu ziehen – und sie später desto besser gegen ihren Vater aufhetzen zu können.

Zwei Tage vor dem Fest sagte Philine beim Frühstück: »Heute muß ich noch mal Plätzchen backen, mir ist soviel Eiweiß übriggeblieben, das möchte ich gerne noch verwerten. Außerdem ... Mandelbögen und Makronen schmecken immer, nicht wahr? Hast du Lust, mir zu helfen, Bettina?«

Bettina hatte schon eine freudige Zustimmung auf den Lippen, als sie sah, wie sich auf der Stirn ihres Vaters jene steile Falte bildete, die Mißbilligung bedeutete. Deshalb sagte sie unsicher: »Eigentlich wollte ich heute ... aber natürlich, wenn du gerne möchtest ...«

»Selbstverständlich brauchst du keine Plätzchen zu backen«, unterstützte sie Stefan Steutenberg sofort. »Ich weiß gar nicht, was dir einfällt, Philine. Schließlich hat das Kind Ferien.«

»Ich hatte geglaubt, daß es ihr Freude machen könnte«, sagte seine Frau ruhig.

»Du mit deiner albernen Plätzchenbackerei! Was versprichst du dir eigentlich davon? Warum beauftragst du nicht einfach Elvira damit? Ich hasse es, wenn Frauen nach Küche riechen.«

Philine zwang sich zu einem Lächeln. »Aber die Plätzchen ißt du hinterher doch immer recht gerne, wie?«

»Nur um dich nicht zu verletzen«, sagte er rauh. »Wenn ich daran denke, daß wir jetzt wieder bis Pfingsten Weihnachtsplätzchen essen müssen ...«

»Du übertreibst«, sagte Philine. »Bis zum Dreikönigsfest sind wir jedesmal damit fertiggeworden. Außerdem ist dieses Jahr doch Bettina da. Die wird sicher gerne Plätzchen essen.«

Obwohl Bettina bei dem bloßen Gedanken an knuspriges Weihnachtsgebäck das Wasser im Munde zusammenlief, sagte sie mit gleichgültiger Stimme: »Ach, weißt du, Philine, eigentlich esse ich scharfe Sachen oder so etwas lieber.«

Philine stand auf, murmelte: »Bitte, entschuldigt ...« und verließ das Zimmer.

Bettina war überzeugt – halb frohlockend, halb mit schlechtem Gewissen – sie ernsthaft verletzt zu haben, aber als

Philine sich kurz vor dem Mittagessen wieder blicken ließ, schien sie ausgeglichen und heiter wie immer.

Auch der Heilige Abend ging nicht ohne Reibereien vorüber. Stefan Steutenberg hatte schon beim Mittagessen erklärt, daß er diesmal ein Fest ohne Sentimentalitäten wünschte, worauf Philine entgegnet hatte, daß es dann wohl das Beste sei, sie würden den Abend überhaupt nicht feiern. Daraus entstand eine Auseinandersetzung von ganz ungewohnter Schärfe und Heftigkeit. Die Eheleute warfen sich gegenseitig Anspielungen und verletzende Bemerkungen an den Kopf, die Bettina nur zum kleinsten Teil verstand.

Philine verließ ziemlich unvermittelt das Zimmer, und Bettina begriff, daß sie es tat, um nicht in Tränen auszubrechen. Stefan Steutenberg sprang auf, machte eine Bewegung, als wenn er ihr nacheilen wollte, setzte sich dann aber doch wieder hin und löffelte lustlos mit gerunzelter Stirn weiter seine Suppe.

»Soll ich den Baum nun schmücken? Oder lieber nicht?« fragte Bettina nach einer langen Pause.

Der Vater hob den Kopf und sah sie an. Aber sein Blick war klar und fremd. »Tu, was dir Spaß macht!« sagte er hart.

Bettina schossen Tränen in die Augen. »Ich möchte doch so gerne ... ich möchte doch nur ...« stammelte sie.

»Jetzt auch noch Tränen!« Der Vater schob seinen Teller zurück und stand auf. »Ihr seid doch eine wie die andere ... dasselbe Theater, dieselben Mätzchen! Ihr könnt keinen Mann in Frieden leben lassen!« Er zerknüllte seine Serviette, warf sie auf den Tisch und ging mit raschen Schritten aus dem Zimmer.

Bettina, die sich schon lange auf das Baumschmücken gefreut hatte – Philine hatte eine wunderschöne, dunkle, schlanke Tanne besorgt – verzichtete daraufhin auf dieses Vergnügen. Sie wollte ihrem Vater damit zeigen, wie sehr sie ihn verstand und wie sehr sie auf seiner Seite stand, auch wenn er sie schlecht behandelte.

Aber als am Abend gegen sechs Uhr – draußen herrschte immer noch Regenwetter, es war früh dunkel geworden – eine helle Glocke alle Mitglieder des Hauses zur Bescherung ins Wohnzimmer rief, war der Baum doch prächtig geputzt. Er stand in der Mitte eines runden, weißgedeckten Tisches, auf dem zahlreiche Pakete und Päckchen, in buntes Weihnachtspapier gehüllt, aufgebaut waren. Die Kerzen brannten, und Philine hatte leuchtende Augen.

Ines und Elvira blieben – ein wenig verlegen – in der Tür stehen. Bettina trat näher ins Zimmer, an die Seite ihres Vaters, der mit den Händen in der Tasche, ein unergründliches Lächeln auf den Lippen, auf den Baum starrte. Bettina wollte ihm ihr kleines Geschenk überreichen.

»Einen Augenblick noch«, sagte Philine rasch, »vor der Bescherung wollen wir doch wenigstens noch ein oder zwei Weihnachtslieder singen, ja?«

»O Tannenbaum, o Tannenbaum, wie grün sind deine Blätter«, sagte Elvira bereitwillig, »das kann ich am besten.«

»Ich kenne eine ganze Menge Weihnachtslieder«, erklärte Ines, »aber immer nur die erste Strophe, wenn das genügt …«

»Natürlich«, sagte Philine freundlich. »Also … womit beginnen wir?«

»Das kann doch nicht dein Ernst sein?« Stefan Steutenberg hob seine Augenbrauen und sah seine Frau mit kalter Verachtung an.

»Und warum nicht?« entgegnete Philine hocherhobenen Kopfes. »Schließlich ist nur einmal im Jahr Weihnachten. Warum sollen wir da nicht singen?«

»Weil ihr es nicht könnt. Du bist das unmusikalischste Wesen, das mir je begegnet ist, Philine … und was die anderen Damen betrifft …«

»Es kommt nicht immer darauf an, ob ein Gesang schön ist … viel wichtiger ist, daß er aus dem Herzen kommt«, sagte Philine.

»Na schön. Wenn du darauf bestehst … dann bin ich jetzt jedenfalls fehl am Platze. Ich wünsche euch viel Vergnügen!«

Stefan Steutenberg drehte sich auf dem Absatz um und ging auf die Tür zu, wo immer noch Elvira und Ines standen und ihn erschrocken ansahen.

Mit wenigen Schritten war Bettina an der Seite ihres Vaters, sie faßte ihn beim Arm. »Bitte, Vater«, bettelte sie, »bitte! Laß mich nicht allein!«

Er wandte den Kopf, sah sie an. »Ja, wahrhaftig«, sagte er mit einem halben Lächeln, »dich hatte ich fast vergessen, Kleines!«

Bettina wandte sich an Philine. »Es ist doch wirklich nicht wichtig, daß wir singen«, sagte sie, »wenn Vater es nicht leiden kann ... ich glaube, niemand von uns macht sich was draus.«

»Vielleicht können wir das Radio einstellen«, schlug Elvira schüchtern vor.

»Konservenmusik!« erklärte Stefan Steutenberg abfällig. »Nein, danke!«

»Ja, wenn sie Rock 'n Roll brächten«, ließ sich Ines vernehmen und machte ein paar kesse Tanzschritte, »da würd' ich drauf stehen. Aber bestimmt gibt's heute den ganzen Abend nur heilige Musik.«

»Ich gehe auf alle Fälle heute nacht in die Christmette«, erklärte Elvira, »das ist mein Höchstes!«

»Fangt endlich an auszupacken«, sagte Stefan Steutenberg und trat näher zum Gabentisch hin, »worauf wartet ihr noch?«

Bettina gab ihm ihr Päckchen, sah zu, wie er es ungeduldig aufriß, ließ ihre Augen nicht von seinem Gesicht, bis er die bronzefarbene Krawatte, die sie ihm ausgesucht hatte, enthüllte.

»Na, Donnerwetter!« sagte er beeindruckt. »Du hast Geschmack, Kleines. Das muß man dir lassen.« Er legte seinen Arm um ihre Schulter, zog sie an sich, küßte sie flüchtig auf die Stirn. »So, und jetzt schau du mal nach, was dir der Weihnachtsmann gebracht hat.«

Philine, die Elvira und Ines zu ihren Weihnachtsgeschenken geführt hatte, kam jetzt zu ihm. »Du solltest auch mal nachsehen, Stefan«, sagte sie lächelnd, »wenn ich nicht irre, hat das Christkind noch was für dich abgegeben.«

Er runzelte die Stirn. »Für mich? Das darf doch nicht wahr sein?!«

»Ich glaube schon.«

Er packte sie bei den Schultern. »Philine ... hast du vergessen, was wir ausgemacht haben?«

»Wieso? Was meinst du?«

»Wir haben versprochen, uns gegenseitig nichts zu schenken.«

»Aber, Stefan, bitte, reg dich doch nicht auf ... es ist eine Kleinigkeit, du wirst sehen.«

»Ich liebe solche Überraschungen nicht, das weißt du ganz genau. Im Gegenteil, so was macht mich einfach verrückt. Begreifst du denn nicht, in was für eine Situation du mich damit bringst?«

»Nein, beim besten Willen nicht.«

»Du hast mir wieder was geschenkt ... und ich ... wie steh' ich jetzt da?«

»Aber Stefan!« Philine legte zart ihre Hand auf seine Wange. »Alles, was ich besitze, habe ich von dir ... wenn du es so nimmst, müßte mir das doch schließlich auch peinlich sein.«

»Es ist meine Pflicht, für dich zu sorgen. Dafür bin ich dein Mann.«

»Und es ist meine Pflicht, dir eine Kleinigkeit zu Weihnachten zu schenken ... dafür bin ich deine Frau.«

Elvira und Ines hatten während dieser Auseinandersetzung ungerührt ihre Pakete geöffnet. Sie zeigten sich gegenseitig die Kleiderstoffe, die Wäschegarnituren, die Frottierhandtücher für ihre Aussteuer, die sie bekommen hatten. Sie schienen durch den Streit ihrer Herrschaft nicht im geringsten beeindruckt, waren anscheinend vollkommen daran gewöhnt.

Auch Bettina hatte sich ihren Gaben zugewandt, aber sie lauschte, während sie die Weihnachtspapiere entfernte, mit gespannter Aufmerksamkeit den Worten ihres Vaters und der Stiefmutter. Die ständige Spannung, die zwischen ihnen herrschte, hatte begonnen, an ihren Nerven zu reißen. Immer glaubte sie nahe daran zu sein, den Grund dieser dauernden Mißverständnisse zu kennen, aber jedesmal erwies sich der kaum gefundene Anhaltspunkt als trügerisch, ließ sich nicht weiter verfolgen.

Unter ihren Geschenken fand sie ein wunderschönes, bunt schillerndes Schultertuch, das ihr Bürgers aus Indien zu Weihnachten geschickt hatten, einen breiten, schweren, schön ziselierten Goldreif mit einem Weihnachtsgruß ihres Vaters. Philine hatte ihr einen üppigen, hellblauen Skipullover mit einem großen Überfallkragen selber gestrickt – als Bettina ihn in Händen hielt, war sie eine Sekunde ehrlich überwältigt.

»Na, gefällt er dir?« fragte Philine lächelnd.

»Er ist … hinreißend!« Bettina war nicht fähig, ihre Begeisterung zu verbergen. »Wann hast du ihn gestrickt? Ich habe nie etwas gesehen.«

»Lange vor Weihnachten, Bettina«, sagte Philine. »Übrigens … diese Taschentüchlein, die du mir geschenkt hast … echt Schweizer Batist, nicht wahr? … sind ganz reizend.

»Ich hab's mir ziemlich leicht gemacht, wie?« sagte Bettina beschämt.

»Ach wo. Du hast ja nicht soviel Zeit wie ich. Ich bin froh, wenn ich überhaupt was zu tun habe.«

»Soll das ein Vorwurf sein?« mischte sich Stefan Steutenberg ein.

»Überhaupt nicht. Nur eine Feststellung.«

»O, Vater«, sagte Bettina begeistert, »du hast ja den gleichen Pullover bekommen wie ich! Es wird himmlisch sein, wenn wir beide ganz gleich angezogen sind!«

»Wird nicht so rasch passieren«, sagte Stefan Steutenberg. »In Hamburg hat man selten Gelegenheit, einen Skipullover anzuziehen.« Er warf den hellblauen Pullover, die Arbeit vieler fleißiger Stunden, achtlos auf einen Sessel.

In diesem Augenblick hätte Bettina verstanden, wenn Philine ihren Mann gehaßt hätte.

Aber die Stiefmutter blieb ganz ruhig, sagte mit gleichmütiger Stimme: »Ich glaube, wir sollten die Kerzen jetzt auslöschen. Bitte, Elvira, gehen Sie in die Küche und kümmern Sie sich um das Essen. Ihr habt sicher alle schon Hunger.«

Die Weihnachtsfeiertage zogen sich quälend langsam dahin. Bettina wunderte sich, daß Steutenbergs weder das Haus verließen, noch ein einziges Mal Besuch bekamen. Bei Bürgers hatte es an Festtagen nur so von Gästen gewimmelt, und es waren soviel Einladungen gekommen, daß es oft lange Dispute gegeben hatte, zu wem man tatsächlich gehen sollte.

Am Siebenundzwanzigsten ging Stefan Steutenberg gleich nach dem Frühstück »in die Stadt«, wie er sagte. »Wahrscheinlich bin ich erst zum Abendbrot zurück«, erklärte er. Er küßte Bettina flüchtig auf die Stirn, nickte seiner Frau zu, bevor er sie beide allein ließ.

Bettina, die ihr Frühstück erst halb beendet hatte, sah ihre Stiefmutter an. »Wo geht er hin?« fragte sie.

»In die Stadt, du hast es ja gehört.«

»Aber … was tut er da?«

»Nun, er wird zu Fräulein Murnauer gehen, seiner Sekretärin … hat er dir von ihr erzählt?«

»Ich weiß nur, daß sie existiert.«

»Sie ist eine sehr nette Frau, verheiratet, hat zwei Kinder. Ich denke, er wird ihr Post diktieren … er wird sehen, was für ihn eingetroffen ist Dann macht er vielleicht einen Sprung zur Börse, spricht mit diesem oder jenem seiner Bekannten … geht in den Klub … so ähnlich stelle ich mir das jedenfalls vor.«

»Du weißt es nicht genau?«

»Woher sollte ich? Er hat mich noch nie mitgenommen.« Philine sagte es nicht klagend, sie lächelte sogar dabei. »Du wirst mir doch nicht ernsthaft raten wollen, ihm einen Detektiv nachzuschicken?«

»Das natürlich nicht. Aber immerhin!« Bettina rührte nachdenklich in ihrer Kaffeetasse. »Kennst du denn nicht wenigstens jemand aus diesem Klub?«

»O doch. Aber ich glaube, du machst dir falsche Vorstellungen … es ist ein reiner Herrenklub, und die Männer halten zusammen, das wirst du schon noch erleben.«

Bettina seufzte leicht. »Es geht mich ja nichts an«, sagte sie, »aber du … hast du überhaupt keine Freundin?«

»Eine ganze Menge«, sagte sie, »aber nicht hier. Weißt du, Bettina … das ist auch einer der Punkte, über den ich … nein, ich will nicht behaupten, daß ich mit deinem Vater darüber gestritten habe … aber ich habe mich wieder mal nicht durchsetzen können. Bevor ich geheiratet habe, habe ich in München gelebt … sicher hat dein Vater dir erzählt, daß ich Medizin studiert habe.«

»Nein«, sagte Bettina überrascht. »Davon weiß ich nichts.«

»Es ist im Grunde genommen ja auch nicht so wichtig. Jedenfalls … ich habe an der Universitätsklinik in München als Assistentin gearbeitet … damals.«

»Du bist also richtiger fertiger Doktor?«

»Schon. Aber natürlich … sieben Jahre bin ich jetzt aus dem Beruf heraus, da kommt man schon ein bißchen aus der Übung. Falls du Halsschmerzen haben solltest oder Bauchweh, ich würde dir nicht raten, dich von mir behandeln zu lassen.«

»Du hättest also lieber in München gelebt?«

»Ich hätte viel darum gegeben, wenn ich es gedurft hätte, Bettina. Die meiste Zeit, wenn dein Vater auf Reisen war, habe ich mich in München aufgehalten. Dort, weißt du, hatte ich einen ganzen Kreis von Leuten um mich. Aber hier in Hamburg … hier ist alles so fremd. Ich glaube, ich werde hier nie warm werden können. Dein Vater sagt, daß ich es mir einbilde … aber die wirklich gute Gesellschaft … die läßt keinen Fremden hinein.« Philine zündete sich eine Zigarette an. »Es sei denn … vielleicht, wenn man zehn Jahre hier lebt.«

»Ja, und Vater … merkt er das denn nicht?«

Philine schüttelte den Kopf. »Nein. Es ist kein schlechter Wille bei ihm, Bettina … du darfst überhaupt nicht glauben, daß er jemals böswillig wäre. Aber er merkt es nicht. Siehst du, er ist gewohnt, überall zu Hause zu sein … in allen großen

Städten der Welt. Ich glaube, die Leute, mit denen er verkehrt ... die Männer ... sie sind fast überall die gleichen. Ob er in Hamburg ist oder in London, in Barcelona oder in New York ... er hat überall seinen Klub. Er denkt ... er kann sich eben nicht vorstellen, daß für eine Frau das alles viel schwieriger ist.«

»Wahrscheinlich liebt er dich nicht mehr«, sagte Bettina und schämte sich im selben Augenblick ihrer eigenen Taktlosigkeit.

Philine überhörte diese Bemerkung vollkommen. »Aber du brauchst dir darüber keine Sorgen zu machen, Bettina«, sagte sie freundlich, »unter jungen Leuten ist das natürlich etwas ganz anderes. Vater wird dich in einem Tennisklub anmelden und in einem Reitklub. Du bist ein schönes Mädchen und reich dazu. Ich bin nicht bange, daß du keinen Anschluß findest.«– –

Es war merkwürdig. Wenn Bettina mit ihrer Stiefmutter allein zusammen war, verstanden sie sich eigentlich immer recht gut. Jedoch sobald der Vater nach Hause kam, war die Harmonie gestört. Und umgekehrt war es nicht anders. Der Vater war immer gut gelaunt, liebevoll und aufmerksam, wenn er – was jedoch selten genug vorkam – mit Bettina allein war. Das Zusammensein zu dreien jedoch wurde immer unerträglicher.

Bettina begriff nicht, woran das lag. Sie wußte nur eines – daß sie selber nicht schuld an dieser unerquicklichen Situation war. Die Differenzen zwischen ihrem Vater und ihrer Stiefmutter mußten schon seit langem bestehen. Wenn Bettina unvoreingenommen in dieses Haus gekommen wäre, würden alle Sympathien bei Philine gelegen haben, bei Philine, die sich immer bemühte, sanftmütig zu bleiben, die Gereiztheit des Vaters zu überspielen, die es zu einer bemerkenswerten Fertigkeit gebracht hatte, ungerechte Vorwürfe schweigend einzustecken.

Bettina liebte ihren Vater, sie liebte ihn von ganzem Herzen, und so sehr auch ihr Verstand für die Stiefmutter Partei nahm – ihr Herz gehörte ihrem männlichen, interessanten Vater. Sie gab sich zu, daß Philine vielleicht keine Schuld an der Krise ihrer Ehe traf, aber Schuld hin, Schuld her, fest stand andererseits, daß sie nicht imstande war, Stefan Steutenberg glücklich zu machen. Sie verstand ihn nicht, und er liebte sie nicht, sonst hätten nicht ihre harmlosesten Bemerkungen solch eine Gereiztheit in ihm auslösen können.

Bettina fühlte sich in dem Haus ihres Vaters sehr einsam. Ihn selber bekam sie nur selten zu sehen, und sie vermied, so weit es eben ging, jedes Zusammensein mit Philine, weil sich alles in ihr dagegen sträubte, sich auf ihre Seite hinüberziehen zu lassen. Dreimal während der Weihnachtsferien gingen sie ins Theater, und jedesmal anschließend in eine der gepflegten Hamburger Bars, einmal machten sie auch einen ausgedehnten Bummel durch St. Pauli – aber immer waren sie dabei zu dritt, und immer schwankte die Stimmung zwischen bemühter Fröhlichkeit und rasch aufflammender Gereiztheit.

Bettina fühlte sich alles andere als glücklich. Sie ertappte sich dabei, daß sie das Ende der Weihnachtsferien herbeisehnte.

Gleich nach Neujahr wurde es doch noch kalt. Es begann damit, daß sich der Regen in Schnee verwandelte, der auf der Straße schnell zu gelbbraunem Matsch wurde, während er in den Gärten und Anlagen weiß und dick liegen blieb. Über Nacht brach dann klirrender Fronst aus. Die Außenalster fror zum Teil zu. Die Menschen liefen fast, wenn sie draußen zu tun hatten, jeder hatte es eilig, um so schnell wie möglich wieder nach Hause zu kommen.

Stefan Steutenberg schien es nichts auszumachen, er verbrachte wie immer, jeden Tag »in der Stadt«.

»Nimmst du mich mit?« fragte Philine eines Morgens. »Ich muß Einkäufe machen.«

»Willst du nicht lieber telefonieren?«

»Das wäre zu kompliziert. Aber«, fügte sie rasch hinzu, als sie sah, daß er nicht gerade ein erfreutes Gesicht machte, »ich kann natürlich auch meinen eigenen Wagen nehmen ... bloß, du weißt, bei dieser Schneeglätte ... ich bin keine sehr gute Fahrerin.«

»Gut, ich bringe dich hinein«, erklärte er sich bereit, »aber in spätestens zehn Minuten mußt du fix und fertig sein.« Er wandte sich an Bettina. »Willst du mit?«

»Ja, ich muß ein Geburtstagsgeschenk für eine gute Freundin aussuchen«, sagte Philine rasch. »Du könntest mir dabei helfen, Bettina.«

»Ich möchte lieber nicht«, behauptete Bettina daraufhin, »ehrlich gestanden ... ich habe noch eine Menge Post zu erledigen.«

»Na schön. Ganz wie du willst.« Stefan Steutenberg faltete die Zeitung auf und begann zu lesen.

Nachher, als sie fort waren, bereute Bettina fast, Philine nicht begleitet zu haben. Tatsächlich hatte sie gar nichts Wichtiges zu tun. Ihre Briefe – einen an Ursel, einen an Yvonne, einen an Mademoiselle Legrand und einen an Dotty – hatte sie längst geschrieben. Sie hatte Zeit genug dazu gehabt. Es blieb ihr nur eines übrig: sich ein Buch zu nehmen und zu schmökern.

Bettina beschloß, es sich in ihrem Zimmer gemütlich zu machen.

Unter den Büchern, die ihr der Vater oder Philine in den Schrank gestellt hatten, war auch »Anna Karenina« Bettina hatte seit langem Lust gehabt, diesen berühmten Roman selber einmal zu lesen, aber nie hatte sie Geduld gehabt, sich wirklich hineinzuvertiefen. Für diesen einsamen Tag war das Buch wie geschaffen. Bettina zog es aus dem Bücherschrank, wollte es sich schon in einem Sessel bequem machen, da fiel ihr ein, daß es noch viel gemütlicher sein würde, wenn erst ihr kleiner Kamin brannte. Sie stand auf, nahm die Streichhölzer vom Tisch und sah erst jetzt, daß er nicht einmal eingelegt war. Eine Sekunde lang ärgerte sie sich über Ines und ihre Nachlässigkeit, dann mußte sie über sich selber lächeln, weil sie sich so rasch daran gewöhnt hatte, daß ihr jede, auch die kleinste Arbeit, abgenommen wurde.

Natürlich hätte sie nach Ines klingeln können und sie bitten, Holz zu holen und einzuschichten, aber das schien ihr albern. Sie wußte, daß das Holz auf dem Boden sein mußte, machte sich selber auf den Weg.

Bettina öffnete verschiedene Türen, bis sie endlich die zur Bodentreppe fand, sie knipste das Licht an und kletterte hinauf. Es roch nach Staub und ein wenig nach Mottenpulver. Bettina fröstelte, denn hier oben war es schneidend kalt, eine klamme, unangenehme, lähmende Kälte.

Das Holz zu finden war nicht schwer. Der Boden war ziemlich leer. Es gab kein Gerümpel und keine Kuriositäten. Hier oben wurde es ganz spürbar, daß das Haus erst vor kurzem bezogen worden war.

Bettina fand einen alten Wäschekorb, schichtete ihn bis oben voll Holz, hob ihn hoch und begann ihn quer über den Boden zur Treppe zurückzuschleppen, an verschiedenen Koffern und einer großen alten Truhe vorbei. Dann erst sah sie die Wickelkommode. Sie stutzte, traute ihren Augen nicht. Sie betrachtete die hohe Kommode mit der hölzernen Umrandung aufmerksam. Aber so merkwürdig es auch war, in einer Familie, wo es keine kleinen Kinder gegeben hatte – gab es eine Wickelkommode.

Plötzlich kam Bettina der Gedanke, ob nicht vielleicht sie selber es gewesen sein könnte, die von ihrer Mutter auf dieser Kommode gewickelt worden war. Sie stellte den Korb mit den Holzscheiten auf den Boden, trat auf die Kommode zu, zog die oberste Schublade heraus, hoffte, Erinnerungen an ihre Säuglingszeit oder, noch besser, an ihre verstorbene Mutter darin zu finden.

Tatsächlich war die Kommode gut gefüllt mit Mullwindeln und Moltonwindeln, Hemdchen und Baumwolljäckchen, mit wunderschönen, handgestrickten Mützchen, Capes und Jäckchen. Aber voll Verwunderung stellte Bettina fest, daß alles neu wirkte, völlig unbenutzt.

Nachdenklich drehte Bettina eines der Mützen zwischen den Fingern. Was hatte das zu bedeuten? War es möglich, daß

Philine ein Baby erwartete, ohne daß sie etwas davon gemerkt hatte?

Als sie Schritte auf der Bodentreppe hörte, zuckte sie zusammen. Ihr erster Impuls war, das Mützchen verschwinden zu lassen und die Kommodenschublade wieder zuzustoßen. Aber es war zu spät. Schon tauchte der schwarze Wuschelkopf von Ines vor ihr auf. Das Mädchen musterte sie mit einem Lächeln, das fast noch kecker war als sonst.

Bettina hielt das Mützchen hinter dem Rücken verborgen, sagte herausfordernd: »Was wollen Sie hier?«

»Eigentlich … gar nichts. Nur … ich hatte Schritte gehört, und da dachte ich … es hätte ja sein können, daß ein Fremder …«

»Schon gut. Sie sehen ja, daß ich es bin.«

»Ja. Gott sei Dank. Man liest so schreckliche Geschichten in der Zeitung …« Ines musterte alles mit flinken Augen, hatte den Korb mit den Holzscheiten schon entdeckt, kam mit wenigen Schritten die Treppe ganz hinauf, bückte sich, hob ihn auf. »Deswegen hätten Sie sich doch nicht selber bemühen brauchen, Fräulein Bettina«, sagte sie vorwurfsvoll. »Warum haben Sie mich nicht gerufen?«

»Ich … nein, bitte gehen Sie jetzt«, sagte Bettina.

Ines ließ sich nicht so leicht verscheuchen. Sie wies mit einer Kopfbewegung auf die Wickelkommode, sagte unbefangen: »Komisch, nicht wahr? Man könnte glatt denken, die gnädige Frau … na, Sie werden schon wissen, was ich meine. Aber Sie brauchen keine Sorge zu haben, es ist nichts dran. Ganz gewiß nicht.«

Fast gegen ihren Willen sagte Bettina: »Sind Sie sicher?«

»So was weiß man doch. Alles nur Hirngespinste, Fräulein Bettina … wenn Sie mich fragen, die gnädige Frau gehörte mal zu einem tüchtigen Arzt … zu so einem Seelendoktor, Sie wissen schon.«

»Ines! Wie können Sie so etwas sagen?«

»Na, ist das etwa normal? Eine Wickelkommode mit lauter Babyzeug mit sich ’rumzuschleppen? Fragen Sie Elvira. Die

Kommode war schon beim Einzug mit dabei. Was tut der Mensch mit so einem Kram, wenn von einem Baby keine Rede sein kann?«

»Vielleicht hofft sie …«

»Na schön. Sie sollen recht haben. Es hofft der Mensch, solang' er lebt. Aber wenn Sie mein Wort hören wollen, Fräulein Bettina … solange Ihr Herr Vater mit der gnädigen Frau wie Katz und Hund miteinander leben, wird's mit einem Baby kaum etwas werden. Sie verstehen, wie ich es meine.«

Bettina war rot geworden. »Schließlich bin ich kein kleines Kind mehr, Ines«, sagte sie ärgerlich, drehte sich um, legte das Mützchen wieder an seinen Platz und schob die Schublade zu. »Und wenn Sie glauben, daß ich mich für Ihre Geschichten interessiere, dann haben Sie sich geirrt.«

Ines grinste nur, und Bettina spürte, daß ihre Zurechtweisung reichlich spät gekommen war. Sie ärgerte sich über sich selber. – –

Wenige Tage später brachten Philine Steutenberg und der Vater Bettina zum Flugzeug. Der Abschied fiel sehr herzlich aus, Bettina winkte zurück, solange noch etwas von den beiden zu sehen war. Dennoch, fühlte sie sich auf unwägbare Art erleichtert, als die viermotorige Maschine nach langem Anlauf sich endlich vom Boden löste.

Die Probleme ihres Vaters und ihrer Stiefmutter hatten sie mehr belastet, als sie selber gewußt hatte. Jetzt schüttelte sie sie ab wie ein junger Hund die Wassertropfen, wenn er aus dem Fluß steigt. Sie freute sich auf das Internat, auf ihre Freundinnen, auf Mademoiselle Legrand. Fast schien es ihr, als wenn ihr Genf zur wirklichen Heimat geworden wäre.

Über die Sache mit der Wickelkommode hatte sie mit ihrer Stiefmutter nicht gesprochen. Sie hatte Angst vor einem so intimen Gespräch mit einer Frau, die sie doch nicht lieben wollte. Außerdem hielt eine mädchenhafte Scheu sie zurück, die sie sich selber nicht zugab.

VIII.

Als sie am Abend des gleichen Tages in Genf mit einer Maschine der Lufthansa landete, wurde sie, als sie die Gangway hinunterkletterte, freudig überrascht. Yvonne war gekommen, um sie abzuholen.

Die Freundin winkte ihr strahlend mit einem riesengroßen weißen Taschentuch zu, Bettina winkte lächelnd zurück. Aber es dauerte noch gute zehn Minuten, ehe alle Formalitäten erledigt waren und die beiden Mädchen sich in die Arme schließen konnten. Sie fuhren mit dem Zubringerauto bis zum Hauptbahnhof, stiegen dort in einen Omnibus um, der fast bis zur Pforte des Internats fuhr.

Unterwegs plauderten sie ununterbrochen miteinander. Obwohl Bettina keine Lust hatte, ihre häuslichen Schwierigkeiten zu beichten, gab es doch sonst noch genug zu erzählen – von ihrer zauberhaften abgeschlossenen kleinen Wohnung, den Theaterbesuchen, dem Bummel über die Reeperbahn.

Yvonne nahm herzlichen und interessierten Anteil, erzählte ihrerseits von der Weihnachtsfeier im Internat, die die Mädchen sehr sorgfältig vorbereitet hatten. »Es hätte wirklich wunderbar sein können, wenn nicht dieses Pech passiert wäre«, sagte sie. »Du kannst dir denken, was wir alle für einen Schrecken bekommen haben ... und Madame Jeuni läuft seitdem mit so 'nem Bart herum, sie sitzt ja auch ganz schön in der Klemme.«

»Wovon redest du eigentlich?« fragte Bettina verblüfft.

»Aber hör mal. Das weißt du doch ganz genau. Ich hab' dir doch geschrieben.«

»Keine Ahnung. Entweder ist der Brief verlorengegangen oder ...«

»Du weißt also noch gar nicht, daß Mademoiselle Legrand von der Leiter gefallen ist?«

»Nein«, sagte Bettina erschrocken, denn sie hatte Mademoiselle Legrand wirklich gerne. »Wie ist denn das passiert?«

»Ganz blödsinnig. Beim Weihnachtsbaumschmücken. Wir waren alle dabei. Die Leiter war ein bißchen zu kurz, sie hat sich sehr gereckt, um bis zur Spitze zu kommen, dabei ist es passiert.«

»Das muß schauerlich weh getan haben«, sagte Bettina voller Mitleid.

»Ich glaube, vor Schreck hat sie im ersten Augenblick gar nichts gespürt. Sie ist noch am gleichen Abend ins Krankenhaus gekommen.«

»Habt ihr sie schon einmal besuchen dürfen?«

»Einmal. Da schien es ihr ganz gutzugehen. Aber nachher ... also, bitte, Bettina, reg dich nicht auf ... es hat sich eine Lungenentzündung dazugeschlagen. Madame Jeuni sagt, wir sollen uns keine Sorgen machen, es wäre nicht lebensgefährlich. Aber schließlich«, Yvonne machte ein besorgtes Gesicht, »sie ist nicht mehr jung.«

»Von wem sprichst du?«

»Von Mademoiselle Legrand natürlich. Ich hab' mal gelesen, bei älteren Leuten ist so etwas sehr schlimm. Und Mademoiselle Legrand ... meiner Schätzung nach ist sie mindestens dreißig Jahre alt.«

Bettina mußte lachen. »Yvonne«, sagte sie, »was bist du für ein Kindskopf. Dreißig Jahre ist doch noch kein Alter zum Sterben. Mit uns verglichen, da ist sie sicher nicht mehr jung, aber wenn du bedenkst, daß es Menschen gibt, die über hundert Jahre alt werden ...«

»Selten«, sagte Yvonne, »sehr selten.«

»Aber immerhin neunzig oder achtzig ... oder siebzig ... oder selbst sechzig ist doch noch genau doppelt so alt wie dreißig. Also, wenn du mich fragst ... ich kann mir nicht vorstellen, daß Jeanette Legrand nicht damit fertig wird. Ich gehe jede Wette ein, sie wird wieder gesund.«

»Aber es kann Wochen dauern.«

»Sicher.«

»Dann danke! Das wird ein schönes Durcheinander werden. Kannst du mir erklären, wie Madame Jeuni wochenlang ohne Assistentin auskommen kann?«

»Ach, sicher findet sie jemand, der inzwischen einspringt.«

»Eben nicht. Das ist ja die Tragödie. In Genf gibt es keine Arbeitslosigkeit. Wer Schreibmaschine und Stenografie kann, der ist auch längst in Brot und Arbeit.«

»Meinst du, darum dreht sich's?«

»Na klar. Jetzt kannst du dir Madame Jeuni vorstellen.«

»Hm«, sagte Bettina nur, aber in ihrem Inneren hatte bereits ein Entschluß zu reifen begonnen. – –

Als sie in das große Haus traten – der Concierge mit Bettinas Gepäck voran, die beiden Mädchen hinter ihm – kam Madame Jeuni grade die Treppe herunter. Sie erwiderte nur flüchtig den Gruß ihrer beiden Schülerinnen, schien ganz mit ihren eigenen Gedanken beschäftigt zu sein.

Bettina nahm sich ein Herz und vertrat ihr den Weg. »Madame«, sagte sie, »bitte …«

»Ja? Was gibt's?«

»Könnte ich Sie wohl ein paar Minuten sprechen?«

»Ich … ich bin sehr beschäftigt«, sagte Madame Jeuni, »Sie haben sicher schon gehört, welches Unglück mit Mademoiselle …«

»Grade deswegen möchte ich Sie sprechen«, sagte Bettina.

»Gut. Dann kommen Sie am besten gleich mit.«

Bettina zwinkerte der verblüfften Yvonne zu und folgte dann Madame Jeuni in ihr feudal eingerichtetes Zimmer.

Madame Jeuni setzte sich hinter ihren schweren Schreibtisch, forderte Bettina mit einer Handbewegung auf, Platz zu nehmen. »Bitte, mein Kind?«

»Madame …«, begann Bettina, »Yvonne sagte mir, daß Sie durch die Erkrankung Mademoiselle Legrands in eine sehr unangenehme Situation gekommen sind. Bitte, wenn Sie erlauben … ich möchte Ihnen gerne helfen.«

»Das ist sehr liebenswürdig von Ihnen, mein Kind … wirklich, sehr liebenswürdig, ich danke Ihnen für Ihren guten Willen. Aber Sie wissen, Mademoiselle Legrands Tätigkeit hat sich nicht …« Madame Jeuni lächelte leicht, »auf Post verteilen und dergleichen beschränkt. Was ich brauche, das ist eine Dame, die Stenografie und Schreibmaschine beherrscht.«

»Das kann ich von mir nun nicht grade behaupten«, sagte Bettina, »aber immerhin … ich habe es gelernt. Erinnern Sie sich an mein Zeugnis? Ich hatte in Stenografie gute und im Maschinenschreiben sehr gute Noten. Natürlich fehlt mir die Übung.«

Madame Jeuni stand auf. »Das wäre das wenigste. Aber … glauben Sie, daß Sie auch imstande wären, Diktate in französischer Sprache aufzunehmen?«

»Ja. Natürlich wird es etwas mit der Stenografie hapern, aber irgendwie bekomme ich es schon hin.«

Madame Jeuni setzte sich wieder. »Sie sind liebenswürdig … sehr liebenswürdig. Nur …« sie seufzte tief, »ich kann dieses Opfer nicht von Ihnen annehmen. Sie sind hier bei uns als Schülerin. Ihr Vater bezahlt Ihren Aufenthalt. Man hat Sie mir anvertraut, damit Sie etwas lernen. Ich kann unmöglich …«

»Verzeihen Sie, Madame, daß ich Ihnen ins Wort falle«, sagte Bettina, »aber ich würde wirklich sehr gerne mal meine Kenntnisse in der Praxis ausprobieren. Außerdem … den Unterricht brauchte ich deswegen ja gar nicht zu versäumen. Es ließe sich doch bestimmt irgendwie einteilen, daß …«

Madame Jeuni stand auf und kam auf Bettina zu. »Ich weiß«, sagte sie und machte nicht den Versuch, ihre Rührung zu unterdrücken, »ich weiß, es ist unrecht von mir, Ihre Hilfe anzunehmen, Bettina … aber ich bin Ihnen dankbar … von ganzem Herzen dankbar. Wenn ich mich nicht in einer Zwangslage befände, glauben Sie mir, ich würde nie …«

»Ich tu es ja gerne, Madame«, sagte Bettina froh, und es kam ihr vom Herzen. Sie war sehr glücklich, daß sich endlich eine Gelegenheit bot, Madame Jeuni zu beweisen, daß sie etwas wert war. – –

Sechs Wochen blieb Mademoiselle Legrand im Krankenhaus, sechs Wochen lang erledigte Bettina die gesamte Post für Madame Jeuni. Darüber hinaus stellte sie die Einkaufslisten auf, übernahm stundenweise den Telefondienst, hielt Bettzeug und Tischwäsche unter Verschluß.

Madame Jeuni war keine sehr angenehme Chefin, nur zu oft vergaß sie, daß Bettina ihre Arbeit freiwillig übernommen hatte. Sie war anspruchsvoll und ungeduldig, und es fiel Bettina nicht leicht, alle Aufgaben zu ihrer Zufriedenheit zu lösen.

Es war das erste Mal in ihrem Leben, daß sie wirklich arbeitete. Manchmal glaubte sie, daß sie nicht imstande war, es zu schaffen. Immer wieder unterliefen ihr Fehler, und manchmal war sie ganz verzweifelt über sich selber. Abends fiel sie todmüde ins Bett, morgens erwachte sie wie zerschlagen.

Dennoch verschafften ihr die vielseitige Arbeit und Verantwortung, die sie tragen mußte, eine nie gekannte Befriedigung. Sie spürte, daß sie von Nutzen war, und das machte sie glücklich.

Als Mademoiselle Legrand zurückkam, gab Bettina ihre Arbeit nicht von einem Tag zum anderen auf. Mademoiselle Legrand wirkte noch recht blaß und schonungsbedürftig, sie war dankbar, daß Bettina sie entlastete.

Diese letzten Monate im Internat, in denen Bettina sich als wichtiges Mitglied einer großen Gemeinschaft fühlen durfte, wurden für sie fast zu den schönsten und erfülltesten ihres bisherigen Lebens. Sie hatte keine Zeit mehr, über sich selber und ihre Probleme nachzudenken, und gerade das empfand sie als ungemein wohltuend.

Aber je mehr Aufgaben Mademoiselle Legrand ihr abnahm, je näher das Ende der Internatszeit rückte, desto öfter drängte sich ihr der Gedanke an Hamburg auf und an ihre Zukunft. Der Rausch des Nützlichseins verflog, sie begann zu grübeln, wurde unsicher.

Der letzte Tag ihres Genfer Jahres brachte ihr noch einmal eine wirklich große Freude. Madame Jeuni überreichte ihr ein schweres goldenes Armband, in das sie auf der Innenseite Worte des Dankes für Bettinas Hilfe hatte eingravieren lassen. Mademoiselle Legrand, Yvonne und alle anderen Mädchen, mit denen Bettina näher befreundet gewesen war, hatten kleine goldene Anhängsel dazugestiftet. Es war ein reizendes Geschenk, und Bettina schossen Tränen des Glücks in die Augen, als Madame Jeuni es ihr feierlich überreichte.

Der Abschied fiel ihr schwerer, als sie je geglaubt hatte. Es war unfaßbar, daß sie all die Menschen, die ihr lange Zeit soviel bedeutet hatten, nie im Leben wiedersehen sollte. Sie weinte bitterlich.

Selbst daß der Vater persönlich sie abholte, um sie mit dem Auto nach Hamburg zu bringen – es hatte sich inzwischen eine Unmenge Gepäck bei ihr angesammelt – konnte sie nicht trösten. Sie schluchzte noch immer in ihr Taschentuch, als der offene Mercedes die Stadt schon verlassen hatte und der Fahrtwind ihr in den blonden Haaren zauste.

»Jetzt ist's aber genug«, sagte Stefan Steutenberg halb scherzend, halb ärgerlich, »du tust gerade so, als wenn du von einer Begräbnisfeier kämst ... es war doch nur ein Abschied, und den hättest du seit einem Jahr voraussehen können.«

Bettina schluchzte. »Bitte ... bitte, schimpf nicht mit mir, Vater!«

»Ich schimpfe ja gar nicht, ich bemühe mich nur, dich zur Vernunft zu bringen. Es ist töricht, sich so gehenzulassen. Du weinst wegen Menschen, die dir in wenigen Wochen schon nichts mehr bedeuten werden ... die du in ein paar Monaten vergessen haben wirst.«

»Das ist ja gerade das Schlimme, Vater.«

Er warf ihr einen Blick aus den Augenwinkeln zu. »Jetzt versteh' ich dich nicht mehr.«

»Doch ... ich kann das nicht ausdrücken, aber ... findest du es nicht auch scheußlich, wenn alles so ... so schwankend ist!? Aus den Augen aus dem Sinn ... das hast du doch eben selber gesagt! Gibt es vielleicht gar keine Liebe? Ich meine, ist alles nur Gewöhnung?«

»Wirklich, Bettina ... du hast Ideen! Dein Verhältnis zu den Internatsmädchen hat doch mit Liebe nie etwas zu tun gehabt.«

»Ja, aber Bürgers, die hab' ich doch geliebt ... ich glaube jedenfalls. Ich muß sie doch geliebt haben, wenn ich sie für meine Familie hielt, nicht wahr? Sie hätten doch meine wirkliche Familie sein können ... wo ist da der Unterschied? Und jetzt habe ich kaum noch Lust, Ursel zu schreiben. Ich hab' auch kein Bedürfnis, sie wiederzusehen ...«

»Das ist ja nur natürlich, Bettina«, sagte Stefan Steutenberg, »schließlich waren sie ja nicht deine richtige Familie. Wahrscheinlich hast du das immer irgendwie gespürt, und jetzt, da du es weißt ...«

»Und Mutter? Ich meine ... meine wirkliche Mutter? Ich habe sie nie wirklich vermißt.«

»Weil du sie nicht gekannt hast.«

»Aber du hast sie gekannt, und du hast mir selber gesagt, daß du kaum noch an sie denkst ... du hast sogar eine andere Frau geheiratet.«

»Willst du mir jetzt etwa Vorwürfe machen?«

»Nein, Vater ... nein. Natürlich nicht. Ich versuche bloß zu verstehen, wie das alles ist ... wie es zusammenhängt!«

»Mein liebes Kind, ich sag' es dir nicht gerne, aber du bist einfach überspannt. Das ist alles. Wenn ich gewußt hätte, daß du auf diesen Mädchenzirkus reagieren würdest, hätte ich dich nie dorthin gegeben. Statt froh zu sein, daß ich dich abhole, heulst du mir was vor.«

»Ich bin ja froh, Vater«, sagte Bettina mit einem schwachen Lächeln, »sehr froh sogar.« Aber sie dachte: Er versteht mich nicht. Er kann mich nicht verstehen. –

Zum erstenmal fühlte sie eine ganz starke, ganz tiefe Sehnsucht nach ihrer Mutter, die sie nie gekannt hatte. –

Stefan Steutenberg ließ sich Zeit auf der Heimfahrt. In Zürich – in »unserem Zürich«, wie Bettina sagte, weil sie dort die erste schöne Zeit mit ihrem Vater verlebt hatte – stiegen sie wieder im »Baur au Lac« ab, blieben ein paar Tage, fuhren dann erst zum Bodensee weiter, der jetzt im Frühjahr von einem Kranz blühender Obstbäume umgeben war. Stefan Steutenberg zeigte Bettina die tropischen Pflanzungen auf der

Insel Reichenau, führte sie durch den herrlichen Park. Sie übernachteten im Inselhotel in Konstanz, machten am nächsten Morgen eine große Rundfahrt über den See, besichtigten Meersburg. Bettina lief treppauf, treppab in der alten Wasserburg, in der die Dichterin Annette von Hülshoff die letzten Jahre ihres Lebens verbracht hatte. Abends saßen sie zusammen in einer gemütlichen holzgetäfelten Gaststube, aßen Bodenseefelchen, tranken roten Landwein. Bettina wußte schon selber nicht mehr, worüber sie beim Abschied aus dem Internat so traurig gewesen war. Sie war glücklich, wieder mit ihrem geliebten Vater zusammen zu sein, wünschte, daß diese Fahrt nie ein Ende nehmen würde.

In München blieben sie fast eine Woche. Der Wettergott blieb ihnen treu; ein blauseidener, fast italienischer Himmel spannte sich über die schöne Stadt an der Isar. Morgens schliefen sie lange, schlenderten dann durch die Straßen. Stefan Steutenberg kaufte seiner Tochter ein paar elegante Kleider, die sie, wie er behauptete, in Hamburg »dringend« brauchen würde, er suchte ihr Handschuhe in fliederfarbe, altrosa und maisgelb aus, dann suchten sie Schuhe, die genau mit diesen Farben harmonierten. Bettina fühlte sich wie eine Märchenprinzessin.

Jeden Abend gingen sie ins Theater, nachher bummelten sie noch miteinander. Sie besuchten die Bar »Bei Heinz«, den »Eulenspiegel«, zogen von einem Schwabinger Nachtlokal zum anderen.

Bettina, schlank, schön und gepflegt, in zauberhaften Modellkleidern, erregte überall Aufsehen. Aber sie merkte es kaum. Sie tanzte nur mit ihrem Vater, hatte nur Augen für ihn, interessierte sich für nichts und niemanden sonst.

Stefan Steutenberg war sehr stolz auf seine Tochter. Bettina spürte es und fühlte sich so glücklich wie nie zuvor in ihrem Leben.

Einmal fragte sie: »Was wird Philine denken, Vater, wenn du so lange wegbleibst?«

Er sah sie erstaunt an. »Sie weiß doch, daß ich dich abgeholt habe.«

»Na, trotzdem ... ich meine, wird es ihr recht sein? Schließlich ist sie doch ganz allein zu Hause.«

»Es ist nicht meine Schuld, daß sie es nicht versteht, sich Freunde zu machen«, sagte er schroff. »Außerdem ... sie hat ja immer gewußt, daß ich eine Tochter habe.«

»Wirklich?« fragte Bettina erstaunt.

»Warum fragst du das?«

Bettina errötete leicht. »Nur ... eigentlich ... wenn sie's gewußt hat, warum habt ihr mich dann nicht früher geholt?«

Stefan Steutenberg sah sie an, aber seine Augen hatten einen seltsamen Ausdruck bekommen.

»Sei mir nicht böse, Vater«, sagte Bettina unsicher.

»Ich bin dir durchaus nicht böse, Kleines«, er streichelte ihre Hand und lächelte schon wieder, »nur ... das sind alles solche Dinge. Du weißt doch, daß bei Gesprächen dieser Art nichts herauskommt. Möchtest du noch eine Kleinigkeit essen?«

»Nein, danke, Vater ...« Bettina spürte, daß er nicht mehr ernsthaft mit ihr reden wollte, trotzdem mußte sie noch eine Frage an ihn stellen. Ihr war die Wickelkommode auf dem Boden des Hauses am Harvestehuderweg eingefallen. »Vater«, sagte sie, »wenn ... nehmen wir mal an ... wenn du und Philine, wenn ihr Kinder gehabt hättet ... würdest du mich dann auch geholt haben?«

»Was für eine Frage!« sagte Stefan Steutenberg. »Wenn meine Großmutter Räder hätte, wär' sie ein Motorrad ... wenn ... wenn ... wenn! Wir haben keine Kinder, und ich habe dich geholt. Genügt dir das nicht?«

»Nein, Vater«, sagte sie ruhig.

Er beugte sich so weit vor, daß seine Stirn fast ihr Haar berührte. »Ich habe nie gewollt, daß Philine Kinder haben sollte ... bist du jetzt zufrieden?«

»Wirklich nicht, Vater?«

»Ich lüge dich nicht an, Bettina. Ich will nicht behaupten, ich hätte noch nie gelogen. Aber dich mag ich nicht anlügen.« Er hielt ihre Hand fast fest. »Genauso gut könnte ich mich ja selber belügen. Du bist schließlich ... ein Stück von mir.«

Bettina nahm seine braune kräftige Hand, schmiegte ihre Wange hinein, sah ihn zärtlich an. Sie war sehr glücklich.

Erst vierzehn Tage nach ihrer Abreise aus dem Internat kamen Stefan Steutenberg und seine Tochter in Hamburg an. Philine empfing sie liebevoll und ohne einen Vorwurf.

Stefan Steutenberg verbarg sein Schuldbewußtsein hinter Grobheit, Bettina brachte es nicht fertig, der Stiefmutter in die Augen zu sehen. Sie glaubte, daß Philine es darauf angelegt hatte, sie und ihren Vater zu beschämen, und das machte sie zornig.

Wenn Philine sich hätte gehenlassen, wenn sie sie beschimpft hätte – vielleicht hätte das die Situation geklärt. Aber so blieb Unausgesprochenes in der Luft hängen wie ein Gewitter, das nicht ausbrechen wollte. Bettina zweifelte keinen Augenblick daran, daß sie Philine durch ihr langes Ausbleiben, ihre spärlichen Kartengrüße verletzt haben mußten. Das Schweigen Philines, ihr Lächeln, ihre Freundlichkeit waren ihr unheimlich. Es war ihr, als wenn Philine böse Gedanken hinter ihrer lächelnden Gleichmut verbergen müßte, als wenn sie etwas Schlimmes plante.

Sie haßte ihre Stiefmutter so sehr, daß sie es kaum noch über sich brachte, mit ihr zu sprechen. Wie wunderbar hätte alles sein können, wenn Philine nicht gewesen wäre.

Stefan Steutenberg hielt sein Versprechen. Er meldete Bettina wenige Tage nach ihrem Einzug in das väterliche Haus bei einem Reitklub und einem vornehmen Hamburger Tennisklub an. Er brachte sie jeden Morgen, bevor er selber in die Stadt fuhr, auf die Reitbahn hinaus, unterließ nie, sie abends zu fragen, ob sie Fortschritte im Tennisspiel gemacht hätte.

»Nimm nur soviel Trainerstunden wie du magst«, pflegte er zu sagen, »laß dich das Geld nicht reuen. Hauptsache, es macht dir Spaß.«

Bettina wußte darauf nichts zu sagen. Sie mochte ihn nicht enttäuschen. Der Vater gab sich soviel Mühe, sie glücklich zu machen. Wie konnte sie ihm da erklären, daß das ganze Leben, das sie führte, ihr zum Halse heraushing.

Tatsächlich gelang es ihr nicht – weder im Tennisklub noch im Reitverein – mit den anderen jungen Leuten Kontakt zu bekommen. Es schien ihr, als wenn sie alle sich von frühester Kindheit an kennen würden und sie als fremdes störendes Element betrachteten.

Beim Reiten war es noch nicht so schlimm, dazu brauchte sie keine Partner. Beim morgendlichen Ausritt über die Reitwege der Alsteranlagen konnte sie sich sogar einbilden, allein mit ihrem Pferd zu sein.

Aber die Tennisplätze betrat sie jedesmal wieder mit innerer Überwindung. Sie nahm jeden Tag Trainerstunden – nicht deswegen, weil der Vater es sie geheißen hatte, sondern weil sie nicht wußte, mit wem sie sonst hätte spielen sollen.

Sie hatte Frauke Börsner, der Klubsekretärin, einem schlanken, großen friesischen Mädchen, ihre Daten angegeben; und sie hatte ihr versprochen, sich nach einer Partnerin oder einem Partner für sie umzusehen. Dabei hatte Bettina es aber auch bewenden lassen. Es war ihr zu peinlich, bei Frauke Börsner nachzufragen.

Eines Tages begegnete sie ihr zufällig vor den Umkleideräumen. Sie grüßte und wollte rasch vorbei.

Frauke Börsner blieb vor ihr stehen. »Ach, Fräulein Steutenberg«, sagte sie, »einen Augenblick, bitte. Nur eine ganz kleine Frage. Darf ich Sie aus meiner Liste streichen ... ich meine, Sie haben doch sicher schon eine Partnerin gefunden?«

»Ich nehme Trainerstunden«, sagte Bettina mit trockenem Mund.

»Wie schade! Wenn ich das gewußt hätte. Noch gestern hätte ich Gelegenheit gehabt ...«

»Bitte, machen Sie sich meinetwegen keine Umstände!« wehrte Bettina verlegen ab.

Frauke Börsner lächelte. »Jedenfalls ist es gut, daß wir noch einmal miteinander gesprochen haben ... ich darf mich also weiter umsehen?«

»Das ist sehr lieb von Ihnen ... aber es ist wirklich nicht so wichtig.« – Bettina hastete in den Umkleideraum.

Dieses Gespräch hatte den Stachel noch tiefer in ihre Seele getrieben. Sie glaubte, in den blauen Augen Frauke Börsners Mitleid gelesen zu haben. Dieses Gefühl kränkte sie so sehr, daß es ihr Tränen in die Augen trieb. Von nun an ging sie stets schon im Tennisdreß auf den Platz, um das Klubhaus gar nicht betreten zu müssen. Sie fürchtete eine erneute Begegnung mit der Sekretärin. Jedesmal war sie froh, wenn sie sich wieder auf den Heimweg machen konnte – obwohl es im Grunde genommen nichts gab, auf das sie sich hätte freuen können.

Die Tage verstrichen eintönig und quälend. Philine bemühte sich herzlich um Bettina, aber gerade auf ihre Zuneigung legte das junge Mädchen keinen Wert. Den Vater sah sie nur abends und auch dann immer nur im Beisein der Stiefmutter, deren Nähe ihn nach wie vor zu irritieren schien. Er war nicht mehr der charmante, interessante Mann wie auf ihren Reisen, sondern er zeigte sich schroff, gereizt, bei den kleinsten Mißverständnissen auffahrend.

Eines Morgens – sie saßen im Wintergarten beim Frühstück – brachte Ines die Post herein, überreichte sie Stefan Steutenberg. Er überflog die Adressen, um die Briefe zu verteilen – für ihn selber kamen höchstens Drucksachen ins Haus, seine ganze Geschäftspost ging an sein Büro in der Stadt.

Bettina erhielt einen Brief von Dotty, eine Ansichtspostkarte von Yvonne, die mit ihren Eltern ans Meer gefahren war. Auch für Philine war ein Brief dabei, Stefan Steutenberg warf einen Blick auf die Rückseite, bevor er ihn ihr gab.

»Von wem?« fragte er kurz.

Sie antwortete nicht, aber Bettina schien es, als wenn sie beim Anblick der Handschrift leise errötet wäre.

»Möchtest du ihn nicht öffnen?« fragte ihr Mann.

»Doch. Ja.«

»Lies vor!«

Philine sah Stefan Steutenberg mit großen Augen an. »Meinst du im Ernst …«

»Warum nicht? Ich nehme doch nicht an, daß du Geheimnisse vor mir hast?«

»Du glaubst wohl, weil ich verheiratet bin, habe ich nicht das Recht auf das winzigste Stückchen Privatleben?«

»Ich will mich mit dir nicht streiten.« Stefan Steutenbergs Stimme klang hart.

»Das freut mich.« Philine ließ den Brief in die Tasche ihres seidenen Hausmantels verschwinden.

Es sah aus, als wenn Stefan Steutenberg noch etwas sagen wollte. Der Blick, mit dem er seine Frau musterte, war zornig, fast leidenschaftlich.

Es ist doch nicht möglich, daß er eifersüchtig ist? dachte Bettina. Kann man denn auf einen Menschen eifersüchtig sein, wenn man ihn gar nicht mehr liebt. – »Da ist noch ein Brief«, sagte sie, um ihren Vater abzulenken, »oder ist das nur eine Drucksache.«

Es war ein schweres langes Kuvert aus Büttenpapier. Stefan Steutenberg nahm es abwesend in die Hand, sein Gesicht erhellte sich. »Für dich, Bettina«, sagte er, »vom Tennisklub!«

»Oh!« Bettina war überrascht. Sie streckte die Hand nach dem Brief aus.

»Du erlaubst, daß ich ihn für dich öffne?« fragte der Vater.

Bettina wäre es sehr viel lieber gewesen, die Nachricht zuerst selber zu lesen, aber sie wollte dem Vater beweisen, daß sie mehr Vertrauen zu ihm hatte als Philine. »Natürlich«, sagte sie deshalb mit einem etwas erzwungenen Lächeln.

Stefan Steutenberg zog ein zweimal parallel gefaltetes Blatt Büttenpapier aus dem Umschlag, überflog mit hochgezogenen Augenbrauen den Text, sagte dann: »Sehr schön, Kleines ... eine Einladung zum Sommerfest am nächsten Samstag.« Er ließ den Brief sinken, sah sie mit lächelnden Augen an. »Wenn ich mich nicht irre, brauchst du zu dieser Gelegenheit wieder ein neues Kleid, ja?«

Bettina war blaß geworden, sie biß sich auf die Lippen. »Nein, Vater«, sagte sie verstört.

»Wieso nicht? Hast du dir denn schon überlegt, was du anziehen willst?«

Philine Steutenberg beugte sich vor und warf einen Blick auf die Einladung. »Ach, das Fest ist ja erst in vierzehn Tagen«, sagte sie, »laß dem Kind doch Zeit. Wir können die ganze Sache bis dahin noch einmal überlegen.«

»Ihr beide habt eine Art, aus den unwichtigsten Dingen eine Staatsaffäre zu machen«, sagte Stefan Steutenberg, aber es war zu spüren, daß er durchaus bereit war, das Thema fallen zu lassen. Er nahm sich eine warme Scheibe Toast aus dem Röster, bestrich sie mit Butter.

Die Versuchung war groß, die Dinge auf sich beruhen zu lassen, aber Bettina hatte das Gefühl, daß sie es jetzt durchstehen mußte. Der Gedanke, einen ganzen Abend als Mauerblümchen in einem Winkel zu sitzen, während die anderen jungen Leute fröhlich und guter Laune waren, machte sie ganz krank.

»Vater«, sagte sie mit gepreßter Stimme, »bitte … ich muß mit dir sprechen.«

Er sah sie verwundert an. »Los! Ich sitze ja hier!«

Bettina warf Philine einen flehenden Blick zu, und sie verstand sofort. »Ich glaube, es ist wohl besser, ich lasse euch beide allein«, murmelte sie und stand auf.

Stefan Steutenberg erhob sich halb, als wenn er sie zurückholen wollte – aber Philine hatte schon mit raschen Schritten den Raum verlassen.

Er setzte sich wieder. »Na, was gibt's?« fragte er, aber seine Stimme klang alles andere als ermunternd.

»Ich kann nicht auf dieses Fest gehen«, sagte Bettina.

»Was?! Und warum nicht, wenn ich fragen darf?«

»Ich kann nicht.«

»Herrgott, ich habe schon viel an hysterischen Frauen erlebt … aber das eine muß ich dir sagen, Bettina, du bist wirklich die allerschlimmste!«

»Ich bin nicht hysterisch, Vater«, sagte Bettina mühsam, »nur … ich halte das nicht länger aus. Ich habe mir Mühe gegeben … wirklich, aber … es geht nicht!«

»Wovon sprichst du eigentlich?«

»Von allem. Von … von meinem Leben, das ich hier führe.«

»Soll das heißen, daß du unzufrieden bist? Nun hört aber doch alles auf!« Stefan Steutenberg knallte die flache Hand auf den Tisch. »Du hast alles, was ein junges Mädchen sich nur erträumen kann. Alles. Buchstäblich alles. Was willst du?«

»Ich möchte arbeiten, Vater!«

»Arbeiten?« Stefan Steutenberg wiederholte das Wort, als wenn er es nicht richtig verstanden hätte.

»Ja. Irgend etwas. Du weißt, ich habe Schreibmaschine und Stenografie gelernt … ich spreche wirklich sehr gut französisch, ich kann …«

»Du brauchst dich nicht bei mir anzupreisen, Bettina. Ich weiß, was du alles gelernt hast.«

»Du erlaubst es mir also?«

»Nein.«

»Und warum nicht? Warum?«

»Weil du die Tochter Stefan Steutenbergs bist. Du hast es nicht nötig, zu arbeiten. Wozu glaubst du, habe ich jahrelang Geld zusammengekratzt? Ganz bestimmt nicht, damit du dich jetzt in irgendeinem lausigen Büro ausnutzen läßt.«

»Vielleicht könnte ich dir helfen …«

Er schüttelte den Kopf. »Nein.«

»Laß es mich doch wenigstens versuchen!«

»Ich zweifle nicht an deiner Fähigkeit, Bettina … aber Fräulein Murnauer, sie ist eine erfahrene Sekretärin, das brauche ich dir nicht zu sagen. Du wirst dir doch nicht im Ernst einbilden, sie ersetzen zu können.«

»Es stehen so viele Stellenangebote in den Zeitungen. Bitte, Vater, ich finde bestimmt etwas. Laß es mich doch probieren!«

»Darum handelt es sich ja gar nicht, Bettina.« Stefan Steutenberg stand auf und begann, die Hände auf dem Rücken, mit großen Schritten im Raum auf und ab zu gehen. »Ich will nicht, daß du arbeitest. Ich will nicht.« Er blieb vor ihr stehen. »Warum kannst du nicht leben wie andere Mädchen aus gutem Hause? Ist es denn wirklich so schwer, ein angenehmes Leben zu führen?«

»Mein Leben ist nicht angenehm!« sagte Bettina. »Es ist schrecklich! Es gibt nichts, worauf ich mich freuen könnte. Nichts. Gar nichts!« Plötzlich brach all das, was sie in den letzten Wochen und Monaten durchgestanden hatte, aus ihr heraus. »Niemand mag mich. Niemand redet überhaupt mit mir. Du kannst dir nicht vorstellen, wie sie mich behandeln. Wie eine … eine Aussätzige.«

»Das bildest du dir ein, Bettina. Anscheinend hast du nicht die Fähigkeit, Bekannte zu finden.«

»Dann liegt es an mir … vielleicht hast du sogar recht. Aber was nutzt dir denn das? Ich kann so nicht weitermachen, Vater! Ich kann es nicht länger ertragen.«

»Warum schließt du dich nicht enger an Philine an! Warum bittest du sie nicht, dich in den Klub zu begleiten?«

»An Philine? Ist das dein Ernst?«

»Ja. Sie hat immer sehr viel Verständnis für junge Menschen gehabt. Sie könnte dir ganz gewiß helfen.«

»Ich mag sie nicht.«

»Bettina!«

»Ich mag sie nicht, weil sie dich unglücklich macht, Vater! Sag mir jetzt nicht, es ist nicht wahr! Ich weiß es! Ich weiß es ganz genau! Sie ist dein Unglück, Vater … nur sie!«

Stefan Steutenberg schwieg einen Augenblick, Bettina schien es, daß er betroffen war, aber dann sagte er in veränderterm, beruhigendem Ton: »Ich fürchte, unser Gespräch ist auf ein falsches Geleise geraten.« Er hob abwehrend die Hand, als Bettina ihm widersprechen wollte. »Bitte, still, laß mich jetzt einmal reden. Du sagst mir, daß du arbeiten willst, und ich habe dir geantwortet … das gilt nicht nur für jetzt, sondern für immer … nein. Es ist ausgeschlossen. Aber da du dich langweilst, wie ich sehe, müßten wir uns überlegen, wie wir dir etwas zu tun geben können! Sag mal, wie alt bist du eigentlich?«

»Ich werde achtzehn.«

»Na, wunderbar Hättest du nicht Lust, den Führerschein zu machen?«

»Wozu?«

»Einen Führerschein kann man immer brauchen. Und wer weiß, kannst du erst fahren, kommt das Auto sicher nach.«

»Das ist sehr lieb von dir, Vater, aber ...« Sie stockte mitten im Satz, kam sich selber unverständig und unverschämt mit ihrer Unzufriedenheit vor.

Stefan Steutenberg lächelte. »Na, siehst du!« sagte er. »Jetzt machst du schon ein anderes Gesicht. Und was die blöden Klubs betrifft ... es braucht immer eine Zeit, bis man sich eingewöhnt hat, besonders hier in Hamburg. Hab ein bißchen Geduld, beiß die Zähne zusammen ... es wird schon alles werden. Übrigens würde ich dich sehr gern auf dieses Klubfest begleiten, aber leider ... ich weiß nicht, ob ich es dir schon gesagt habe ... ich muß für zwei bis drei Wochen verreisen.«

»O nein!« sagte Bettina erschrocken. »Tu das nicht!«

»Unaufschiebbar.« Er legte seinen Arm um ihre Schultern, drückte sie zärtlich an sich.

»Dann nimm mich mit! Bitte, Vater, nimm mich mit!« Er sah ihr lächelnd in die Augen. »Wenn du jemals heiraten würdest ... ich nehme doch an, daß du das willst ... nicht wahr? Dann merk dir eines ... man muß einem Mann auch hie und da einmal ein wenig Freiheit lassen, sonst bricht er eines Tages aus, und das willst du doch nicht, oder?«

IX.

Die Fahrstunden brachten Bettina unerwartet viel Freude. Endlich wurde sie wieder vor eine Aufgabe gestellt, und sie war gezwungen, sich zu konzentrieren, mußte den Erklärungen des Fahrlehrers volle Aufmerksamkeit schenken, ihr Gedächtnis trainieren.

Am Abend nach ihrer ersten Ausfahrt kam sie ganz aufgeregt nach Hause. Sie hätte etwas dafür gegeben, es jemandem mitteilen zu können, aber ihr Vater war schon seit zwei Wochen verreist. Wie immer wollte sie sich sofort auf ihr Zimmer zurückziehen.

In der Diele traf sie auf Ines. »Die gnädige Frau läßt bitten«, sagte sie mit ihrem kecken Lächeln, das ihre guterzogenen Worte Lügen strafte.

»Wieso? Was ist los?« fragte Bettina.

»Sie hat Besuch«, erklärte Ines verschmitzt.

»Und dazu braucht sie mich?«

»Wahrscheinlich als Anstandswauwau!« Ines' Lächeln war immer unverfrorener geworden.

»Schon gut«, sagte Bettina. »Ich mache mich nur ein wenig frisch, dann komme ich herunter.«

Während sie ihr tailliertes Sommerkostüm aus blauem Leinen ablegte, sich im Badezimmer die Hände wusch, Achselhöhlen und Schultern mit Eau de Cologne einrieb, überlegte sie, was die Mitteilung von Ines wohl zu bedeuten haben konnte. Es war das erste Mal, seit sie in diesem Haus lebte, daß Philine Besuch bekommen hatte. Sehr merkwürdig. Eigentlich hatte sie gar keine Veranlassung, den Gast ihrer Stiefmutter zu begrüßen, andererseits widerstrebte es ihr, Philine ausgerechnet vor Ines, die die Aufforderung überbracht hatte, zu blamieren. Sie war, ohne es sich ganz zuzugeben, neugierig geworden.

Sie wählte ein altrosa und weiß-gestreiftes Hemdblusenkleid aus zartem Batist, das Stefan Steutenberg ihr in Zürich gekauft hatte, bürstete sorgfältig ihr helles Haar, das sie jetzt in einer ganz modernen Frisur trug – glatt und ziemlich kurz, am Hinterkopf und an den Seiten aufgebauscht. Sie rieb sich ihr Gesicht mit Lotion ab, tuschte sich die Wimpern, zog die Augenbrauen dunkelgrau nach, wählte dann einen Lippenstift, der ganz genau mit den rosa Streifen des Kleides harmonierte. Dann tupfte sie sich noch etwas von dem Parfüm, das Yvonne ihr aus Paris geschickt hatte, hinter das Ohr, legte das goldene Kettenarmband an, das Madame Jeuni und ihre Freundinnen aus dem Internat ihr geschenkt hatten, betrachtete sich noch einmal im hohen Spiegel von allen Seiten, bevor sie das Zimmer verließ.

Nicht der Gast ihrer Stiefmutter war Anlaß, daß sie sich so sorgfältig zurechtmachte. Bettina hatte sich daran gewöhnt, viel Wert auf ihre Toilette zu legen, einfach deshalb, weil sie Zeit genug hatte – soviel Zeit, daß sie froh war, wenn sie sie vertrödeln konnte.

Sie fand die Stiefmutter im Damenzimmer, einem kleinen, sehr gemütlich mit alten Biedermeiermöbeln eingerichteten Raum, in dem Philine sich am liebsten aufhielt. Sie sah Bettina lächelnd entgegen, und Bettina merkte sofort, daß Philine glücklicher und schöner aussah als seit langem.

»Ah, da bist du ja!« sagte Philine, »Darf ich dich mit Doktor Grotius bekanntmachen? Doktor Grotius ist ein Studienfreund von mir.«

Der Arzt, ein großer, breitschultriger Mann, der Bettina in der ersten Sekunde an einen freundlichen Bären erinnerte, war bei ihrem Eintritt aufgestanden. Jetzt drückte er ihr so kräftig die Hand, daß Bettina einen Schmerzenslaut unterdrücken mußte, sagte mit einer tiefen, ein wenig brummenden Stimme. »Philine hat mir dauernd von Ihnen erzählt … mir scheint, Sie haben da eine sehr gute Stiefmutter erwischt.«

»Hat sie sich über mich beklagt?« rutschte es Bettina heraus, und sie bereute den Satz, sobald sie ihn ausgesprochen hatte.

»Beklagt?« Dr. Grotius sah von einer der beiden Frauen zur anderen. »Gibt es was zu beklagen?«

»Bettina macht es sich nicht leicht«, sagte Philine ernsthaft, »sie ist zu kritisch sich selbst gegenüber. Hast du eine Idee, wie man ihr das austreiben kann, Gerhard?«

»Warum? Ich habe die Erfahrung gemacht, die meisten jungen Leute leiden an unheilbarer Selbstüberschätzung, und das ist doch weit schlimmer.«

Dr. Grotius blieb zum Abendessen, und Bettina stellte fest, daß Philine sich mit der Zusammenstellung des Menüs ganz besondere Mühe gegeben hatte. Es gab Schildkrötensuppe nach Lady Curzon, Elviras ganz besondere Spezialität, ein ganz hartes Roastbeef mit Pommes frites und verschiedenen kleinen delikaten Salaten, nach Tisch Eisbecher mit Früchten und Schlagsahne, Käse und zum Abschluß einen Mokka.

Dr. Grotius aß mit gutem Appetit, sagte mit einer brummenden Stimme: »Hut ab vor deiner Köchin, Philine! Trotzdem … eine gute Küche sollte kein Grund sein, sein Leben im goldenen Käfig zu vertrauern.«

»Aber, Gerhard, wie redest du denn? Das tu ich ja gar nicht.«

»Nicht? Was tust du denn?«

»Ich leite den Haushalt«, sagte Philine mit einem kleinen Lächeln.

Dr. Grotius sah Bettina an. »Und Sie helfen Ihrer Stiefmutter wohl dabei?«

Bettina fand seine Verständnislosigkeit ungemein komisch. »O nein«, sagte sie vergnügt. »Meine Aufgabe besteht lediglich darin, die Blumen zu gießen.«

»Jetzt hört sich aber doch alles auf!« Dr. Grotius war nicht fähig, seinen Unwillen zu verbergen.

Bettina lachte, und Philine sagte rasch: »Du darfst sie nicht ernstnehmen, Gerhard, sie macht sich über dich lustig.«

»Und was tut sie wirklich?«

»Du solltest dich über dieses Thema mal mit meinem Mann unterhalten, Gerhard«, sagte Philine. »Stefan ist der Meinung, daß es für eine Frau vollkommen genügt, gut auszusehen und sich unterhalten zu können. Wenn sie darüber hinaus vielleicht noch Tennis spielt oder reitet … oder möglicherweise Klavierspielen kann oder irgendein Hobby hat, dann ist das schon mehr als genug.«

»Scheint ein seltsamer Mensch zu sein, dein Stefan!«

»Er ist fabelhaft!« sagte Bettina hitzig. »So wie der ist … Sie können ja nicht mal an ihn tippen.«

Dr. Grotius lachte. »Jetzt habe ich Sie aber mal reingelegt, Bettina, wie? Ich kenne Ihren Herrn Vater nämlich. Ich kenne ihn sehr gut. Schließlich hat er mir die Frau weggeschnappt. Daß Philine sich für ihn entschieden hat, das beweist ja wohl zur Genüge, daß ich nicht an ihn tippen kann, oder?«

»Ich habe von all dem nichts gewußt«, sagte Bettina betroffen.

»Wie konnten Sie auch«, sagte Dr. Grotius, nicht im geringsten gekränkt.

Philine hob die Tafel auf. »Ich denke, wir nehmen den Mokka im Wintergarten, ja?«

Nachher, als Elvira abgeräumt hatte, stieg Philine in den Keller hinunter und holte eine gute Flasche Nahewein herauf. Gerhard Grotius zündete sich eine Zigarre an. Er schien sich ganz zu Hause zu fühlen. Während Philine eine Zigarette rauchte und Bettina Käsegebäck knabberte, begann er seltsame und zumeist sehr vergnügliche Geschichten von Patienten aus seinem Sanatorium in Schliersee zu erzählen, die er nie beim Namen nannte, sondern mit seltsamen und sehr plastischen Spitznamen bedachte.

»Sie haben ein eigenes Sanatorium?« fragte Bettina interessiert.

»Warum, wundert Sie das?«

»Ich denke mir bloß ... so was muß doch schrecklich viel Geld kosten und Sie sind doch noch ziemlich jung ... ich meine ... wie haben Sie sich das verdient?« Sie bekam einen roten Kopf, als sie sah, daß Philine ein Lächeln unterdrückte. »Vielleicht hätte ich das nicht sagen sollen«, sagte sie rasch, »bitte, seien Sie mir nicht böse.«

»Mein Vater hat es mir gekauft«, sagte Dr. Grotius. »Ich habe nämlich wie Sie das Glück, einen reichen Vater zu haben, nur, scheint mir, habe ich einen etwas besseren Gebrauch davon gemacht.«

»Mußt du Bettina dauernd ärgern?« fragte Philine.

»Danke, ich kann mich schon selbst verteidigen!« wehrte Bettina leicht gereizt ab.

»Nun seien Sie mal nicht so unfreundlich, junge Dame!« sagte Dr. Grotius ruhig.

»Versuchen Sie, bitte, mich nicht dauernd zu erziehen!« rief Bettina aufgebracht. Sie wußte selber nicht, warum sie auf einmal, mitten aus einer gemütlichen Stimmung heraus, so zornig geworden war. Aber ihr schien es plötzlich, als wenn Philine und Dr. Grotius zusammensteckten und es von vornherein darauf angelegt hätten, sich über sie lustig zu machen. Der Blick, den die beiden in diesem Augenblick austauschten, bestärkte noch diesen Eindruck.

»Bettina, bitte, Gerhard hat es doch gar nicht so gemeint!« sagte Philine besänftigend.

»Aber gesagt hat er's so!« rief Bettina wütend. Sie war aufgesprungen.

Auch Dr. Grotius erhob sich. »Genügt es Ihnen, junge Dame, wenn ich Ihnen eine formelle Entschuldigung zu Füßen lege?« fragte er.

Plötzlich kam Bettina sich selber sehr albern vor. »Entschuldigen Sie bitte«, sagte sie leise, »aber … ich weiß selber nicht, was in mich gefahren ist. Ich bin in letzter Zeit schrecklich nervös.«

»Niemand nimmt dir etwas übel, Bettina«, sagte Philine herzlich, »bitte, setz dich doch … du auch, Gerhard. Wir wollen uns doch nicht durch solch törichte Mißverständnisse den schönen Abend verderben lassen.«

Aber die gute Stimmung wollte sich nicht wieder erzwingen lassen. Bettina konnte das Gefühl nicht loswerden, daß sie im Grunde genommen der störende Dritte war. Weil sie befürchtete, daß ihre Stiefmutter sie zurückhalten würde, benutzte sie die erste beste Gelegenheit, um ganz unauffällig zu verschwinden. Sie war unzufrieden mit sich selber.

Als sie eine halbe Stunde später im Bett lag und noch einmal, wie immer vor dem Schlafengehen, das Büchlein mit den Verkehrsregeln durchlas, klopfte es an ihre Schlafzimmertür. Sie wußte sofort, daß es nur ihre Stiefmutter sein konnte.

»Bettina!« rief Philine, »Bettina, bitte, mach doch die Tür auf!«

Aber Bettina rührte sich nicht. Sie blieb ganz still liegen, gab keinen Laut von sich.

Erst als sich die Schritte ihrer Stiefmutter draußen entfernten, löschte sie das Licht aus, drehte sich zur Seite und versuchte einzuschlafen.

»Bettina, ich muß mit dir sprechen!« sagte Stefan Steutenberg, und seine Stimme klang alles andere als freundlich.

Bettina sprang auf, sah ihren Vater erstaunt an. Es kam höchst selten vor, daß Stefan Steutenberg ihre Räume betrat, warum tat er es ausgerechnet jetzt, wo er erst zwei Stunden von seiner Reise zurückgekehrt war?

»Ja, Vater?« fragte sie beunruhigt.

Er trat dicht auf sie zu. »Ist es wahr, daß ein gewisser Doktor Grotius hier im Haus zu Besuch war?«

Bettina wich unwillkürlich einen halben Schritt zurück. »Warum fragst du nicht Philine?«

»Weil ich es von dir wissen will?« Stefan Steutenbergs Stimme klang so unbeherrscht, wie Bettina sie noch nie erlebt hatte. »War er hier ... ja oder nein?«

»Ja.«

Stefan Steutenberg ließ sich in einen Sessel sinken, wischte sich mit einem großen weißen Taschentuch über die Stirn. Bettina hatte alle Fenster weit geöffnet, die Sonnenjalousien heruntergelassen, denn draußen war ein flirrend heißer Julitag. Sie selber trug nur einen leichten weißseidenen Hausanzug.

»Wann?« fragte Stefan Steutenberg.

»Das Datum weiß ich nicht mehr.«

»Ich meine die Stunde?«

»Abends.«

»Das hätte ich mir denken können. Und dich haben sie ins Bett geschickt, nicht wahr?«

»Nein, Vater.«

»Nicht? Du warst also bis zuletzt dabei?«

»Warum fragst du mich das alles? Warum ...?«

»Ich will eine Antwort!« brüllte Stefan Steutenberg. »Warst du bis zuletzt dabei?«

»Nein. Ich ... ich bin nach oben gegangen.«

»Und wann hat er das Haus verlassen?«

»Ich weiß es nicht«, sagte Bettina, »woher soll ich es denn wissen?«

In diesem Augenblick betrat Philine Steutenberg das Zimmer.

Philine Steutenbergs Gesicht glich einer kalten Maske; nur ihre Augen glühten. »Du hast mich gesucht?«

Stefan Steutenberg war bei ihrem Eintritt aufgesprungen. »Nein«, sagte er jetzt und wandte ihr grob den Rücken zu. »Durchaus nicht.«

»Um so schlimmer«, sagte sie eisig. »Es bestand also nicht der geringste Anlaß, Ines und deine Tochter auszuhorchen.«

»Sei so freundlich und laß uns allein!«

»Damit du Bettina quälst? Damit du sie zu Antworten zwingst, für die sie nicht geradestehen kann?«

Jetzt sah er sie an, seine Mundwinkel zogen sich spöttisch herab. »Du scheinst ein sehr schlechtes Gewissen zu haben, Philine.«

»Ich habe mir nichts vorzuwerfen«, sagte sie und konnte nicht verhindern, daß ihre Stimme bebte, »nicht das Geringste. Deine Eifersucht ist krankhaft.«

»Eifersüchtig? Ich? Lachhaft. Ich kann nur keinen Geschmack daran finden, im eigenen Hause betrogen zu werden.«

»Glaubst du das im Ernst? Hältst du mich dessen für fähig?«

Eine kleine, spannungsgeladene Pause entstand, bis Stefan Steutenberg antwortete.

»Ja«, sagte er nur, nichts weiter.

Philine sah ihn mit einem herzzerreißenden Blick an. »Danke«, sagte sie, »das genügt.« Sie drehte sich um und ging zur Tür.

Mit einem Satz war er bei ihr. »Philine! Wo willst du hin?!«

Sie riß sich, von ihm los. »Fort von hier!« sagte sie. »Weit fort!«

»Philine, bitte, nimm doch Vernunft an!« Er packte sie wieder, schüttelte sie bei den Schultern. »Du kannst doch nicht einfach fort ... nur weil ich ungerecht war. Ja, ich war ungerecht, ich geb' es zu. Aber deshalb kannst du doch nicht ...«

»Du wirst dich wundern, was ich alles kann!« sagte Philine wild. »Ich habe es satt, daß du es nur weißt. Dich, dieses

Haus und dieses ganze verdammte Leben. Ich habe es seit langem satt, aber ich hätte nie für möglich gehalten, daß du anfangen würdest, mich auszuspionieren! Laß mich jetzt los! Sonst ...«

Philine Steutenberg brauchte ihre Drohung nicht auszusprechen. Er ließ sie los, als wenn er glühendes Eisen angefaßt hätte, trat sogar einen Schritt zurück.

Eine Sekunde lang glaubte Bettina, daß Philine ihre zornigen Worte zurücknehmen, daß sie ihn um Verzeihung bitten würde – aber sie tat es nicht. Sie drehte sich um und verließ das Zimmer.

Unwillkürlich lief Bettina zur Tür. Sie spürte deutlich, daß nur sie noch in der Lage war, die Stiefmutter zu versöhnen, sie zurückzuhalten. Sie war schon im Begriff, es zu tun – aber sie gab ihrem Impuls nicht nach. Noch bevor sie die Tür erreicht hatte, blieb sie stehen, sah ihren Vater an.

Was kümmerte sie Philine. Wenn die Stiefmutter fort war, würde sie mit ihrem Vater glücklich sein können – so glücklich wie auf ihren Reisen. Sie liebte ihn mehr als jeden anderen Menschen auf der Welt – jetzt würde sie ihn endlich für sich alleine haben.

Zu ihrem Geburtstag schenkte Stefan Steutenberg seiner Tochter ein weißes kleines Sportcoupé, ein französisches Modell mit automatischer Kupplung. Bettina hatte vor wenigen Tagen ihren Führerschein bekommen. Sie war sehr glücklich über dieses großzügige Geschenk.

Wenn sie morgens aufwachte, galt ihr erster Gedanke ihrem »Traumauto«, am liebsten wäre sie noch im Pyjama in die Garage gestürzt und hätte es gestreichelt. Nur mit Mühe bezwang sie sich, zuerst zu frühstücken. Sie fuhr mit ihrem neuen Auto zum Reiten und zum Tennisspielen, sie fuhr damit kreuz und quer durch die große Stadt, nach Blankenese hinaus – sie fuhr oft ohne Ziel und Zweck, nur um des Fahrens willen. Jeden Tag wusch sie ihr Auto, rieb die Fensterscheiben blank, polierte die Chromteile. Nicht für viel Geld hätte sie sich von jemand anderem dabei helfen lassen. Es war ihr Auto, und sie allein wollte es hegen und pflegen.

Stefan Steutenberg freute sich über die Begeisterung seiner Tochter. Er hatte sich mehr Gedanken über ihre Unzufriedenheit gemacht, als er sich anmerken lassen wollte. Nun glaubte er endlich das Richtige für sie gefunden zu haben.

Sie gingen jetzt abends öfter aus, seit Philine das Haus verlassen hatte, besuchten fast jede interessante Theatervorstellung. Aber auch wenn sie zu Hause blieben, langweilten sie sich nicht miteinander. Bettina hatte es noch keinen Augenblick bereut, Philine nicht zurückgehalten zu haben. Der Vater war jetzt, da sie allein waren, sehr viel ausgeglichener. Seine Gereiztheit, seine Zornesausbrüche hatten sich fast gänzlich gelegt, wenn er auch – Bettina gab es sich nur ungern zu – nicht gerade fröhlich war.

Nur ein einziges Mal wagte Bettina das heikle Thema anzuschneiden. Sie hatten ein Fernsehspiel anschauen wollen, aber Stefan Steutenberg hatte es albern gefunden, er hatte den Apparat nach zehn Minuten kurz entschlossen abgestellt.

»Weißt du eigentlich immer noch nicht«, begann sie unsicher, »ich meine … hat Philine schon einmal geschrieben?«

»Nein«, sagte er kurz.

Sie legte ihre Hand auf seinen Arm. »Du machst dir Sorgen um sie, nicht wahr?«

»Durchaus nicht.«

»Es wäre auch ganz töricht!« Bettina stand auf und holte die Whiskyflasche und ein Glas aus der Hausbar, schenkte ihrem Vater ein. »Ich hatte immer das Gefühl, Philine ist sehr tüchtig. Sie kann ganz sicher allein fertig werden.«

»Bildest du dir etwa ein, daß sie wirklich allein geblieben ist?«

Bettina war einen Augenblick verdutzt. Sie war niemals auf den Gedanken gekommen, daß Philine ihren Vater um eines anderen Mannes willen verlassen haben konnte.

»Doch, sicher«, sagte sie. »Überhaupt, wo sie doch Medizin studiert hat und das alles. Ich an ihrer Stelle würde jedenfalls wieder an ein Krankenhaus gegangen sein.«

»Ich glaube nicht, daß du recht hast«, sagte Stefan Steutenberg, und als Bettina noch etwas sagen wollte, schnitt er ihr mit einer Handbewegung das Wort ab. »Reden wir nicht darüber. Dieses Kapitel meines Lebens ist endgültig abgeschlossen.«

Bettina hatte noch viele Fragen auf dem Herzen, aber sie schwieg. Sie hatte sich seit einiger Zeit angewöhnt, sich ganz so zu geben, wie es ihrem Vater gefiel, nur das zu reden, was er hören wollte.

Er selber war es, der nach einiger Zeit auf das angeschnittene Thema zurückkam. »Komisch«, sagte er, »seit Philine weg ist, habe ich manchmal das Gefühl, daß sie dir sympathischer ist als früher.«

Bettina lächelte. »Kunststück. Jetzt stört sie uns ja nicht mehr.«

»Hast du es so empfunden?«

»Ja. Ich ... sei mir nicht böse ... aber ihr wart immer so gereizt miteinander. Für einen dritten ... für mich war es nicht gerade angenehm.«

»Ja«, sagte er und nahm einen Schluck Whisky, »ich weiß, Philine hat allerhand mit mir durchgemacht.«

»Wie kannst du das sagen!« rief Bettina. »Philine war es doch, die ...«

»Wer weiß. Warte erst einmal ab, bis du selber verheiratet bist, dann wirst du sehen ... die Schuld liegt meistens auf beiden Seiten.«

»Ich will nicht heiraten«, sagte Bettina, »nie!«

»Wirklich nicht? Soll das heißen, daß du dein ganzes Leben hier bei mir versauern willst?«

»Ich bin sehr glücklich«, sagte Bettina leise, aber sie sah ihn dabei nicht an.

»Aber ...?«

»Ohne aber!« Jetzt schlug Bettina die klaren weit auseinanderstehenden Augen auf. »Ich bin glücklich. Ich müßte ja verrückt sein, wenn ich nicht glücklich wäre bei allem, was du mir bietest. Nur ...« Sie stockte.

»Sprich nur. Sprich dich nur aus. Du hast absolute Narrenfreiheit!«

»Es wäre schön, einen richtigen Beruf zu haben.«

»Fängst du jetzt wieder damit an, Bettina! Ich dachte, ich hätte mich unmißverständlich genug ausgedrückt, als ich dir sagte …«

»Ja, ja, Vater, ich weiß! Ich denke auch gar nicht mehr ans Bürogehen, das wäre ja wirklich schön töricht von mir, aber … warum darf ich nicht studieren?«

Stefan Steutenberg sah sie verblüfft an. »Was?«

»Medizin zum Beispiel.«

»Wer hat dich denn auf diese Idee gebracht!«

Bettina bekam einen roten Kopf. Ihr wurde klar, daß dieser Gedanke erst in ihr zu rumoren begonnen hatte, seit Dr. Grotius dagewesen war. »Niemand«, sagte sie, »glaubst du denn, ich könnte nicht selber denken?«

»Medizin studieren!« Stefan Steutenberg lachte. »So ein Unsinn! Etwa um der leidenden Menschheit zu helfen!? Es wimmelt von fähigen und unfähigen Ärzten … wozu willst du dann noch …?«

»Vielleicht, weil es mir Spaß macht!«

»Leichen zu sezieren?«

»Wenn es andere können, kann ich es sicher auch.« Bettina schwang sich auf seine Sessellehne, schmiegte ihre Wange an seine Stirn. »Bitte, Väterchen, warum darf ich denn nicht? Würde es dir nicht auch Freude machen, eine Tochter zu haben, die studiert?«

»Du müßtest ja erst mal das Abitur machen.«

»Warum nicht?«

»Du bist ein seltsames Mädchen!« Stefan Steutenberg richtete sich auf, schob Bettina ein Stück von sich weg, sah sie prüfend an. »Andere junge Leute sind froh, wenn sie endlich mit der Schule fertig sind … und du willst dich freiwillig mit all solchem öden Wissenskram vollstopfen.«

»Ja, daß ich's freiwillig täte, das ist ja gerade der Unterschied.«

»Wenn du wählen könntest, Bettina«, sagte Stefan Steutenberg, »wenn du wählen könntest, sagen wir ... zwischen deinem Auto und einem Studium ... für was würdest du dich entscheiden?«

»Du weißt genau, wie himmlisch ich es finde, ein Auto zu haben ...«

»Na also.«

»Nichts ... na also. Trotzdem würde es mir, glaube ich, noch mehr Spaß machen, zu lernen.«

»Und wenn du dann ausgelernt hast, heiratest du irgendeinen hergelaufenen Schnösel.«

»Bestimmt nicht.«

»So was kann man nicht versprechen. In diesem Punkt seid ihr Frauen alle gleich.«

»Und wenn es so wäre, wie du annimmst, Vater«, sagte Bettina leidenschaftlich, »was würde es schon schaden! Etwas zu wissen, ist immer gut, finde ich. Ob man's nun praktisch verwerten kann oder nicht. Du sagst, andere junge Leute können gar nicht schnell genug mit der Schule fertig werden. Dann sei froh, daß ich anders bin!«

Er zauste ihr in dem schimmernden, seidenweichen Haar. »Du gefällst mir, so wie du bist, Bettina ... gar keine Frage. Ich bin sehr stolz auf dich.«

»Wie stolz wirst du erst sein, wenn die Leute Fräulein Doktor zu mir sagen müssen!«

Stefan Steutenberg lachte. »Mit so was kann man mir nicht imponieren. Philine ...« Er stockte, vollendete den angefangenen Satz nicht. »Es ist nicht ganz in meinem Sinne, Kleines«, sagte er statt dessen, »aber wenn es dir soviel Spaß macht ... bitte, von mir aus. Erkundige dich mal, wie du am besten zu einem Abitur kommst. Das wird wohl das erste sein. Später können wir dann weitersehen.«

»Ich darf?« Bettina war atemlos vor Glück. »Du bist ... was hätte ich bloß ohne dich machen sollen!? Ich bin so froh, daß du mein Vater bist!« Plötzlich zuckte ihr ein Gedanke durch den Kopf. »Muß ich mein Auto hergeben?« fragte sie etwas ängstlich.

»Kindskopf!« sagte Stefan Steutenberg zärtlich. »Geschenkt ist geschenkt …«

Bettina fuhr gleich am nächsten Vormittag nach dem Reiten in die Stadt, um Erkundigungen einzuziehen und ließ sich in einen Kurs einschreiben, der am 15. September beginnen und sie in drei, möglicherweise sogar nur zwei Jahren, zum Abitur bringen sollte. Sie hatte das Gefühl, jetzt endlich auf dem richtigen Weg zu sein.

Sie hatte ihren Wagen gerade in die Garage gefahren, schloß die Tür ab und ging zum Haus hinüber, als sie den Telegrafenboten sah, der sein Fahrrad gegen den Gartenzaun gelehnt hatte. Sie trafen in der Haustür zusammen.

Der junge Mann kramte ein Telegramm aus seiner großen, schwarzledernen Tasche, verglich die Aufschrift mit dem Türschild. »Für Fräulein Bettina Steutenberg«, sagte er.

»Das bin ich selber.« Bettina nahm ihm das Telegramm aus der Hand, wollte es schon öffnen, aber dann fiel es ihr ein, daß es vielleicht richtig war, dem Boten ein Trinkgeld zu geben. Erst als das erledigt war, riß sie den Umschlag auf und begann zu lesen.

Freude und Unbehagen stritten sich in ihr auf seltsame Weise, während sie die wenigen Worte las: »EINTREFFE HEUTE ABEND ELF UHR ZWANZIG HAMBURG HAUPTBAHNHOF STOP FREU MICH WIE WAHNSINNIG STOP KANN VIERZEHN TAGE BLEIBEN STOP DOTTY.«

Bettina hatte Dotty Glenford mehr als einmal eingeladen, aber sie hatte niemals damit gerechnet, daß Dotty wirklich kommen würde. Sie hatte es nicht für möglich gehalten, daß ihre Eltern dazu die Erlaubnis geben würden. Nun traf sie heute abend in Hamburg ein.

Bettina schloß die Haustür auf, trat in die Diele.

Ines kam ihr entgegen. »Fräulein Bettina«, sagte sie, »am Telefon ist ein Telegramm für Sie durchgesagt worden.«

»Ja, ich weiß schon …«, sagte Bettina zerstreut.

»Soll der junge Herr bei uns wohnen?« fragte Ines, und ihre Augen funkelten vor Neugier.

»Von wem sprechen Sie?« fragte Bettina leicht verwirrt.

»Na eben, von diesem Herrn Dotty!«

Bettina lachte. »Ich muß Sie enttäuschen, Ines, dieser Herr ist ein junges Mädchen ... und ob sie bei uns wohnen wird, das weiß ich noch nicht. Ich muß erst mit meinem Vater sprechen.«

Sie überlegte, ob sie versuchen sollte, Stefan Steutenberg in der Stadt zu erreichen – aber dazu war im Grunde genommen gar kein Anlaß gegeben. Dotty würde ja sowieso erst in der Nacht in Hamburg eintreffen, also hatte sie Zeit genug, ihren Vater vorzubereiten.

Bettina wunderte sich über sich selber. Es hatte Zeiten gegeben, in denen sie Dotty geradezu herbeigesehnt hatte, nur um einen Menschen zu haben, mit dem sie sich aussprechen konnte. Aber jetzt empfand sie Dottys überraschenden Überfall als störend. Jede Stunde, die sie mit dem Vater verbringen konnte, war ihr kostbar. Sie hatte keine Angst, daß Dotty sich zwischen sie und den Vater drängen konnte, aber sie fürchtete, daß Dottys Besuch ihm unangenehm sein könnte. Sie wußte nur zu genau, daß er sie seit jeher abgelehnt hatte.

Nach dem Essen – Bettina aß mittags stets nur eine Kleinigkeit, ein wenig Salat, ein Glas Joghurt, Obst – war ihr Entschluß gefaßt. Sie telefonierte mit der Direktion des Hotels »Atlantik«, hatte Glück und konnte ein Einzelzimmer reservieren lassen.

Als sie den Hörer einlegte, fühlte sie sich sehr viel wohler.

Stefan Steutenberg kam wie immer erst kurz vor dem Abendessen. Bettina wollte ihn nicht sogleich mit ihren Problemen überfallen. Sie wartete geduldig ab, schenkte sich und ihm erst einmal einen eisgekühlten Aperitif ein.

Er sah den nachmittäglichen Posteingang durch, warf einen Blick in die Zeitung, bat Bettina, da es immer noch sehr heiß war, seinen Rock ausziehen zu dürfen.

Bettina brannte schon vor Ungeduld, als er endlich fragte: »Na, wie war's heute, Kleines? Was Besonderes erlebt?«

»Ein Telegramm ist gekommen«, platzte Bettina heraus. »Dotty ... du erinnerst dich noch an Dotty? ... sie trifft heute abend in Hamburg ein.«

»Na, das ist aber mal eine Überraschung«, sagte Stefan Stteutenberg sehr gelassen, zündete sich eine Zigarette an.

»Es ist mir genauso wenig angenehm wie dir, Vater, das mußt du mir glauben«, begann Bettina sich zu verteidigen, obwohl er kein Wort des Vorwurfes hatte laut werden lassen.

Er zog die Augenbrauen hoch, sah sie erstaunt an. »Freust du dich etwa nicht?«

»Ja, schon, aber ... lieber wäre ich doch mit dir allein!«

Er lachte. »Mit mir kannst du, wenn du willst, noch die nächsten zwanzig Jahre zusammenbleiben ... die Besuchszeit deiner Freundin ist aber doch wohl begrenzt, wie?«

»Vierzehn Tage ...«

»Na, siehst du! Hast du denn schon das Gästezimmer für sie richten lassen?«

»Ja, aber willst du sie denn wirklich im Haus haben? Ich habe mir gedacht ...«

»Bettina! Was ist los mit dir? Ich nehme doch an, du hast sie eingeladen?«

»Nicht für einen bestimmten Termin, Vater, nur so ganz allgemein.«

»Da sehe ich keinen Unterschied, Kleines.«

»Vater! Als ich Dotty eingeladen habe ... verstehst du das denn nicht? ... damals war Philine noch da, und da dachte ich ... aber inzwischen ist doch alles anders geworden.«

»Trotzdem«, sagte Stefan Steutenberg, »du mußt deine Einladung aufrechterhalten. Und übrigens ... zu deiner Beruhigung ... mich wird diese Dotty bestimmt nicht stören. Den ganzen Tag bin ich sowieso nicht hier, und wenn sie wirklich sehr nervenaufreibend werden sollte, dann komme ich eben einfach ein paar Abende nicht nach Hause.«

»Das ist es ja eben, was ich nicht will, Vater!«

Er lachte. »Soll ich mal ganz ehrlich sein, Kleines? Ich freue mich, daß Dotty kommt. Ich freue mich für dich. Mir gefällt es schon lange nicht, daß du deine Zeit mit mir altem Mann vertrauerst. Bitte, sei ganz still, ich weiß, was ich sage. Jugend gehört zu Jugend. Du hast mal sehr für Dotty geschwärmt ... oder hast du das schon vergessen? Bestimmt wird ihr Besuch dir nur gut tun.«– –

Stefan Steutenberg schickte Bettina in der Nacht allein zum Bahnhof, und Bettina drängte ihn nicht, mitzukommen. Sie war ganz froh, daß sie die Freundin zuerst allein begrüßen konnte, war sehr gespannt, was Dotty für ein Gesicht beim Anblick ihres weißen Sportwagens machen würde.

Bettina schien es, als wenn Dotty sich nicht im geringsten verändert hätte. Sie riß die Abteiltür auf, kaum daß der Zug stand, hatte auf der Fahrt schon einen jungen Mann erobert, der ihr die Koffer nachreichte, fiel Bettina stürmisch um den Hals, um sich dann wieder loszureißen und ihr Gepäck zu zählen.

Sie trug ein sehr auffälliges giftgrünes Kostüm, das das leuchtende Rot des Haares noch hervorhob, ihre Wimperntusche und ihr Lippenrot waren von der Fahrt ein wenig verwischt, sie redete laut und ungeniert drauf los und schien sich offensichtlich gar nichts daraus zu machen, daß die anderen Reisenden sich nach ihr umsahen.

Aber als sie den Hauptbahnhof verlassen hatten und Bettina den Kofferraum ihres eleganten Sportcoupés aufschloß, verschlug es Dotty doch für einen Augenblick die Sprache. Dann platzte sie heraus: »Donnerwetter! Wo hast du den gekapert?«

»Gefällt er dir?« fragte Bettina mit gespielter Gelassenheit. »Geburtstagsgeschenk. Von meinem Vater.«

»Da schlag doch einer gleich lang hin!«

»Lieber nicht. Du würdest dich schmutzig machen«, sagte Bettina und lud mit Hilfe des Gepäckträgers die Koffer ein, knallte den Deckel zu und ließ Dotty einsteigen.

»Ich beneide dich wirklich, Bettina, ohne Spaß«, sagte Dotty, als Bettina wendete und in Richtung Außenalster losfuhr. »Nicht, daß meine Eltern sich das nicht leisten könnten … aber sie denken nicht daran. Nie im ganzen Leben würde es meinem Vater einfallen, mir ein eigenes Auto zu schenken. Bitte, frag mich jetzt nicht, warum … ich weiß es selber nicht.«

»Mach dir nichts draus, Dotty«, sagte Bettina vergnügt. »Bei uns zu Hause in Dortlingen pflegte man zu sagen: Die dümmsten Bauern haben immer die dicksten Kartoffeln.«

»Das ist gut«, sagte Dotty, »das ist sogar sehr gut. Trifft den Nagel auf den Kopf. Das muß ich mir unbedingt merken.« Sie ließ sich in die Polster zurücksinken, schlug die Beine übereinander. »Sag mal, wo ist eigentlich dein Vater?«

»Wo soll er sein? Zu Hause.« Bettina warf der Freundin einen flüchtigen Seitenblick zu. »Bist du etwa beleidigt, weil er nicht mitgekommen ist, dich abzuholen?« Sie hatte es ganz gedankenlos, wirklich nur aus Spaß gesagt und stellte einigermaßen verwundert fest, daß Dotty errötet war.

»Red nicht so einen Nonsens!« sagte sie gereizt.

»Entschuldige schon. Ich hätte nie gedacht, daß du so empfindlich sein könntest.«

Dotty beugte sich vor, sagte mit verändertem Ton: »Du hast ganz recht, aber diese lange Fahrt … bei dieser enormen Hitze … ich bin einfach etwas erschöpft.«

»Halt die Ohren steif, in fünf Minuten kannst du deinen müden Leib ausruhen. Ich habe extra Ines gebeten, aufzubleiben und dir die Koffer auszupacken. Inzwischen nehmen wir in meinem Zimmer einen Drink.«

»Meinst du nicht …«, begann Dotty.

»Ja, was denn?«

»Ich müßte doch eigentlich erst deinen alten Herrschaften guten Tag sagen?«

»Dazu ist morgen immer noch Zeit. Sicher ist Vater inzwischen zu Bett gegangen, und was meine Stiefmutter betrifft …« Bettina zögerte einen Augenblick, bevor sie weitersprach, dann sagte sie entschlossen: »Sie ist verreist.« – –

Bettina hatte für Dotty das große Gastzimmer herrichten lassen, das gleich neben ihrem eigenen Appartement lag, allerdings nur über den Flur zu erreichen. Sie halfen Ines die Koffer und Taschen hinauftragen, ließen das Mädchen dann allein.

Bettina brannte darauf, der Freundin ihre eigenen Räumlichkeiten zu zeigen. Dotty war sichtlich beeindruckt.

»Los, leg dich auf die Couch«, sagte Bettina, »ich geb' dir ein Kissen unter die Füße, das ist die erholsamste Stellung, die ich mir denken kann. Was möchtest du trinken?«

»Was kannst du mir anbieten?«

»Alles, was dein Herz begehrt. Allerdings … ich hab's natürlich nicht bei mir hier auf dem Zimmer. Es ist unten in der Hausbar. Ich trinke eigentlich nie etwas, wenn ich alleine bin.«

»Meinetwegen brauchst du nicht extra runterlaufen …«

»Ich tu's gern. Also … was möchtest du?«

»Eine Zigarette genügt mir im Augenblick vollkommen.«

Bettina öffnete die Teakholzdose, schob sie ihrer Freundin hin, reichte ihr das Tischfeuerzeug.

Dotty rauchte, sagte: »Ziemlich trocken, scheint mir!«

Bettina lachte. »Kann ich mir denken. Sie waren hier in der Dose, seit ich eingezogen bin. Ich rauche nämlich nach wie vor nicht.«

Dotty streckte sich lang auf der Couch aus, legte eine Hand unter den Kopf, streifte mit der anderen die Asche der Zigarette an einem Kupfertellerchen ab, das Bettina ihr hinhielt.

»Du bist ein komisches Mädchen, Bettina … wahrhaftig. Du könntest ein Leben wie im Paradies führen, dabei … du weißt gar nichts aus deinen Möglichkeiten zu machen. Du rauchst nicht, du trinkst fast nichts, bitte, widersprich mir nicht, das sehe ich dir an der Nasenspitze an. Wie verbringst du eigentlich deine Tage?«

»Na ja, nicht eben aufregend«, gab Bettina zu. »Aber das wird sich jetzt in allerkürzester Zeit ändern …«

»Was hast du vor?«

»Was ganz Fabelhaftes«, sagte Bettina strahlend. »Mein Vater hat mir erlaubt, daß ich das Abitur nachholen darf!«

»O je!« Dotty streckte in gespieltem Schwächeanfall Arme und Beine von sich. Dann richtete sie sich plötzlich auf und sah Bettina kopfschüttelnd an. »Sag mal, bist du eigentlich noch bei Sinnen?«

»Ja, klar! Warum guckst du mich an wie ein Wundertier?«

»Du bist ein Wundertier, Bettina. Du bist ein Wundertier, und du weißt es selber nicht. Ich kenne auch ein deutsches Sprichwort, was sehr gut auf dich paßt: Dumm geboren und nichts dazugelernt.«

»Aber wieso denn? Ich will doch gerade ...«

»Du bist ein Schafskopf, Bettina. Lernen, arbeiten ... studieren ... wenn man leben könnte! Leben! Weißt du denn nicht, was das ist? Du kannst tun und lassen, was du willst ... und weißt nichts damit anzufangen. Damals, als du mir schriebst, daß du im Internat für Fräulein Legrand eingesprungen bist, schon damals wußte ich, daß du hochgradig verrückt sein mußtest. Erklär mir mal ... was sagen denn deine Freunde und Freundinnen dazu?«

»Wen meinst du?«

»Na, zum Beispiel die anderen jungen Leute vom Reitklub oder Tennisklub? Haben die dir denn nicht auch gesagt?«

»Ich bin dort nicht hingegangen, um Bekanntschaften zu machen«, sagte Bettina abweisend, »sondern um Sport zu treiben.«

»Du hast keinen Anschluß gefunden? Das sieht dir ähnlich, Bettina ... das paßt haargenau zu dir! Aber warte nur ...« Dotty richtete sich auf und schwang die Beine zu Boden, »Ab morgen wird das anders werden. Du wirst dein blaues Wunder erleben. Jetzt bin ich hier, und ich werde dir jetzt mal zeigen, was leben heißt!«

X.

Bettina hatte keine Ahnung, was Dotty eigentlich im Schild führte, aber sie ließ sie vertrauensvoll schalten und walten. Sie war sicher, daß sie immer noch aussteigen konnte, falls Dotty es zu toll treiben sollte.

Als sie am Nachmittag auf dem für Bettina reservierten Tennisplatz ein Einzel spielten – Bettina hatte ihre Trainerstunde schon am Morgen abgesagt – sammelten sich rasch ein paar Zuschauer. Bettina fühlte sich dadurch etwas geniert, obwohl sie bald heraus hatte, daß alle Blicke Dotty galten, die ganz offensichtlich »auf Schau« spielte. Es kam ihr nicht darauf an, zu gewinnen oder auch nur ernsthaft zu kämpfen, sondern sie schien es sich zum Ziel gesetzt zu haben, ihren jungen biegsamen Körper voll zur Geltung zu bringen. Das Tennishöschen, das sie trug, war winzig und ließ ihre schlanken Beine noch länger erscheinen. Sie hatte ein weißes Band um ihre rote Mähne geschlungen, die ihr wie ein wilder Wasserfall in den Nacken fiel.

Sie spielten zweimal zwei Sätze, von denen Dotty keinen einzigen gewann.

Bettina, die den weißen Sport sehr liebte, war diesmal ehrlich erleichtert, als die Zeit abgelaufen war und sie den Platz für die nächsten Spieler – zwei ältere Ehepaare – freigeben mußte.

»Wenn wir uns beeilen«, sagte sie zu Dotty, als sie, die Schläger unter dem Arm, auf dem Weg zwischen den Tennisplätzen davonschlenderten, »können wir vor dem Abendessen noch ins Kino gehen.«

Dotty riß die dunkel nachgezogenen Augenbrauen hoch. »Ins Kino!? Bist du wahnsinnig?«

»Na, entschuldige schon, es war nur ein Vorschlag.«

»Hast du vergessen, daß ich heute diese blasierte Bande hier erobern will? Jetzt geht's erst los. Lächeln, Bettina, immer lächeln! Mit deiner Trauermiene machst du ja die Pferde scheu.« Dotty steuerte geradewegs auf die Terrasse zum Haus zu.

»Wollen wir uns nicht wenigstens erst umziehen?« fragte Bettina.

»Wozu? Wenn mich nicht alles täuscht, sehe ich da vorne ein paar Figuren, die auch im Tennisdreß ihren Drink nehmen.«

»Ja, aber …« Bettina sprach nicht weiter. Sie traute sich nicht, Dotty zu sagen, daß sie ihren Tennisanzug entschieden zu knapp bemessen fand.

»Und bitte, tu mir den Gefallen, sprich französisch mit mir!« sagte Dotty. »Damit sie merken, daß ich eine Ausländerin bin … so was wirkt immer.«

»Wäre es da nicht besser, wir würden englisch sprechen?«

»Englisch? Ich gehe jede Wette ein, das kann hier in Hamburg jeder. Nein, damit können wir keinen Hund hinter dem Ofen hervorlocken.«

Nebeneinander stiegen sie die breite Treppe zur Terrasse hinauf. Dotty ging geradewegs auf die Bar zu, schwang sich auf einen leeren Hocker, sprach französisch auf den verwirrten Mixer ein.

Bettina sah sich gezwungen, für Dotty zu übersetzen. »Meine Freundin wünscht einen Gin-Fiz«, sagte sie, »mir geben Sie bitte … ja, bitte eine Limonade!«

Dotty war mit dem Cocktail, den der Mixer ihr reichte, nicht zufrieden. Sie behauptete, daß er zu wenig Gin enthielt, und wieder mußte Bettina dolmetschen. Es war ihr peinlich und sie konnte nicht verhindern, daß sie errötete. Der Mixer tat Dotty mit undurchdringlichem Gesicht noch einen Schuß Gin in das Getränk. Bettina war erleichtert, als Dotty sich endlich zufrieden gab.

Aber nur zu bald merkte sie, daß die Vorstellung damit noch nicht beendet war. Dotty zog ein kleines goldenes Zigarettenetui aus ihrer Hosentasche, nahm sich eine Zigarette heraus, tat, als wenn sie Feuer suchte, obwohl Bettina genau wußte, daß sie beim Umziehen ein tadellos funktionierendes Feuerzeug in die andere Hosentasche gesteckt hatte. Sie schwenkte ihre nicht entzündete Zigarette solange in der Luft herum, bis der Mixer ihr endlich Feuer reichte, sagte hochnäsig: »Merci!« schlug die nackten Beine übereinander, rauchte affektiert durch die Nase.

Bettina wußte nicht, ob sie lachen oder sich schämen sollte. Sie zog es vor, Dottys Benehmen komisch zu finden und schmunzelte.

Dotty musterte unter halb gesenkten Wimpern hervor eine Gruppe von Herren, die an der Brüstung lehnten, auf die Tennisplätze hinuntersahen und miteinander plauderten.

Bettina war so damit beschäftigt, Dottys Mienenspiel zu studieren, daß sie zusammenzuckte, als sie sich angesprochen hörte. Sie fuhr herum, sah sich einem schlanken jungen Mädchen in einem weißen Faltröckchen gegenüber. »Oh, entschuldigen Sie«, stotterte Bettina, »ich habe nicht verstanden … haben Sie mit mir gesprochen?«

Das Mädchen lächelte. »Ich habe nur gefragt, ob Ihre Freundin Französin ist?«

»Nein, das nicht«, sagte Bettina ehrlich, fügte dann mit einem erschrockenen Seitenblick zu Dotty hin. »Sie ist Engländerin.«

»So?« fragte das Mädchen erstaunt. »Weshalb spricht sie denn französisch?«

»Wir waren zusammen in Genf im Internat«, erzählte Bettina, »und weil mein Französisch besser ist als mein Englisch … übrigens ist es eine Übungssache.« Bettina hielt das Gespräch für beendet, nahm einen Schluck Limonade, sah wieder zu Dotty.

Aber das junge Mädchen schien noch mehr auf dem Herzen zu haben. »Wir haben Sie übrigens jeden Tag beobachtet«, sagte sie.

»Dotty? Aber sie ist erst gestern abend gekommen!«

»Nein, ich meine … Sie!«

Bettina stellte ihre Limonade aus der Hand. »Mich? Davon habe ich gar nichts gemerkt.«

Das Mädchen lächelte. »Oh, wir machen so etwas sehr diskret … ich habe mir jedenfalls alle Mühe gegeben, meine Brüder davon abzuhalten, Sie nicht allzu auffällig anzuschwärmen.« Sie streckte Bettina die Hand entgegen. »Ich heiße Helga Schmitt.«

»Ich bin Bettina Steutenberg!« stellte Bettina sich vor.

Helga Schmitt lächelte. »Ja, ich weiß, und Sie wohnen mit Ihrem Vater am Harvestehuderweg … stimmt's, oder hab ich recht?«

»Woher wissen Sie das?«

Jetzt lachte Helga Schmitt offen heraus. »Spionage! Nichts als Spionage. Sie dürfen uns das nicht übelnehmen … wir waren einfach zu neugierig. Immer haben wir auf eine Gelegenheit gewartet, Sie anzusprechen … aber Sie hatten es jedesmal so eilig! Wir waren schon ganz verzweifelt.« Helga Schmitt sah Bettina prüfend an. »Sagen Sie es ruhig, wenn ich Ihnen mit meinem Geschwätz auf die Nerven falle«, bat sie, »Gerald … das ist mein ältester Bruder, müssen Sie wissen … behauptet, Sie gehören zu denen, die lieber allein sein wollen.«

»Nein … nein, ganz bestimmt nicht«, widersprach Bettina rasch, »es ist nur … es war nur, ich habe niemanden hier gekannt.«

»Wir haben uns sogar hinter Frauke Börsner gesteckt«, beichtete Helga weiter, »aber die hat auch nichts ausgerichtet. Sie ahnen ja nicht, wie froh ich bin, daß es endlich geschafft ist. Darf ich Ihnen meine Brüder vorstellen? Es hängt sehr viel für mich davon ab.«

»Natürlich dürfen Sie«, sagte Bettina, »was für eine Frage! Aber …« Sie hielt Helga Schmitt, die sich schon davonmachen wollte, am Arm zurück, »… eines möchte ich doch noch wissen: Was hängt für Sie davon ab?«

Helga grinste. »Wir haben gewettet … meine Brüder und ich. Um das Taschengeld von einer Woche. Wenn ich es fertigbringe, Sie zu kapern, darf ich das Taschengeld von allen kassieren … das ist 'ne Wucht, was? Warten Sie eine Sekunde, ich hole die drei.«

»Na«, sagte Dotty triumphierend, als Helga Schmitt davonstob, »was habe ich dir gesagt? Es ist ganz einfach. Allein hättest du's nie fertiggebracht. Da mußte erst ein Mädchen aus London kommen.«

Bettina hätte eine Menge darauf zu erwidern gewußt, aber sie hatte keine Lust, sich mit Dotty zu zanken. Sie war so glücklich, daß sie endlich Freunde in Hamburg gefunden hatte, daß sie gerne bereit war, Dottys Angabe in Kauf zu nehmen.

Stefan Steutenberg stand auf und legte seine Zeitung aus der Hand, als die Mädchen ins Wohnzimmer kamen. Dotty errötete leicht, als sie ihm die Hand gab.

»Willkommen in Hamburg«, sagte er freundlich, »aber mir scheint, ich komme mit diesem Wunsch zu spät. Ihr seht beide so unternehmungslustig aus, als wenn sich große Dinge ereignet hätten!«

»Stimmt auch, Vater«, rief Bettina vergnügt und fügte sofort in verändertem Ton hinzu: »Bist du böse, daß wir erst so spät kommen? Bitte, verzeih ... ich habe überhaupt nicht gemerkt, wie die Zeit vergangen ist.«

»Dann muß es ja wohl jemanden gegeben haben, der euch sehr gut unterhalten hat!« sagte Stefan Steutenberg und nahm wieder Platz. »Mögt ihr was trinken?«

»Ja, gerne«, sagte Dotty sofort, »ein kleiner Drink wird mir wieder auf die Beine helfen.«

»Sie sehen gar nicht so aus, als ob Sie's nötig hätten«, bemerkte Stefan Steutenberg augenzwinkernd und wandte sich dann an Bettina. »Bitte, hol für deine Freundin ein Glas aus dem Schrank ...« Er griff zur Flasche. »Pur oder mit Soda?«

»Pur natürlich.«

Stefan Steutenberg lachte. »Donnerwetter. Alle Achtung! Sie scheinen eine trinkfeste junge Dame zu sein.«

Bettina gab es einen Stich. »Ich wußte gar nicht, daß du das so gern siehst«, sagte sie, »dann gib mir bitte auch einen Schluck Whisky.«

»Lieber nicht«, sagte Stefan Steutenberg, »ich weiß, daß du's nicht gewohnt bist.«

»Dann wird's höchste Zeit, damit anzufangen!«

Bettina holte, während Stefan Steutenberg Dotty einschenkte, ein drittes Glas für sich selber, reichte es ihm hin, aber er machte keine Anstalten, ihr etwas einzugießen.

»Ich bin kein Kind mehr«, sagte sie wütend.

Stefan Steutenberg schien es zu überhören. »Wie alt sind Sie, Dotty? Ich darf Sie doch so nennen?« fragte er.

»Neunzehn«, sagte Dotty, »und ich finde, es klingt ganz besonders hübsch, wenn Sie so zu mir sagen.«

Er deutete lächelnd eine kleine Verbeugung an. »Danke. Darf ich fragen, liebe Dotty, was Sie nun heute Aufregendes erlebt haben?«

»Ich eigentlich gar nichts«, sagte Dotty und zuckte die hübschen Schultern. »Ich meine, für mich war's nichts Besonderes. Nur für Bettina!«

»Wirklich?« Jetzt endlich sah Stefan Steutenberg seine Tochter an. »Was war denn los?«

Bettina war die gute Laune vergangen. »Ein Mädchen namens Helga Schmitt hat uns zu einer Party eingeladen«, sagte sie mürrisch.

»Na, wundervoll! So etwas hast du dir doch lange gewünscht, wie? Wann soll das Fest denn steigen?«

»Diesen Samstag.«

»Ausgezeichnet! Ich war da schon in einer gewissen Klemme ...«

»Wieso denn, Vater?«

»Ja, weißt du, du hast mich doch schon vor langer Zeit gelöchert, die Karten für das Gastspiel dieser amerikanischen Negertruppe zu besorgen ...«

Bettina sprang auf. »Hast du sie bekommen?«

»Ja, es sollte eine Überraschung werden.«

»Oh, Väterchen!« Bettina fiel ihrem Vater um den Hals. »Wie wundervoll!«

Stefan Steutenberg packte seine Tochter bei den Handgelenken, machte sich behutsam aus ihrem Griff frei. »Es wär so schön gewesen! Jetzt geht ihr auf die Party. Bitte, einen Augenblick ... still, laßt mich mal reden, meine Damen ... ich habe ja auch nur zwei Karten. Ich hatte schon gefürchtet, ich müßte sie euch beiden überlassen. Aber da ihr ja jetzt die Party habt ...«

»Ich mache mir aus dieser Party überhaupt nichts«, sagte Dotty rasch »ich wäre viel lieber in das Musical gegangen!«

Ich auch, wollte Bettina schon sagen, aber Stefan Steutenberg kam ihr zuvor.

»Wie ich unsere Bettina kenne, wird sie Ihretwegen gerne verzichten, Dotty«, sagte er. »Nicht wahr, Kleines? Dotty ist schließlich dein Gast ... du überläßt ihr deine Karte, denke ich.«

»Aber ... ich ... warum?« stammelte Bettina, völlig überrumpelt.

»Na, du hast doch jetzt die Party. Natürlich, ich weiß, ich könnte auch euch beide allein ins Theater gehen lassen, aber das will ich nicht. Deinetwegen, Bettina. Ich bin so froh, daß du endlich Anschluß gefunden hast. Es wäre eine Sünde, die Gelegenheit zu verpassen. Für Dotty bedeutet es nichts, sie ist ja nur kurze Zeit hier.«

»Ich freue mich wie eine Irre«, sagte Dotty strahlend.

»Und du, Bettina?« fragte Stefan Steutenberg. »Ich hoffe, du bist auch mit dieser Lösung einverstanden?«

»Ja«, sagte Bettina, »ja, natürlich ...«

Aber in Wahrheit fühlte sie sich so enttäuscht wie nie vorher in ihrem Leben.– –

Am Samstagabend leistete Bettina der Freundin Gesellschaft, während sie sich anzog und zurechtmachte. Dotty hatte für diesen Abend ein moosgrünes Seidenkleid mit großem herzförmigem Ausschnitt und einem weiten, gebauschten Rock gewählt, das ihre Filigranfigur wunderbar unterstrich. Mit sehr viel Sorgfalt steckte sie ihre roten Locken auf dem Hinterkopf hoch, wählte einen gelbroten Lippenstift und gelbroten Nagellack.

An den kleinen Füßen trug sie geflochtene Riemchensandalen aus vergoldetem Leder mit sehr hohen, sehr schmalen Absätzen.

»Du siehst phantastisch aus!« sagte Bettina ehrlich, als die Freundin sich nach vollendeter Toilette Bewunderung heischend vor ihr drehte.

»Man tut, was man kann«, gab Dotty vergnügt zurück, aber an dem eitlen Blick, mit dem sie ihr Spiegelbild noch einmal musterte, sah Bettina, daß sie sehr mit sich selber zufrieden war.

Sie begleitete Dotty noch hinunter. Stefan Steutenberg wartete schon in der Halle. Er stand auf, als sie die Stufen herabkamen. In seinem gutsitzenden Smoking machte er, schmalhüftig und breitschultrig wie er war, eine glänzende Figur. Sein dunkles, männliches Gesicht hob sich wirkungsvoll von der weißen Hemdbrust ab. Wie schon so oft dachte Bettina, daß sie noch nie einen anziehenderen Mann gesehen hatte.

Sie trat auf ihn zu, entfernte ein Stäubchen vom Aufschlag seines Jacketts, sah voll zärtlicher Bewunderung zu ihm auf. »Viel Spaß, Vater!«

Er küßte sie flüchtig auf die Stirn. »Wir werden uns Mühe geben, Kleines. Bitte, warte nicht auf uns! Es kann vielleicht später werden.«

»Macht ja nichts, Vater, ich gehe doch auch aus!«

»Das hatte ich ganz vergessen.« Stefan Steutenberg bot Dotty seinen Arm an.

»O Vater«, rief Bettina, »hast du das schon gesehen?«

Er fuhr herum. »Was? Wovon sprichst du?«

»Nein, so etwas. Dotty … guck doch mal! Die ersten grauen Haare!« Bettina wollte mit den Fingerspitzen zart die Schläfen ihres Vaters berühren.

Er schlug sie so heftig auf die Hand, daß sie vor Schmerz aufschrie. »Vater!«

»Du benimmst dich wie … wie ein Baby!« sagte er zornig. »Weiße Haare … was ist schon dabei? Schließlich bin ich kein Jüngling mehr.«

»Aber … das habe ich doch gar nicht gesagt! Ich wollte dich ja nicht kränken, Vater! Nur … ich hab's heute zum erstenmal gesehen, und da fand ich …«

»Hör auf! Hör auf! Ich kann dieses Geschwätz nicht ertragen!« Stefan Steutenberg machte sich auch von Dotty frei und ging mit großen Schritten zur Haustür.

Bettina wollte hinter ihm her, aber Dotty hielt sie zurück. »Laß ihn jetzt!« zischelte sie leise. »Laß ihn! Ich kann besser mit Männern umgehen! Ich weiß schon, wie ich ihn beruhige!« Sie trippelte hinter ihm her, rief: »Stefan! Bitte, nicht so schnell! Sehen Sie nicht, ich habe Ihnen zur Ehre meine allerhöchsten Absätze angezogen.«

Die Haustür fiel hinter ihnen ins Schloß.

Bettina trat ans Fenster, sah zu, wie ihr Vater Dotty ins Auto half, sich selber ans Steuer setzte. Sie begriff, daß es ein Fehler gewesen war, ihn im Beisein der Freundin auf seine grauen Haare aufmerksam zu machen – sie hatte es wirklich ohne böse Absicht getan.

Was fiel Dotty ein, ihn einfach »Stefan« zu nennen. Über einen Monat hatte sie im Hause ihrer Eltern gewohnt, und niemals wäre ihr so etwas nur im Traum eingefallen.

Ihr Herz tat weh, als sie Dotty und ihren Vater nebeneinander sah, als sie beobachtete, wie Dotty ihm ihr strahlendes Gesicht zuwandte. Aber um keinen Preis der Welt hätte sie es über sich gebracht, ihren Platz am Dielenfenster zu verlassen, bevor das Auto außer Sichtweite war. – –

Die Kellerparty bei Schmitts war eine Wucht. Bettina war froh, daß sie nicht auf Dottys Rat gehört und sich ihr hübschestes Kleid angezogen hatte. Sie war in ihren alten Bluejeans, einem einfachen grauen Pullover, um den Hals ein rotes Tuch, goldrichtig angezogen. Die Flasche Gin und die hundert Zigaretten, die sie mitbrachte, trugen das ihrige dazu bei, sie beliebt zu machen.

Der Keller der Schmittschen Villa, dessen Wände mehr dekorativ als künstlerisch in schreienden Farben ausgemalt waren, war gesteckt voll junger Leute. Helga Schmitt zerrte Bettina an der Hand mit sich herum, machte sie überall bekannt, aber es ging so schnell, daß Bettina Namen und Gesichter sofort wieder vergaß. Nur Helgas Brüder, die sie schon im Klub kennengelernt hatte, erkannte sie, wenn sie auch nicht imstande war, die beiden jüngeren auseinanderzuhalten. Der älteste, Gerald, hatte einen blonden kleinen Schnurrbart, an dem er unweigerlich zu erkennen war. Ansonsten sahen die drei Schmitts sich ungemein ähnlich, sie waren alle drei groß – über einen Meter achtzig – breitschultrig, blond, hatten freundliche, harmlose Gesichter, hinter denen sich weit mehr verbarg, als man beim ersten Anblick vermuten konnte, kurzum, sie waren nette und attraktive Twens.

Bettina war dankbar, daß Gerald sich um sie kümmerte. Er tanzte fast ununterbrochen mit ihr, und selbst, wenn irgendein Jüngling sie von seiner Seite riß, verstand er es doch immer wieder, sie nach kürzester Zeit zurückzuerobern. Die Musik kam aus einem Magnetophonapparat, auf den der jüngste Schmitt Bänder mit wirklich toller Musik auflegte. Getanzt wurde auf dem glatten zementierten Kellerboden, und zwar bis zur absoluten Erschöpfung.

Einige der jungen Leute, die auf Bergen von Kissen und Decken an den Wänden entlang hockten, tranken Gin, andere Cola, manche schütteten beide Getränke durcheinander, ohne daß jemand eine Bemerkung darüber machte. Überhaupt schien es Bettina kennzeichnend für diese ganze Kellerparty zu sein, daß jeder absolute Narrenfreiheit hatte und tun und lassen durfte, was er wollte.

Sie selber fand es überaus wohltuend, unter jungen Leuten zu sein. Es war noch nicht lange her, seit sie das letzte Mal getanzt hatte, aber ihr Vater liebte langsame Rhythmen, und Bettina fand sie an seiner Seite auch am schönsten. Aber jetzt fühlte sie fast zu ihrer eigenen Verwunderung, wieviel Spaß es machte, ausgelassen und wild zu sein. Nur manchmal und sehr flüchtig dachte sie an Dotty und an ihren Vater.

Die Party endete so schlagartig, wie sie begonnen hatte. Um Punkt zwei Uhr nachts stellte der jüngste Bruder Schmitt den Magnetophonapparat aus. Helga Schmitt öffnete das Fenster weit, die anderen Brüder krempelten ihre Ärmel hoch – und wer von den Gästen dann noch diesen unmißverständlichen Hinweis nicht begriffen hatte, wurde mit nicht ganz sanfter Gewalt auf die Straße getrieben.

Helga Schmitt hatte Bettina noch einen jungen Mann anvertraut, der allgemein »Goliath« genannt wurde, obwohl er eher zwergenhaft wirkte mit seinem sehr großen Kopf und seinen kurzen Beinen. Er hatte an diesem Abend kaum getanzt, sondern fortwährend gescheite Reden geführt, und Bettina, die ihn für einen Studenten hielt, hätte sich auf der Heimfahrt gerne noch mit ihm unterhalten, aber kaum daß sie den Motor angelassen hatte, sank Goliaths schwerer Kopf auf ihre Schulter. Der junge Mann war mit offenem Munde eingeschlafen.

Bettina fuhr ohne Umstände los. Helga Schmitt hatte ihr gesagt, daß Goliath nur wenige Häuser von dem ihres Vaters entfernt auf dem Harvestehuder Weg wohnte. Als sie vor seinem Haus hielt, schlief er immer noch. Sie stieg aus, ging um den Wagen herum, öffnete die andere Tür, schüttelte ihn bei den Schultern. Es dauerte eine ganze Weile, bis er soweit war, daß er schlaftrunken auf die Straße tappen konnte. Sie führte ihn durch den Vorgarten bis zur Haustür, lehnte ihn gegen die Wand und wollte schon klingeln, als ihr einfiel, daß das mitten in der Nacht vielleicht nicht ganz angebracht war. So ließ sie ihn denn stehen, wo er stand und ging zum Wagen zurück. Als sie ihm, bevor sie sich wieder ans Steuer setzte, noch einen Blick zuwarf, sah sie, wie Goliath in sich zusammensackte und sanft zu Boden glitt. Sie lächelte noch vor sich hin, als sie den Wagen in die Garage fuhr.

Das Haus lag ganz dunkel. Bettina war überzeugt, daß ihr Vater und Dotty längst heimgekommen waren. So leise wir irgend möglich schloß sie die Haustür auf. Sie wagte nicht einmal in der Diele Licht zu machen und tappte im Finstern zur Treppe hin, zog sich die flachen Schuhe aus und stieg auf leisen Sohlen nach oben.

Sie hatte die Biegung der Treppe erreicht, als sie plötzlich glaubte, ein Geräusch gehört zu haben und ganz still stehen blieb.

Tatsächlich, sie hatte sich nicht getäuscht. Die Haustür wurde aufgeschlossen, und fast gleichzeitig das kleine Dielenlicht angeknipst. Das konnten nur Dotty und ihr Vater sein. Bettina war schon im Begriff, wieder hinunterzulaufen und sie zu begrüßen, als sie plötzlich das Gefühl hatte, auf nackten Füßen, die Schuhe in der Hand, ziemlich lächerlich zu wirken.

Da hörte sie auch schon eine männliche Stimme, und sie erkannte nur mit Mühe die ihres Vaters, so verändert schien sie ihr: »Gute Nacht, Süßes! Sieh zu, daß du jetzt rasch in die Klappe kommst!«

»Ach, Stefan, es war so wundervoll«, antwortete Dotty, »du bist für mich … du ahnst ja nicht …«

»Still! Doch nicht hier!«

»Ich möchte es dir überall und immer wieder sagen, Stefan!«

Es folgte eine Stille, die Bettina veranlaßte, sich über das Treppengeländer vorzubeugen. Sie sah, wie ihr Vater ihre Freundin in den Armen hielt und leidenschaftlich küßte.

Sie errötete bei diesem Anblick und fuhr zurück.

»Ich liebe dich«, hörte sie Dottys Stimme flüstern, heiser vor Sinnlichkeit. »Stefan, du ahnst ja nicht, wie ich dich liebe.«

»Du … du bist die süßeste kleine Hexe, die ich je gekannt habe.«

Bettina hielt sich die Ohren zu, sie hörte nichts mehr, wollte nichts mehr hören. Ihre Gedanken arbeiteten fieberhaft. Wie konnte sie der peinlichen Situation entfliehen? Wenn sie nur einen Schritt vorwärts tat, mußten die beiden sie hören. Wenn sie stehen blieb, wo sie stand, würde es nicht lange dauern, und sie würden sie hier oben entdecken.

Dann sah sie im schummerigen Licht der kleinen Dielenbeleuchtung, wie der Vater den Arm um Dottys Schulter legte, sie durch die holzgetäfelte Tür in sein Arbeitszimmer schob. Er trat hinter ihr ein, zog die Tür ins Schloß.

Bettina atmete auf. Wenigstens die peinliche Entdeckung war ihr erspart geblieben. Mit großen Sätzen jagte sie die Treppe nach oben.

Erst als sie die Tür hinter sich abgeschlossen hatte, fühlte sie sich ein wenig besser. Aber der Schmerz in ihrem Herzen blieb. Die beiden Menschen, die ihrem Herzen am nächsten standen, hatten sie verraten. Das war abscheulich.

Aufschluchzend warf Bettina sich über ihr Bett. – –

Beim Frühstück am nächsten Morgen sahen Stefan Steutenberg und Dotty übernächtigt aus. Bettina stellte es mit

Genugtuung fest. Beide waren blaß und hatten dunkle Ringe um die Augen. Sie sprachen kaum, sahen sich nicht an, und wenn sie miteinander reden mußten, taten sie es in der offiziellen Sie-Form.

»Es wäre komisch, wenn's nicht so traurig wäre«, sagte Bettina.

Der Vater zuckte zusammen. »Was hast du gesagt?«

»Ich? Gar nichts. Wahrscheinlich nur laut gedacht.«

Er steckte sich den letzten Bissen seines Toastbrotes in den Mund, stand auf. »Ach ja, übrigens ... ich habe ganz vergessen zu fragen ... wie war's auf deiner Party?« fragte er mit erzwungenem Interesse.

»Prächtig. Ein Jammer, daß du nicht mitgekommen bist!«

»Ich? Wieso denn? Ich dürfte für solchen Rummel doch schon ein bißchen zu alt sein.«

»Wirklich? Seit wann bist du denn zu dieser überraschenden Erkenntnis gekommen?«

Sie dachte, er würde jetzt losbrüllen, aber er sagte nur unbehaglich: »Hör mal, Bettina ... was soll denn das? Komm, hör auf, verrückt zu spielen. Übrigens ... ich habe gleich eine geschäftliche Besprechung.«

»Heute am Sonntag?«

»Jawohl, wenn du nichts dagegen hast.« Er klopfte ihr auf die Schulter. »Also, bis heute abend ... auf Wiedersehen, Dotty!«

Dotty sprang auf. »Warten Sie doch, Herr Steutenberg; sie hatten mir versprochen ...«

»Dotty«, sagte Bettina mit sanfter Stimme, »kannst du nicht verstehen, daß mein Vater arbeiten muß? Übrigens hast du eine Verabredung mit mir heute morgen. Wir wollten zusammen ausreiten.«

»Ach ja, natürlich. Aber leider ... bitte, entschuldige mich.« Dotty warf die Serviette auf den Tisch und lief zur Tür.

Bettina blieb sitzen und zwang sich weiterzuessen, obwohl Toast und Schinken, ja, selbst das Ei, ihr wie Stroh schmeckten.

Als sich die Tür hinter ihrem Rücken öffnete, wußte sie, ohne sich umzusehen, daß es nur Ines sein konnte. Sie stand auf, sagte: »Wir sind fertig, Ines … Sie können abräumen.«

Ines trat, das Tablett auf dem Arm, näher. »Die beiden … der Herr Steutenberg und das Fräulein Dotty … sind zusammen abgebraust. Die hat's erwischt, wenn Sie mich fragen.«

»Ich habe Sie nicht gefragt«, sagte Bettina kühl.

»Darf man in diesem Haus nicht mal seine Meinung sagen? Das sieht ja schließlich ein Blinder mit seinem Krückstock, was das Fräulein Dotty für eine ist. Die hat's von vorneherein auf den Herrn Steutenberg abgesehen gehabt, daß Sie's nur wissen. Wenn ich Sie wäre …«

»Seien Sie froh, daß Sie nicht in meiner Haut stecken«, sagte Bettina und ließ Ines allein.

In ihrem Hirn bohrte ein einziger Gedanke: Das kann nicht sein, das darf nicht sein! Es muß etwas geschehen!

XI.

Bettina hatte niemals mit ihrem Vater darüber gesprochen, wohin sich Philine nach dem Verlassen des Hauses gewandt haben könnte. Sie hatte auch niemals bewußt darüber nachgedacht. Aber jetzt, wo sie einen Menschen brauchte, mit dem sie sprechen konnte, schien es ihr plötzlich ganz klar, daß Philine nur zu Dr. Grotius geflohen sein konnte, oder daß der Arzt doch zumindest wissen mußte, wo sie sich aufhielt.

Das Telefon stand im Herrenzimmer. Bettina wählte die Auskunft, bat um die Telefonnummer des Sanatoriums von Dr. Grotius am Schliersee.

»Einen Augenblick, bitte, hängen Sie ein«, sagte das Fräulein.

Bettina wartete. Vor ihr, auf dem Schreibtisch ihres Vaters lag ein angebrochenes Zigarettenpäckchen. Zum erstenmal in ihrem Leben hatte sie das Bedürfnis, zu rauchen.

Das Telefon klingelte. Bettina schrak zusammen, als wenn sie bei etwas Unrechtem ertappt worden wäre. Erst eine

Sekunde später begriff sie, daß es die Auskunft war, die sich wieder meldete. Sie nahm den Hörer ab.

»Sie wollten die Nummer des Sanatoriums von Dr. Grotius am Schliersee«, sagte das Fräulein, »bitte, notieren Sie …«

Bettina bekam in der Eile einen dicken Rotstift zu fassen, schrieb in großen Buchstaben auf den Kalender ihres Vaters die Nummer.

»Sie können direkt wählen«, sagte das Telefonfräulein, »die Nummer von Schliersee ist 08026 … haben Sie es?«

»08026«, wiederholte Bettina, »ja, danke. Vielen Dank.«

Sie drückte die Gabel herunter, wählte, wobei sie immer wieder einen Blick auf den Notizkalender warf, aus Angst, sich bei dieser langen Zahlenreihe zu irren. Dann lauschte sie, hörte das Freizeichen – einmal, noch einmal und wieder – dann meldete sich eine etwas atemlose Stimme: »Hier Sanatorium Doktor Grotius …«

Bettina hatte eigentlich vorgehabt, den Arzt selber zu sprechen, aber ehe sie noch recht wußte, was Sie tat, fragte sie: »Ich möchte gerne Frau Philine Steutenberg sprechen … Frau Doktor Philine Steutenberg.«

»Einen Augenblick.« Es gab einen kleinen Knacks, als wenn der Hörer auf die Schreibtischplatte gelegt worden wäre.

Bettina wartete geraume Zeit, dann meldete sich Schliersee wieder. »Bedaure, die Frau Doktor ist nicht im Hause … wer spricht da, bitte?«

»Wann kommt sie wieder?« fragte Bettina.

»Zu Mittag ist sie wieder zurück. Was kann ich ausrichten?«

»Danke, es hat sich schon erübrigt«, sagte Bettina.

»Wer spricht dort bitte?« fragte die Dame aus Schliersee wieder.

»Danke … ich danke Ihnen … ich werde nachher noch einmal anrufen«, sagte Bettina und hängte schnell ein. Einen Augenblick blieb sie, ein wenig atemlos vor Aufregung auf der Schreibtischkante sitzen. Sie hatte also recht gehabt; Philine war bei Dr. Grotius. Vielleicht – wenn sie nun gar kein Interesse mehr an Stefan Steutenberg und ihrer Ehe hatte? Wenn sie nicht bereit war, Bettina zu verzeihen? Zum erstenmal wurde Bettina sich ganz bewußt, wie abscheulich sie sich ihrer Stiefmutter gegenüber benommen hatte. Obwohl sie ganz allein im Zimmer war, stieg ihr das Blut siedendheiß zu Kopf. Sie hätte sich ohrfeigen mögen.

Eines stand fest: Wenn sie Philine nicht aus dem Haus geekelt hätte, würde die Sache mit Dotty nie passiert sein. – –

Dotty kam erst am frühen Nachmittag zurück.

Sie fand Bettina im Garten. Sie hatte ihren grünen Bikini an, lag bäuchlings im Gras, den Kopf in die Hände gestützt, ließ sich die Sonne auf den Körper fallen und las. Auf dem Kopf hatte sie einen breitrandigen Sonnenhut.

»Bettina«, sagte Dotty, »endlich! Ich habe dich überall gesucht … Ist es dir nicht zu heiß hier?« fragte Dotty.

Bettina gab keine Antwort.

Dotty versuchte es anders. »Du, hör mal«, sagte sie, »du hast dich sicher gewundert, wo ich den ganzen Tag gesteckt habe …«

Jetzt endlich hob Bettina den Kopf, aber die große Sonnenbrille verbarg den Ausdruck der Augen. »Überhaupt nicht«, sagte sie.

»Dein Vater hat mich nämlich in die Stadt mitgenommen«, redete Dotty, etwas nervös, weiter, »stell dir vor, ich habe ein paar von seinen Freunden kennengelernt … wirklich furchtbar nette Leute. Denk dir nur, weil ich dabei war, sind sie nicht wie sonst in den Klub essen gegangen … da dürfen nämlich nur Männer hinein. Was sagst du jetzt?«

Bettina schwieg und sah Dotty weiter mit undurchdringlichem Gesicht an.

»Also, wir haben alle zusammen in den ›Vier Jahreszeiten‹ gegessen. Ich wollte dich noch anrufen, aber … es ging alles zu schnell, du wärst nicht mehr rechtzeitig gekommen.«

»Sehr liebenswürdig von dir«, sagte Bettina.

»Ja, weißt du, und da beim Lunch habe ich plötzlich eine großartige Idee gehabt … wie wär's, wenn wir mal eine richtige Party veranstalten würden? Das würde dir doch sicher auch Spaß machen, nicht wahr? Die Herren waren jedenfalls Feuer und Flamme, als ich es ihnen vorschlug … alle haben angenommen. Wir haben sogar das Datum festgesetzt … nächstes Wochenende.«

»Ich nehme an«, sagte Bettina langsam mit erzwungener Ruhe, »daß Vater es war, der seine Freunde eingeladen hat.«

»Sei doch nicht immer so entsetzlich kleinlich, Bettina! Die Idee war jedenfalls von mir.«

»Herzlichen Glückwunsch!«

Dotty ließ sich auf einen bequemen Rohrstuhl nieder. »Das ist noch nicht alles, Bettina«, redete sie weiter, »weißt du, was der Clou wäre? Wenn wir den anderen Verein auch dazu laden würden.«

»Wovon redest du eigentlich?«

»Na, von Helga Schmitt und Genossen. Also, als ich den Herren gesagt habe, daß ich einen ganzen Haufen junger Leute kenne, die …«

»Du?« sagte Bettina. »Du kennst doch keinen von ihnen. Oder nennst du das kennen, wenn du mal ein paar flüchtige Worte mit ihnen geredet hast?«

»Ich kenne sie gut genug, um sie einzuladen. Das genügt doch wohl, oder?« Dotty sah Bettina herausfordernd an. »Jede Wette … alle werden kommen, wenn ich sie einlade.«

»Und was versprichst du dir davon?«

»Einen tollen Jux! Aber du kannst das natürlich nicht verstehen, du bist völlig humorlos.«

»Vielleicht.« Bettina rollte sich auf den Rücken, richtete sich auf, schlug die Beine im Türkensitz übereinander. »Jedenfalls glaube ich nicht, daß eine Party mit älteren Herren das ist, was Helga Schmitt und ihren Freunden Spaß machen würde. Ganz bestimmt nicht. Sie finden es herrlich, unter sich zu sein. Verlaß dich darauf. Wenn diese Idee, Vaters Geschäftsfreunde und die jungen Leute vom Tennisklub zusammen einzuladen, wirklich von dir ist, so kann ich nur sagen … diese Idee ist faul … oberfaul. Du brauchst dir wirklich nichts darauf einzubilden.«

»Ich habe schon längst gemerkt, daß du was gegen mich hast«, sagte Dotty giftig.

»Stimmt. Ich habe allerhand gegen dich. Vor allem bin ich gegen deinen albernen Plan. Damit du ganz klar siehst, ich werde meine Zustimmung zu dieser blöden Party nicht geben. Ich nicht.«

Dotty lachte höhnisch. »Deine Zustimmung! Daß ich nicht lache! Was bildest du dir denn ein? Dein Vater ist einverstanden. Glaubst du, er hat es nötig, dich um Erlaubnis zu fragen? Wenn es dir nicht paßt … du brauchst ja nicht mitzumachen. Niemand wird traurig sein, wenn du nicht dabei bist.«

Bettina sprang mit einem Ruck auf, trat auf Dotty zu. »Du bist wirklich die unverschämteste Person, die mir je begegnet ist, Dotty«, sagte sie kalt. »Bloß weil mein Vater dich einmal geküßt hat, bildest du dir wohl ein, du bist die künftige Frau Steutenberg, wie? Aber so schnell, wie du glaubst, geht das nicht … da haben andere Leute noch ein Wörtchen mitzusprechen!«

»Du etwa?« schrie Dotty. »Oder deine saubere Stiefmutter?«

»Ja, auch Philine«, sagte Bettina ruhig.

»Daß ich nicht lache! Willst du etwa immer noch das Märchen aufrecht erhalten, daß sie verreist ist? Ich weiß besser Bescheid … die beiden sind auseinander. Vollkommen auseinander. Sie hat ihn schon seit langem nicht mehr verstanden.«

Bettina spürte, daß in Dottys Worten etwas Wahres war, sie wurde unsicher. »Er kann nicht so verblendet sein, sich ausgerechnet in dich zu verlieben«, sagte sie hilflos.

Dotty lachte triumphierend. »Er hat es schon getan. Was sagst du jetzt?«

»Dotty«, Bettinas Stimme klang verzweifelt, »wie kannst du so gemein sein? Warum tust du das alles? Was habe ich dir getan?«

»Himmel, warum mußt du aus allem eine Tragödie machen? Was ist schon dabei, daß ich eine Party geben will? Mach mit und sei vergnügt! Das ist alles, was ich von dir verlange.«

»Ich habe über einen Monat bei euch in Coppet gelebt«, sagte Bettina, »aber nie wäre es mir auch nur im Traum eingefallen, in eurem Haus eine Party zu geben.«

»Darauf habe ich gewartet. Coppet! Daß du überhaupt wagst, es zu erwähnen! Nein, eine Party hast du nicht gegeben … dafür aber hast du mir den Mann weggeschnappt, der für mich bestimmt war! Oder solltest du dich etwa nicht mehr erinnern? Wie war das doch noch mit William C. Baker? Ich glaube, dein Vater würde sich sehr für diese Geschichte interessieren. Er scheint in dir immer noch das unschuldige Täubchen zu sehen.«

»Dotty! Wie kannst du nur! Du weißt genau …«

»Was ich gesehen habe. Du hast in seinen Armen gelegen …«

»Ja, aber … das habe ich dir doch alles erklärt … ich habe es dir doch geschrieben. Er … er hat mich einfach überrumpelt … er war doch …«

»Jedenfalls hat er sich seit diesem Tag nie mehr bei uns sehen lassen. Ich hoffe, diese Tatsache genügt, dir endlich den Mund zu stopfen.«

Bettina holte tief Luft. »Und selbst wenn es so wäre. Selbst wenn ich mit diesem Amerikaner geflirtet hätte … ist das ein Grund, dich an meinem Vater heranzumachen?«

»Willst du es mir etwa verbieten? Auf was hin denn? Ich liebe ihn … ich habe ihn von Anfang an geliebt, und er liebt mich, daß du's nur weißt. Du kannst platzen vor Eifersucht … er liebt mich, weil ich die Frau für ihn bin. Aber du … du bist ja bloß seine Tochter!«

Bettina hatte sich zum Abendessen umgezogen. Sie saß gerade in ihrem Frisiermantel vor dem großen Toilettenspiegel und war dabei, sich ihr Haar zu bürsten, als es an die Zimmertür klopfte.

»Herein!« rief sie sofort, überzeugt, daß es Dotty war, die sich entschuldigen wollte.

Aber es war ihr Vater.

»Du?« sagte sie erstaunt, ließ die Bürste sinken und sah ihn im Spiegel an.

Sein männliches Gesicht wirkte düster und gleichzeitig ein wenig verlegen. »Guten Abend, Bettina«, sagte er.

»Setz dich doch, Vater.« Bettina nahm den Kamm und begann ihr Haar ein wenig zu toupieren, ohne dabei den Blick von dem Spiegelbild ihres Vaters zu lassen.

»Bettina, ich habe mit dir zu reden«, sagte Stefan Steutenberg.

»Ja?« Bettina kämmte sich sorgfältig das blonde, glänzende Haar in die Stirn.

»Möchtest du mich nicht wenigstens ansehen dabei?«

»Aber ich sehe dich doch ... im Spiegel.«

»Laß jetzt die dumme Frisiererei, dreh dich um ... hör mir zu!«

Bettina tat gehorsam, was er befahl, sah ihn erwartungsvoll an.

»Dotty hat mit mir gesprochen«, sagte er.

Bettina schwieg.

»Du wirst dir denken können, was sie mir gesagt hat, nicht wahr?« fuhr Stefan Steutenberg fort.

»Nein«, sagte Bettina ruhig, »woher soll ich das wissen. Dotty pflegt seit jeher Lüge und Wahrheit durcheinanderzuwerfen.«

»Dein Versuch, Dotty schlecht zu machen, ist kindisch. Immerhin war sie sehr lange Zeit deine beste Freundin.«

»Ja, Vater ... aber damals war ich sechzehn.«

»Dotty ist ein liebenswerter, feiner Kerl.«

»Wie du meinst.«

Stefan Steutenberg stand auf und begann mit großen Schritten über den dicken weißen Schafwollteppich auf und ab zu gehen. Plötzlich blieb er vor Bettina stehen. »Warum machst du es mir so schwer?« fragte er, und seine Stimme klang fast verzweifelt.

»Was denn, Vater?«

»Dotty hat mir gesagt ...« Er unterbrach sich selber mit einer Handbewegung. »Nein, so komme ich wohl nicht weiter … Dotty hat die Idee gehabt, eine Party zu veranstalten. Ich war und bin von diesem Gedanken sehr angetan. Gerade deinetwegen ist es mir lieb, wenn … wenn etwas Bewegung ins Haus kommt. Ich bin sicher, Dotty hat es gut gemeint. Was hältst du nun von dieser Idee?«

»Warum fragst du mich? Hat Dotty dir etwa nicht erzählt, daß ich sie für ganz und gar blödsinnig halte?«

»Also doch. Bettina, es tut mir leid … aber ich muß das als eine bewußte Unfreundlichkeit Dotty gegenüber auslegen.«

»Natürlich mußt du das, wenn du es tatsächlich für richtig hältst, daß Dotty in deinem Haus Einladungen gibt.«

»Warum soll sie nicht? Sie ist schließlich unser Gast.«

»Eben.«

»Bettina … ganz ehrlich … du bist unausstehlich! Es ist wahr! Ich habe mich in deiner Kindheit vielleicht nicht genug um dich gekümmert … habe ich jetzt nicht alles nachgeholt? Habe ich nicht alles für dich getan, was in meiner Macht steht? Und du? Wie hast du es mir gedankt? Mit Unzufriedenheit … Gesichter schneiden … und immer neuen Ansprüchen!«

»Vater«, sagte Bettina und hatte Mühe, ihre Stimme in der Gewalt zu halten, »du bist … sehr ungerecht.«

»Und du bist lieblos.«

»Nein, aber … das ist doch nicht wahr!«

»Doch. Du bist, leider muß ich es sagen … eine völlig egoistische Person. Du verlangst, daß ich Tag und Nacht nur für dich da bin. Du klammerst dich an mich wie eine Klette. Philine war ja Gold gegen dich.«

Bettina sprang auf. »Ja, und Dotty … sie ist wohl das wahre Platin, wie? Vater, bitte, ich weiß, du meinst es nicht so, du sagst Dinge, die du gar nicht sagen willst … die du nie nur gedacht haben kannst. Dotty … sie ist an allem schuld. Seit sie in unser Haus gekommen ist …«

»Unsinn. Dotty hat damit gar nichts zu tun.«

»Doch, Vater. Glaub mir doch. Sie … sie hat es von Anfang an auf dich abgesehen gehabt. Sie hat es mir ja selber gesagt.

Sie hat dich verrückt gemacht … sie hat dich gegen mich aufgehetzt. Bitte, Vater, bitte … schick Dotty fort. Wenn du mich liebst …«

»Dotty bleibt.«

»Vater, was soll denn daraus werden? Du … es wird einen Skandal geben. Dotty und du, ihr beide paßt doch gar nicht zusammen. Denk doch bloß an den Altersunterschied.«

»Danke«, sagte er schneidend, »auf meine grauen Haare hast du mich gestern abend schon taktvollerweise aufmerksam gemacht.«

»Aber so meine ich es doch gar nicht, Vater. Nicht, daß du alt bist, nein, bestimmt nicht; aber für Dotty bist du doch eben nicht mehr jung genug. Was rede ich denn da … daran liegt es ja gar nicht mal. Aber Dotty … du kennst sie gar nicht. Sie ist ganz anders, als du dir vorstellst … sie würde dir nicht treu sein, auch dann nicht, wenn du zehn Jahre jünger wärst. Sie … sie ist immer nur auf Abenteuer aus, Vater … glaub mir doch. Ich … ich kenne sie.«

»Jetzt ist's aber genug!« sagte Stefan Steutenberg und schnitt seiner Tochter mit einer Handbewegung das Wort ab »Wenn du glaubst, dich bei mir beliebt zu machen, indem du Dotty anschwärzt, dann hast du dich geirrt. Ich weiß, daß Dotty kein Engel ist, aber du bist es auch nicht. Du hast kein Recht, Dotty zu beschimpfen. Dotty ist mein Gast. Nachdem sie sich über dich beschwert hat, bin ich gezwungen, einzugreifen. Du wirst Dotty um Verzeihung bitten, Bettina.«

»Nein! Das werde ich nicht!«

»Du wirst es tun, denn du hast dich unmöglich benommen.«

»Das kannst du nicht von mir verlangen, Vater. Ich … du weißt ja nicht, wie Dotty mich gereizt hat.«

»Das glaube ich dir sogar«, sagte Stefan Steutenberg in verändertem Ton. »Ja, ich glaube es dir, Bettina. Du bist diesem Mädchen nicht gewachsen. Aber dennoch … du mußt dich überwinden und sie um Verzeihung bitten. Hilf ihr, alle Vorbereitungen für die Party zu treffen …«

»Nein, Vater. Bitte nicht! Ich … siehst du denn nicht, daß sie diese Party nur veranstalten will, um … ich meine … nur um sich aufzuspielen?«

»Das ist doch ganz gleichgültig, Bettina. Dotty wird ja nicht ewig hierbleiben …«

»Soll das heißen … sie wird nächsten Montag abreisen, so wie es ausgemacht war?«

»Na, dafür kann ich nicht garantieren …«

»Also nicht.«

»Bettina, siehst du denn nicht ein, daß wir Dotty nicht einfach hinauswerfen können?«

»Und warum nicht?« Bettina lief auf ihren Vater zu, warf sich in seine Arme. »Vater, ich verspreche dir«, sagte sie, »ich werde mich ändern … ich werde mich bemühen, fröhlicher zu sein … ich werde selber Einladungen geben, ganz bestimmt. Du wirst dich nicht mehr über mich zu beklagen haben. Aber bitte, bitte … schick Dotty fort!« Bettina zermarterte ihren Kopf nach einem triftigen Argument. »Denk doch an Philine!«

»Philine?« Mit einem Ruck machte er sich aus ihren Armen frei. »Philine ist wohl die letzte Person, auf die ich Rücksicht zu nehmen brauche.«

»Dann denk an mich, Vater! Denk an mich!«

»Dir kann es nur gut tun, daß etwas Leben in unser Haus kommt.« Stefan Steutenberg wendete sich in der Tür noch einmal um, sah Bettina bittend an: »Sei mein braves kleines Mädchen«, sagte er, »beiß die Zähne zusammen! Ich verlange ja nur von dir, daß du dich bei Dotty entschuldigst … was ist schon dabei? Junge Mädchen wie ihr zwei zanken sich doch mal und vertragen sich dann wieder … also sei lieb und gib nach!«

»Liebst du sie?«

Sein Gesicht verschloß sich. »Du bist eifersüchtig, Bettina. Das ist dein Fehler. Du warst eifersüchtig auf Philine, und jetzt bist du eifersüchtig auf Dotty. Ich laß mir meine Freiheit nicht nehmen … von niemandem … und am allerwenigsten von dir. Ich war niemals verpflichtet, dich in mein Haus zu nehmen. Ich habe es getan, um deiner Mutter willen. Jetzt tut es mir leid. Verdammt leid tut es mir.«

Stefan Steutenberg drehte sich um, riß die Tür auf, verließ das Zimmer, zog sie mit einem Knall hinter sich ins Schloß.

Bettina stand eine Sekunde wie erstarrt. Dann raffte sie sich zusammen, lief die schmale Stiege zum Boden hinauf, nahm den ersten besten Koffer, brachte ihn in ihr Zimmer hinunter und begann, ohne ihn erst abzustauben, Unterwäsche, Schuhe, Kleider und Kostüme hineinzustopfen, zuletzt kam das Waschzeug hinein, dann kniete sie sich hinauf, drückte die Schlösser zu, nahm sich einen Regenmantel vom Haken und lief die Treppe hinunter.

Als sie durch die Diele eilte, glaubte sie von drinnen die Stimmen Dottys und ihres Vaters zu hören, aber sie hielt sich nicht einen Augenblick auf, lief weiter, holte ihren geliebten Wagen aus der Garage, setzte sich ans Steuer, fuhr rückwärts auf die Straße hinaus und ordnete sich dann in den Verkehrsstrom ein.

Noch wußte sie nicht, wohin sie sich wenden sollte – ihr einziger Gedanke war: Weit weg von hier! Weit weg!

XII.

Das Sanatorium von Dr. Grotius lag nicht gleich am Schliersee, wie Bettina vermutet hatte, sondern ein ganzes Stück höher, mitten in dem bewaldeten Südhang. Eine schmale, serpentinenförmig angelegte Auffahrt führte nach oben.

Bettina fuhr ihren Wagen durch das große Tor, parkte ihn nahe an der Mauer und stieg aus. Ihre Beine zitterten. Jetzt erst spürte sie, wie müde sie war. Die Nachtfahrt, die sie hinter sich hatte, war sehr anstrengend gewesen.

Bettina blickte auf ihre Armbanduhr. Es war sieben vorbei – nicht grade eine Besuchszeit, aber immerhin konnte sie mit gutem Gewissen versuchen, wenigstens den Pförtner zu wecken.

Während sie schon auf das große weiße Haus zugehen wollte, schoß plötzlich durch ihr übermüdetes Gehirn der Gedanke, daß es wichtig war, einen guten Eindruck zu machen, um nicht allzuviel erklären zu müssen. Sie hatte das fatale Gefühl, daß ihr ihre Zunge nicht mehr richtig gehorchte.

Bettina blieb stehen, zog Spiegel und Kamm aus der Tasche, betrachtete ihr Gesicht. Mit einem Papiertaschentuch entfernte sie ein paar Rußteilchen, wischte sich den Mund sauber, zog ihn behutsam nach.

Sie hatte grade ihre Tasche wieder zugemacht, als sie Schritte hörte, hob den Kopf, sah eine Frau im weißen Kittel auf sich zukommen. Philine! dachte sie. Aber das war doch nicht möglich. Noch nicht das Sanatorium betreten zu haben und gleich auf Philine zu treffen, das wäre zuviel Glück gewesen. Außerdem – die Frau, die dort, die Sonne im Rücken, auf sie zukam, war sehr viel rundlicher als die schlanke Philine, die sie gekannt hatte. Oder sollte sie es doch sein?

»Bettina!« hörte sie eine wohlvertraute Stimme, »Bettina! Du hier? Aber das ist doch ...«

Dann hörte Bettina nichts mehr. Es wurde ihr schwarz vor den Augen, sie spürte, wie ihre Knie unter ihr nachgaben, fühlte sich noch aufgefangen, dann schwanden ihr die Sinne.

Als Bettina aus ihrer Ohnmacht erwachte, sah sie Philines freundliche braune Augen auf sich gerichtet. Sie versuchte zu lächeln, sagte: »Es ist ... ich weiß nicht ...«

Philine legte den Finger an die Lippen. »Still jetzt, Kleines. Laß dir Zeit!«

»Aber ... ich muß dir doch ... erklären ...« stammelte Bettina.

»Nicht jetzt. Später. Schließ die Augen. Ruh dich aus ...«

Bettina spürte, daß sie sehr schläfrig war, immer müder und müder wurde. Sie wollte sich zwingen, die Augen offenzuhalten, wollte noch etwas sagen, aber es gelang ihr nicht. Diesmal war es Schlaf, der sie übermannte, ein ungeheures Wohlgefühl durchrann den Körper, sie roch den Duft frischer

Wäsche, fühlte sich von kühlen Kissen umgeben, wie aus weiter Ferne hörte sie einen Vogel tirilieren.

Philines sanfte Stimme sagte: »Schlaf nur, Kleines ... schlaf nur. Alles wird gut.«

Es war ihr plötzlich, als wenn es nicht mehr die Stimme Philines, sondern die ihres Vaters war. »Ja, Vater«, murmelte sie, und dann schlief sie wirklich ein.

Als sie erwachte, fiel Abendsonnenschein schräg in das kleine gemütliche Zimmer. Bettina sah sich um. Sie mußte sich erst besinnen, wo sie war – ja, richtig, im Sanatorium von Dr. Grotius. Aber dies was kein Krankenzimmer, nein, es strahlte etwas sehr Persönliches aus – an wen erinnerte es nur so stark? Natürlich an Philine. Philine hatte sie ja nach oben gebracht. Philine hatte gewollt, daß sie schlief – vielleicht hatte sie ihr sogar eine Spritze gegeben.

Bettina wandte den Kopf, sah den Nachttisch, dessen Platte von einem lustigen bunten Tuch bedeckt war, sah die gemütliche Lampe und darunter das Bild im Silberrahmen – eine Fotografie Stefan Steutenbergs. Ein kleineres Bildchen war in den Rahmen gesteckt, das sie selber, Bettina, zeigte, die sehr jung und sehr unbekümmert in den Apparat gelacht hatte. Es schien Bettina unendlich lang her, seit diese Aufnahme gemacht worden war, doch erinnerte sie sich jetzt, daß sie wenige Wochen vor ihrer Entlassung aus dem Internat entstanden war, also vor knapp einem halben Jahr.

Sie ließ sich wieder in die Kissen zurücksinken. Philine liebte Stefan Steutenberg also immer noch, sonst hätte sie wohl kaum sein Bild aufgestellt. Bettina hatte es nicht anders erwartet. Sie konnte es sich nicht vorstellen, daß eine Frau aufhören konnte, einen Mann wie Stefan Steutenberg zu lieben – sie war überzeugt, daß immer er es war, der den Schlußstrich zog.

Aber warum hatte Philine ihr Bildchen dazugesteckt? Warum? Wie war es möglich, daß sie sie liebte, obwohl sie immer so abscheulich zu ihr gewesen war. Oder liebte sie sie einfach deshalb, weil sie die Tochter ihres Mannes war?

Bettina fand keine Antwort auf diese Frage. Sie schloß die Augen, versuchte wieder vor sich hinzudämmern, aber es ging nicht mehr. Die Erinnerung an ihre Auseinandersetzung mit Dotty, an jene verletzenden Worte ihres Vaters wurden zu deutlich in ihr.

Erleichtert rief sie: »Herein!« als leise an die Tür gepocht wurde.

Es war Philine Steutenberg, die eintrat, ein Tablett mit einem Teller Suppe und eine Schüssel Reis mit Hühnerfleisch in den Händen.

»Gut geschlafen?« fragte sie lächelnd. »Du siehst wieder viel besser aus, Bettina. Ich bin so froh darüber. So, und nun setz dich und iß und trink. Damit du wieder zu Kräften kommst!«

Bettina tat gehorsam alles, was Philine von ihr verlangte. Es tat ihr unendlich gut, umsorgt und ein wenig verwöhnt zu werden. Mit gutem Hunger aß sie Teller und Schüssel leer.

»Warum fragst du gar nicht, warum ich gekommen bin?« sagte sie dann und sah ihre Stiefmutter an.

»Ich bin sicher, daß du es mir erzählen wirst, Bettina. Es hat Ärger gegeben, nicht wahr?«

»Ärger? Nein. Es war viel schlimmer … viel, viel schlimmer!« Bettina erzählte. Sie berichtete alles, was sich ereignet hatte, seit sie Dotty vom Zug abgeholt hatte. Sie beschönigte nichts, erfand nichts dazu. »Ich konnte nicht länger bleiben«, sagte sie, als sie zum Ende kam, »ich konnte nicht … nicht eine Stunde. Kannst du das verstehen?«

»Ja«, sagte Philine nachdenklich. »Trotzdem … ich glaube fast, ich werde dir alles erklären, ich verspreche es dir. Ich verstehe deinen Entschluß vollkommen, Bettina … aber trotzdem. Glaubst du wirklich, es war richtig, Dotty und deinen Vater allein zu lassen?«

»Was hätte ich denn sonst tun sollen?«

»Kämpfen. Ich meine nicht … dich mit Dotty herumstreiten, sondern einfach nur … klug sein, durchhalten, verstehst du?« Philine strich Bettina lächelnd über das Haar. »Aber noch ist es ja nicht zu spät. Du kannst ja zurück, nicht wahr?«

»Nein!« sagte Bettina. »Nein! Das kannst du nicht von mir verlangen.«

Philine Steutenberg lächelte, aber ihre Augen blieben ernst, als sie sagte: »Bitte, reg dich nicht auf, Bettina, du brauchst dich ja nicht jetzt zu entscheiden. Warte ab, ich denke, in ein paar Tagen ... du wirst sehen ...« Sie sprach ihren Satz nicht zu Ende, stand auf.

Bettina war nahe daran zu erklären, daß sie sicher war, weder morgen, noch übermorgen, noch in einem Jahr zu ihrem Vater zurückkehren zu wollen. Aber sie mochte sich in diesem Augenblick nicht mit Philine streiten. Sie war dankbar für das Verständnis, das die Stiefmutter ihr entgegenbrachte, froh über die Atempause, die das Schicksal ihr gewährte.

Am nächsten Morgen kam Philine Steutenberg nicht mehr auf das Thema zurück, und Bettina hütete sich, es von sich aus zu berühren. Auch Dr. Grotius, der sie nach der Visite begrüßte, stellte ihr keinerlei Fragen. Er tat, als wenn Bettinas unvermitteltes Auftauchen in seinem Sanatorium die selbstverständlichste Sache von der Welt wäre.

Bettina bekam ein Zimmer in der Schwesternabteilung zugewiesen, eine kleine, sehr einfach eingerichtete Dachkammer, die keinen Vergleich mit dem eleganten Appartement aufnehmen konnte, das sie in Hamburg verlassen hatte. Dennoch fühlte Bettina sich, nachdem sie ihre Kleider eingeordnet und sich häuslich eingerichtet hatte, ausgesprochen wohl. Ihr schien es, als wenn sie in die Welt, in die ihr Vater sie hatte einpflanzen wollen, von Anfang an nicht gepaßt hätte. Dottys Techtelmechtel mit ihrem Vater war nur der Anlaß, nicht der eigentliche Grund ihrer Flucht gewesen.

In den nächsten Tagen durchforschte sie mit dem Auto die Umgebung Schliersees. Das Wetter war strahlend. Bettina badete jeden Tag. Sie wurde bronzebraun, ihre Wangen bekamen wieder Farbe, und in ihre schönen, weit auseinanderstehenden Augen stieg ein neuer Glanz. Mit Erfolg bemühte sie sich, alle Gedanken auszuschalten, nicht mehr über das, was geschehen war, nachzugrübeln, noch über das, was vor ihr lag.

Bis sie eines Tages, als sie grade wieder eine Benzinrechnung bezahlt hatte, feststellen mußte, daß sie nur noch fünf Mark und fünfundsiebzig Pfennige besaß. Sie hatte sich nie belogen, sie hatte immer gewußt, daß die Stunde der Entscheidung kommen würde – jetzt war sie da.

Bettina entschloß sich, Dr. Grotius um eine Unterredung zu bitten. Er empfing sie in seinem großen Arbeitszimmer, in dem er sich sonst mit den Patienten nach der Untersuchung zu unterhalten pflegte.

Bettina hatte keinen Blick für die Schönheit des Raumes, die herrliche Aussicht über den See zu den fernen Bergen hinüber, die prachtvollen, sehr gediegenen Möbel, den riesigen, kostbaren Teppich. Sie war viel zu sehr mit sich und ihrem Anliegen beschäftigt. Es war drei Uhr nachmittags, und eine junge Schwester servierte Kaffee für Dr. Grotius und Bettina. Voll Ungeduld wartete Bettina, bis sie mit dem Arzt allein war.

Dr. Grotius bemerkte ihre Nervosität, fragte lächelnd: »Na, wo brennt's, schöne Dame?«

Bettina hatte sich alles, was sie sagen wollte, vorher sorgfältig zurechtgelegt, aber plötzlich war es vergessen. »Sie kennen meine Situation, Herr Doktor«, sagte sie mühsam, »sicher hat Ihnen Philine alles erzählt …«

Er schüttelte den Kopf. »Sie irren sich. Philine ist sehr diskret. Ich weiß gar nichts.«

»Ach so.« Bettina rührte in ihrer Kaffeetasse. »Dann muß ich wohl … aber es ist alles so kompliziert.«

»Sie brauchen mir nichts zu beichten, wenn Sie das glauben«, sagte Dr. Grotius und begann sich umständlich eine Zigarre anzuzünden, »ich habe mir selber so meinen kleinen Reim auf Ihr plötzliches Auftauchen gemacht. Sie haben sich mit Ihrem Vater zerstritten, nicht wahr?«

Bettina holte tief Atem. »Ja«, sagte sie, »es ist … es ist etwas passiert. Ich kann nicht mehr zurück.«

»Aha«, sagte Dr. Grotius nur.

»Ich kann meinen Vater auch nicht um Geld bitten«, sagte Bettina heftig, »verstehen Sie … nachdem was vorgefallen ist … ich möchte mich selbständig machen.«

»Und wie haben Sie sich das vorgestellt?«

»Könnte ich nicht … am liebsten würde ich Krankenschwester werden,« Bettina atmete auf. Seit sie es ausgesprochen hatte, fühlte sie sich viel leichter.

Dr. Grotius nahm die Zigarre aus dem Mund, sah sie mit gerunzelter Stirn an. »Wie kommen Sie ausgerechnet darauf, Bettina?«

»Eigentlich wollte ich Medizin studieren«, erzählte Bettina, »ich hatte auch schon die Erlaubnis von meinem Vater. Natürlich hätte ich erst das Abitur machen müssen. Aber jetzt … ich habe mir gedacht, Krankenschwester wäre vielleicht eine … eine Art Ersatz dafür. Man liest ja überall, daß Schwestern dringend gesucht werden. Oder würde die Ausbildung sehr teuer sein?«

»Mein liebes Kind«, Dr. Grotius nahm einen Schluck Kaffee, »Ihren guten Willen in allen Ehren. Aber ich glaube nicht … ich kann mir nicht recht vorstellen … der Beruf einer Krankenschwester ist nämlich sehr anstrengend, anstrengend und verheißungsvoll. Ich weiß nicht ganz, ob Sie dem wirklich gewachsen sein werden.«

»Doch. Bestimmt.«

»Sie haben recht, wenn Sie annehmen, daß ein gewisser Mangel an Pflegepersonal herrscht«, sagte Dr. Grotius, »wahrscheinlich haben Sie auch aus diesem Grund erwartet, ich würde begeistert von Ihrer Idee sein. Aber ich bin der Meinung, es ist weder Ihnen, noch sonst jemandem damit genutzt, wenn Sie mit der Ausbildung beginnen und dann früher oder später die Flinte ins Korn werfen.« Er hob die Hände, als Bettina ihn unterbrechen wollte. »Ja, ja, ich weiß, Sie werden mir jetzt sagen, Sie haben es sich gründlich überlegt, Sie werden bestimmt durchhalten … aber glauben Sie mir, Sie muten sich zuviel zu. Sie sind ein sehr verwöhntes, junges Mädchen … ich sage keineswegs, daß das Ihre Schuld ist, Bettina … aber das spielt in diesem Fall gar keine Rolle. Möglich, daß Sie fleißig sind, daß Sie ausdauernd sind, daß Sie kräftig sind ... aber Sie haben sehr lange nicht mehr gearbeitet, nicht wahr? Im Grunde genommen haben Sie noch nie gearbeitet ... außer in der Schule. Es wäre eine gewaltige Umstellung für Sie. Eine körperliche und seelische Umstellung. Sie werden mir erlauben, daß ich deshalb meine Bedenken anmelde.«

Bettinas Stimme zitterte, als sie sagte: »Sie wollen also nicht ...«

»Nun seien Sie bitte nicht gleich wieder eingeschnappt, liebes Kind ... was ich will oder nicht will, das spielt ja schließlich gar keine Rolle. Ich bin nicht Ihr Vormund. Aber ich hatte den Eindruck, daß Sie sich um einen Rat an mich gewandt haben. Und den habe ich Ihnen gegeben, nach bestem Wissen und Gewissen. Es tut mir leid, wenn Sie gehofft hatten, etwas anderes von mir zu hören.«

»Ich ... ich hatte es mir so schön vorgestellt«, sagte Bettina leise.

»Sehen Sie. Genau da liegt der Fehler. Sie machen sich Illusionen. Aber gerade das ist gefährlich.«

Bettina rang unwillkürlich die Hände. »Aber ich muß etwas tun«, sagte sie, »ich muß arbeiten, ich kann doch nicht Ihnen oder Philine einfach auf der Tasche liegen. Das geht doch nicht.«

»Da haben Sie völlig recht. Aber es gibt ja noch andere Möglichkeiten, sich nützlich zu machen. Erzählen Sie mir mal, was Sie können, dann werde ich Ihnen gerne einen Rat geben.«

Bettina sagte es ihm.

»Na, großartig!« Dr. Grotius klopfte Bettina so kräftig auf den Rücken, daß sie zusammenzuckte. »Wenn Sie Stenographie und Schreibmaschine können, werden Sie jederzeit einen Posten finden. Falls es Ihnen bei uns gefällt ... wenn nicht, tun Sie sich keinen Zwang an und sagen Sie es mir ganz ehrlich ... also, wenn Sie hier bleiben möchten, als Bürokraft kann ich Sie sofort einstellen. Wir haben eine Menge Bürokram … die neuen Patienten müssen aufgenommen werden, Rechnungen werden ausgeschrieben, Medikamente bestellt … ich würde mich sehr freuen, wenn Sie uns da helfen würden. Natürlich nicht umsonst … ich würde Sie regelrecht anstellen … mit Gehalt, Versicherung. Einverstanden?«

Bettina zögerte in seine ausgestreckte Hand einzuschlagen. »Aber … verdränge ich da nicht jemanden?« fragte sie. »Schließlich … wer hat denn diese Arbeit bisher gemacht?«

»Ihre Vorgängerin hat sich vor vierzehn Tagen beurlauben lassen, weil sie ein Baby erwartet. Zwei Monate wird es gewiß noch dauern, bis sie zurückkommt, wenn überhaupt. Höchstwahrscheinlich wird sie sich um ihr Kind kümmern wollen. Ihre Stiefmutter war so nett, einzuspringen … aber ich habe das von Anfang an nicht gern gesehen. Es ist eine zusätzliche Belastung für Philine … und grade jetzt …« Dr. Grotius ließ das Ende seines Satzes unausgesprochen, sagte ein wenig barsch: »Also, wollen Sie … ja oder nein?« – –

Erst nach dem Abendessen hatte Bettina Gelegenheit, mit Philine Steutenberg allein zu sprechen. Sie schloß sich der Stiefmutter auf ihrem abendlichen Spaziergang durch den Park an.

Sobald sie außer Hörweite der anderen waren, platzte sie unvermittelt heraus: »Weißt du eigentlich schon das Neueste?«

Philine Steutenberg lachte. »Kindskopf! Was soll ich denn darauf antworten?«

»Ich meine doch nur … hat Dr. Grotius dir erzählt …«

»Ich bitte dich, Liebes, sei nicht so geheimnisvoll. Sag mir, was du auf dem Herzen hast. Um was handelt es sich?«

Bettina blieb stehen und sah ihre Stiefmutter aus strahlenden Augen an. »Ich kann hier bleiben, Philine. Hier bei euch! Ist das nicht wundervoll?«

Philine Steutenberg reagierte ganz anders, als Bettina erwartet hatte. Im Dämmerlicht des schwindenden Tages war ihr Gesicht nicht deutlich zu sehen, und doch schien es ein wenig blasser zu werden. »Ich verstehe nicht recht …« war alles, was Philine sagte, und ihre Stimme klang durchaus nicht froh.

»Ach so, das paßt dir nicht!« rief Bettina, tief verletzt. »Ich hatte gedacht … aber entschuldige bitte. Natürlich dann … ich werde dir nicht zur Last fallen.« Sie drehte sich auf dem Absatz um und lief in den dunklen Park hinein.

»Bettina!« rief Philine. »Bettina! Bitte, warte doch!« Ihre Stimme klang so alarmierend, daß Bettina unwillkürlich den Schritt verhielt.

Philine hatte sie eingeholt, faßte ihren Arm. »Bettina, bitte, laß dir doch erklären …«

»Ich weiß nicht, was es da noch zu erklären gibt«, sagte Bettina bitter. »Ich hatte geglaubt … aber anscheinend bin ich nur wieder der Störenfried.«

»Eben das stimmt nicht«, sagte Philine eindringlich. »Rede dir nicht so etwas ein, Bettina. Es ist nur … denkst du eigentlich gar nicht an deinen Vater?«

Bettina begriff nicht. »Wieso?«

»Er weiß nicht, wo du steckst. Er muß sich ja entsetzliche Sorgen um dich machen.«

»Ach wo«, sagte Bettina leichthin. »Vater … er hat sich in Wirklichkeit nie etwas aus mir gemacht.«

»Auch damit irrst du dich, Bettina. Ich weiß genau, wie sehr er … aber darum handelt es sich im Augenblick gar nicht. Er ist für dich verantwortlich. Du bist seine Tochter. Du mußt ihn benachrichtigen. Er hat ein Recht darauf zu wissen, wo du bist.«

Bettina zuckte die Achseln. »Wenn du meinst … meinetwegen … ich werde ihm schreiben … aber das ist doch kein Grund …«

»Doch, Bettina!« In Philines Stimme klang ein neuer, seltsamer Ton, den Bettina noch nie bei ihrer Stiefmutter gehört hatte. »Dein Vater … ach mein Gott, warum ist nur alles so schwer. Dein Vater darf nicht wissen, wo ich bin, Bettina.«

»Warum denn nicht?«

»Weil er dann … er würde die Dinge dann doch nicht so laufen lassen. Du kennst ihn ja. Er würde entweder kommen und mich nach Hause holen wollen … oder er würde mir eine Scheidungsklage schicken. Eins von beiden.«

»Na und?« sagte Bettina verständnislos. »Irgend etwas muß ja auch geschehen. Ihr könnt doch nicht immer so dahinleben … nicht verheiratet und nicht geschieden.«

»Es ist noch nicht soweit, Bettina. Ich brauche Zeit.«

»Wozu? Ich verstehe überhaupt nichts mehr.« Plötzlich kam es Bettina so vor, als wenn auch Dr. Grotius eine seltsame Anspielung gemacht hätte. »Bist du etwa krank, Philine?« fragte sie.

»Nein, aber … ich brauche Ruhe. Ich muß jede Aufregung vermeiden, sonst … ich hätte ja schon längst mit dir gesprochen, aber ich hatte immer gehofft, alles würde sich von selber lösen.«

»Das hat es ja auch … ich meine, das hätte es, wenn du nicht …«

»Bettina! Du mußt deinen Vater benachrichtigen. Du mußt. Nicht nur, weil es deine Pflicht ist … möglicherweise beauftragt er sonst ein Detektivbüro, oder er gibt sogar eine Vermißtenanzeige auf. Wenn er aber weiß, wo du bist, dann kommt er vielleicht hierher, und das darf nicht sein, verstehst du? Das müssen wir unter allen Umständen vermeiden.«

Bettina dachte nach. »Ginge es denn nicht«, sagte sie nach einer Weile, »wenn ich ihm schreibe, oder besser noch, du schreibst ihm, daß ich bei dir bin und alles in Ordnung ist. Und wir geben den Brief in München auf? Dann weiß er Bescheid und …«

»Ja, das wäre eine Möglichkeit«, sagte Philine. »Ich werde mal mit Gerhard darüber sprechen … aber sicherlich läßt es sich so irgendwie machen.«

»Natürlich nur«, sagte Bettina, »wenn es dir nicht lästig ist. Sonst würde ich …«

Philine ergriff die Hand ihrer Stieftochter. »Nein, Liebes, ganz bestimmt nicht. Ich bin ja froh, dich in der Nähe zu haben.«

Schweigend schritten sie nebeneinander her. Es war allmählich ganz dunkel geworden, Glühwürmchen schwirrten über den Weg. Am Himmel stand die klare Sichel des aufgehenden Mondes.

»Darf ich dich etwas fragen?« Bettina sagte es unwillkürlich mit gedämpfter Stimme.

»Warum ich deinen Vater verlassen habe?«

»Nein … das verstehe ich gut. Jetzt verstehe ich es. Ich meine … warum du dich nicht von ihm scheiden lassen willst.«

Philine sah ihre Stieftochter fast erstaunt an. »Aber … ich liebe ihn doch! Weißt du das nicht?«

Bettina war froh, daß Philine in der Dunkelheit nicht erkennen konnte, wie sehr sie errötete. »Ich hatte gedacht, du und Doktor Grotius …«

»Nicht die Spur. Wir kommst du darauf? Wir sind Freunde … nur Freunde, nichts weiter. Übrigens ist Gerhard verlobt … mit einem reichen und noch dazu ausgesprochen netten Mädchen. Er will im nächsten Frühjahr heiraten.«

»Aber dann? Warum … jetzt verstehe ich überhaupt nichts mehr«, sagte Bettina verwirrt.

Philine atmete schwer. »Ich erwarte ein Baby.«

Bettina war von dieser überraschenden Eröffnung so überwältigt, daß sie nicht wußte, was sie dazu sagen sollte. Sie begriff die Zusammenhänge weniger denn je, aber sie wagte es nicht, mit Fragen in Philine zu dringen. Sie spürte deutlich, daß es Philine schon schwer genug gefallen war, sie mit der Tatsache allein vertraut zu machen. So stammelte sie denn nur ein paar Glückwünsche, die lahm in ihren eigenen Ohren klangen. Philine nahm sie ohne jede Erwiderung entgegen. Dann wechselte sie nachdrücklich das Thema.

In den nächsten Tagen war Bettina bemüht, sich in ihren neuen Aufgabenkreis als Krankenhaussekretärin einzuarbeiten. Philine half ihr dabei. Sie waren viel zusammen und dennoch kamen keine Privatgespräche zwischen ihnen auf. Manchmal schien es Bettina, als ob Philine es bereute, sie ins Vertrauen gezogen zu haben. Ihr selber schwirrte der Kopf von all dem Neuen, das auf sie einstürzte, und dennoch vergaß sie das, was die Stiefmutter ihr gesagt hatte, nicht für eine Sekunde. Aber je mehr sie darüber nachgrübelte, desto weniger verstand sie.

War das Baby, das Philine erwartete, nicht von ihrem Vater? Bildete sie sich die Schwangerschaft vielleicht nur ein? Oder hatte sie es noch gar nicht gewußt, als sie aus Hamburg geflohen war?

Am Sonntag blieb das Büro geschlossen, und Bettina benutzte die Gelegenheit, sich wieder einmal auszuschlafen. In Hamburg, als sie jeden Tag schlafen konnte, solange sie wollte, hatte es ihr gar keinen Spaß gemacht. Jetzt fand sie es wunderbar.

Sie verzichtete auf das Frühstück, stand erst nach zehn Uhr auf, duschte sich, machte sich zurecht, zog sich an und ging die Treppe hinunter. Vor dem Zimmer ihrer Stiefmutter fiel ihr ein, einmal hineinzuschauen. Sie klopfte an, öffnete die Tür.

Philine hob nur kurz den Kopf, nickte Bettina zu. Sie saß an ihrem kleinen Schreibtisch aus hellem Holz und schrieb.

»Störe ich?« fragte Bettina.

»Im Gegenteil. Gut, daß du kommst. Ich schreibe grade an deinen Vater. Vielleicht möchtest du ein paar Zeilen dazulegen.«

»Muß das sein?«

»Ich denke, es würde sich gehören.«

Bettina zögerte, sagte: »Wenn du meinst … natürlich, warum eigentlich nicht? Aber was soll ich schreiben?«

»Ich bitte dich, Liebes, sei nicht kindisch. Du wirst doch deinem Vater irgend etwas zu sagen haben. Früher hast du dich über jede Gelegenheit gefreut, wo du allein mit ihm reden konntest.«

»Ja, komisch«, sagte Bettina, »es liegt alles so weit zurück. Dabei ist es in Wirklichkeit noch gar nicht lange her. Glaubst du mir, daß ich nur noch höchst selten überhaupt an ihn denke?«

»Redest du dir das nicht nur ein?«

»Ganz bestimmt nicht. Ich … ich bin nicht mal sehr wütend auf ihn.«

Philine lächelte. »Und wenn die Geschichte mit Dotty nun aus wäre … und wenn er käme, um dich zurückzuholen, was würdest du tun?«

Bettina dachte nach. »Wahrscheinlich würde ich ihn begleiten«, sagte sie, »aber es würde nicht mehr wie früher sein. Nie mehr.« Sie beugte sich über den Schreibtisch und sah ihrer Stiefmutter in die Augen. »Warum fragst du mich das alles?«

Philine zuckte die Achseln. »Ich weiß selber nicht. Vielleicht nur ... um dich besser kennenzulernen.«

»Ich kenne dich überhaupt nicht«, sagte Bettina impulsiv.

»Wirklich nicht?« Philine wich Bettinas Blick aus.

»Erst war ich eifersüchtig auf dich ... zu blöde, nicht wahr? Ich glaube, da habe ich dich einfach gehaßt«, sagte Bettina ehrlich. »Und dann habe ich eingesehen, wie unrecht ich dir getan habe ... und ich war dir dankbar für alles, für dein Verständnis und überhaupt. Aber jetzt ... jetzt begreife ich gar nichts mehr.«

»Du denkst immer noch an das, was ich dir neulich abends gesagt habe?«

»Ja.«

Da Philine schwieg, fügte Bettina hinzu: »Weiß Vater überhaupt davon? Wenn er es gewußt hätte, hätte er doch nicht ...«

»Nein, er weiß es nicht.« Philine stand auf, sah Bettina mit einem seltsamen prüfenden Blick an, sagte dann: »Warum eigentlich nicht? Warum sollte ich es dir nicht sagen? Schließlich bist du alt genug, um alles zu wissen.« Dann fragte sie: »Hast du jemals Bilder von deiner Mutter gesehen?«

»Ja ... natürlich. Warum?«

»Ist dir niemals etwas dabei aufgefallen?«

Bettina schüttelte den Kopf. »Nein. Was meinst du?«

»Es gibt kein Bild, das dich und deine Mutter zusammen zeigt, nicht wahr?«

»Ja. Ja, wahrhaftig. Ich habe mir nie etwas dabei gedacht ... aber ... was hat das zu bedeuten?«

»Deine Mutter ist kurz nach deiner Geburt gestorben. Ich sage dir das, weil ich glaube, daß du es wissen solltest. Und dann ... es hat auch mit meiner Geschichte zu tun. Es kommt nicht eben häufig vor ... heutzutage nicht mehr ... daß

Frauen infolge einer Geburt sterben. Aber damals war Krieg … ich kann dir nicht genau sagen, wie es passierte … aber ich glaube sicher, daß es damit zusammenhängt.«

»Schrecklich«, sagte Bettina. »Das muß schrecklich für Vater gewesen sein.«

»Ja. Das war es. Er hat deine Mutter sehr geliebt, und er hat es sich nie verziehen.«

»Was denn? Was um Himmels willen? Schließlich … er konnte doch nichts dafür, oder?«

»Nein, natürlich nicht. Aber er hat es sich eingeredet. Das ist zu einem Komplex bei ihm geworden. Er war Soldat, als sie das Kind erwartete. Er konnte ihr nicht helfen, und gerade deshalb … er hat sich eingeredet, er hätte sie nicht in eine solche Situation bringen dürfen, weil er genau wußte, daß er ihr nicht helfen konnte. Er bildete sich ein, es wäre egoistisch von ihm gewesen, sich ein Kind zu wünschen, da sie beide doch so glücklich miteinander waren … das ist alles sehr kompliziert, du wirst es nicht verstehen. Du kannst es höchstens nachfühlen. Du mußt bedenken, was für ein Schock die Nachricht vom Tod seiner Frau für ihn gewesen sein muß. Da liegt auch der wahre Grund, warum er dich fortgegeben hat … er wollte dich nicht sehen … damals nicht … weil du ihn immer an das erinnern würdest, was geschehen ist.«

»Ach so.« Bettina schluchzte. »Ich verstehe.«

»Ja. Es war eine schlimme Geschichte, aber du solltest deswegen nicht traurig sein, Bettina. Ich glaube, daß nichts auf dieser Welt ohne Sinn geschieht. Vielleicht hat das Schicksal es mit deiner Mutter sogar gut gemeint, daß es sie so jung sterben ließ. Sie starb in dem Bewußtsein, geliebt zu werden, einem Kind das Leben geschenkt zu haben … für die, die von uns gehen, ist das Sterben nie so schlimm, nur wir, die wir zurückbleiben, fühlen die Lücke, wir leiden darunter.« Philine strich sich mit einem leichten Seufzer über ihr weiches, dunkelbraunes Haar. »Sie hat es überstanden, Bettina, aber wir … wir müssen weiterkämpfen.«

»Wo liegt sie begraben?« fragte Bettina.

»Tut mir leid, ich weiß es nicht. Ich habe es nie erfahren. Überhaupt ... vielleicht wäre alles anders gekommen, aber ich habe von dieser ganzen Geschichte nichts gewußt, als ich deinen Vater heiratete. Er hat mir nichts davon erzählt ... es geht ihm heute noch so nahe, daß er sich scheute, darüber zu sprechen. Ich habe mir immer Kinder gewünscht, und deshalb ... es war sehr schwer für mich zu verstehen, daß er sich nicht freute, als ich ihm zum erstenmal sagen konnte, daß ich guter Hoffnung war. Er war geradezu entsetzt. Damals war er es, der mich allein ließ. Er behauptete, daß er die Aufregung nicht ertragen könnte. Ich lachte ihn aus. Ich wußte genau, daß ich gesund war, und ich war sicher, daß nichts passieren würde. Ich verbrachte die Zeit damit, eine Baby-Ausstattung herzurichten ... aber dann geschah doch etwas. Im Radio hörte ich die Nachricht, daß die Maschine, mit der dein Vater von Buenos Aires nach Chile fliegen wollte, abgestürzt war. Zweiunddreißig Tote. Ich kann dir mein Entsetzen nicht beschreiben. Es gibt Momente, in denen man nicht mehr Herr über seinen Körper ist. Das Kind kam zu früh zur Welt, es war nicht lebensfähig. Später, als alles vorüber war, erfuhr ich, daß dein Vater die Maschine verpaßt hatte.«

»Du solltest nicht darüber sprechen, Philine, wenn es dich aufregt«, sagte Bettina.

Philine zwang sich zu einem Lächeln. »Ganz im Gegenteil, ich glaube fast, es hat mir gut getan, einmal mit einem Menschen darüber zu reden.«

»Doktor Grotius?«

»Er ahnt nur etwas ...«

Bettina legte ihren Arm um die Schultern der Stiefmutter. »Mach dir keine unnötigen Sorgen, Philine, diesmal wird's bestimmt klappen. Ganz bestimmt!«

»Ich hoffe es so sehr«, sagte Philine, »so sehr, wie ich es dir gar nicht sagen kann.«

Bettina hatte ihrer Stiefmutter nicht die ganze Wahrheit gesagt. Sie dachte noch oft an den Vater. Manchmal schreckte sie mitten in der Nacht aus dem Schlaf und wurde sich mit schmerzlicher Klarheit dessen bewußt, was geschehen war. Sie sah Dotty in den Armen ihres Vaters liegen und fühlte sich wieder aufs neue verraten und gedemütigt.

Erst nachdem sie sich mit Philine ausgesprochen hatte, wurden diese Alpträume seltener. Bettina hatte erkannt, daß nicht sie es war, die ein Recht besaß, eifersüchtig zu sein, sondern Philine. Sie schämte sich, daß sie geglaubt hatte, im Leben ihres Vaters die Hauptrolle spielen zu müssen, während sie für ihn immer nur ein Anhängsel gewesen war, um das er sich mehr aus Verpflichtung, als aus Liebe gekümmert hatte.

Bettina gab sich jetzt selber die Schuld an dem, was geschehen war. Sie fühlte sich reifer, erwachsener, war überzeugt, hinzugelernt zu haben. Dazu kam, daß sie sehr rasch in ihren neuen Aufgabenkreis hineinwuchs. Dr. Grotius überließ ihr mehr und mehr Verantwortungen; das Gefühl, nützlich, ja unentbehrlich zu sein, steigerte Bettinas Selbstbewußtsein.

An einem Samstag im Oktober – die Bäume des Parkes hatten sich schon bunt gefärbt, und der Nebel über dem See löste sich manchmal erst gegen Mittag auf – kam Philine Steutenberg in Bettinas kleines Büro.

Bettina hob den Kopf und sagte fröhlich: »Hallo, was kann ich für dich tun?«

Philine lächelte »Diesmal habe ich was für dich getan, Bettina.«

»So?«

»Wir haben einen Neuzugang bekommen. Auf der Privatabteilung.«

Bettina sah auf ihre Armbanduhr. »Danke«, sagte sie, »sobald ich mit der Abrechnung hier fertig bin, werde ich hinaufgehen ...«

»Gar nicht nötig. Ich hab's schon selber gemacht.« Philine legte einen mit Bleistift beschriebenen Zettel vor Bettina auf den Schreibtisch. »Du brauchst es bloß in deine Karteikarte zu übertragen.«

Bettina runzelte die Stirn. »Aber warum …?«

»Sei mir nicht böse, Liebes«, sagte Philine rasch, »ich weiß, daß ich damit deine Kompetenzen verletzt habe, aber so schlimm ist es ja doch auch wieder nicht … oder?«

»Natürlich nicht, nur …« Bettina bemühte sich, den hingekritzelten Namen zu entziffern. Norbert Kuban, las sie und sah ihre Stiefmutter mit weitaufgerissenen Augen an.

Eine rote Welle stieg in Philines Gesicht, sie lächelte schuldbewußt; die kleine Verlegenheit ließ sie jünger und weicher erscheinen. Sie war jetzt im siebten Monat, aber wer es nicht wußte, hätte niemals bemerkt, daß sie sich in guter Hoffnung befand. »Ich gebe zu«, sagte Philine, »ich war neugierig. Ist das denn ein Verbrechen? Ich habe seinen letzten Film gesehen: ›Der Mann, der seine Zeit verkauft‹, darin war er fabelhaft. Ich wollte einfach wissen, ob er in natura auch so … so aufregend ist.«

Bettina bemühte sich, ihre Verärgerung zu überwinden. »Und? Wie ist er?«

Philine lachte. »Sehr charmant, du wirst schon sehen.«

»Ich habe nicht das geringste Interesse daran, diesen Heini kennenzulernen«, sagte Bettina mit betonter Gleichgültigkeit, und in diesem Augenblick glaubte sie selber, was sie sagte.

XIII.

Eine gute Woche war seit der Ankunft Norbert Kubans im Sanatorium vergangen, als Bettina ihn zum erstenmal sah.

Sie war von ihrem Schreibtisch aufgestanden, um das Fenster zu schließen, als er, die Hände in den Taschen eines großzügig geschnittenen goldbraunen Morgenmantels, über den gepflasterten Weg auf das Bürogebäude zukam.

Bettina erkannte ihn sofort. Er wirkte ein wenig hagerer und nicht ganz so jung wie auf der Leinwand, aber sein dunkles Haar stand in jener scheinbar unbeabsichtigten Zerzaustheit um die hohe Stirn, die für Norbert Kuban – und auch für seine zahlreichen Anhänger und Nachahmer – charakteristisch war.

Bettina errötete unwillkürlich, ärgerte sich gleichzeitig über ihre törichte Befangenheit.

Sie hatte sich viel zugute gehalten, daß sie sich nicht am »Kuban-Rummel«, wie Dr. Grotius es ärgerlich nannte, beteiligt hatte, jetzt benahm sie sich genauso albern wie alle anderen Weiblichkeiten des Sanatoriums, die durch die Anwesenheit des Stars geradezu außer Rand und Band geraten waren.

Bettina schloß rasch das Fenster und setzte sich wieder auf ihren Platz hinter dem Schreibtisch. Um sich zu beruhigen, preßte sie die Lippen fest aufeinander und begann mechanisch eine Zahlenreihe zu addieren. Aber sie konnte es nicht verhindern, daß ihr Herz immer noch bis zum Halse klopfte, als die Tür nach kurzem Anklopfen geöffnet wurde.

Ohne den Blick zu heben, wußte sie, daß es der Schauspieler war.

»Bitte … eine Sekunde«, sagte sie, »nehmen Sie Platz.«

Erst als sie spürte, daß sie ihre Beherrschung wiedergewonnen hatte, richtete sie sich auf. Ihr Blick begegnete den dunklen, fast schwarzen Augen Norbert Kubans. Sie war froh, daß sie Zeit gehabt hatte, sich zu sammeln, dankbar, daß sie in diesem Augenblick nicht rot wurde.

»Kann ich etwas für Sie tun?« fragte sie, und ihre Stimme klang so gleichmütig, wie sie gewünscht hatte.

Er stand ihr gegenüber, den Arm auf die Barriere gestützt, die den eigentlichen Büroraum abschloß, betrachtete sie unverwandt, ein Lächeln in den Augen.

Bettina wußte nicht, ob es richtiger war, diesem Blick kalt zu begegnen oder beiseite zu schauen. Das Klingeln des Telefons rettete sie aus dieser Situation, die sie als peinlich zu empfinden begann. Sie nahm den Hörer ab, meldete sich. Dr. Grotius war am anderen Ende der Leitung. Er nannte ihr den Namen einer Patientin, die in den nächsten Tagen entlassen werden sollte und Wert darauf legte, ihre Rechnung so bald wie möglich zu erhalten.

Bettina machte sich Notizen, sagte: »Ich habe verstanden, Herr Doktor … selbstverständlich, Herr Doktor. Ich mache es noch heute.«

Als Dr. Grotius schon eingehängt hatte, hielt sie den Hörer noch eine Sekunde zögernd in der Hand, fragte dann, ohne Norbert Kuban anzusehen: »Sie wünschen?«

»Komisch!« Seine Stimme klang tief und ein wenig rauh. »Wirklich, sehr komisch!«

Bettina zog die Karteikarte der Patientin, die entlassen werden sollte, aus einem der Kästen, begann damit, die Tage ihres Aufenthaltes auszurechnen, die Sonderleistungen herauszuziehen.

»Interessiert es Sie gar nicht, was mich so wundert?« fragte Norbert Kuban.

Bettina hob den Kopf, sah ihm gerade in die Augen. »Ich bin im Dienst, Herr Kuban«, sagte sie ruhig. »Sie sehen, ich habe im Augenblick keine Zeit für private Neugier.«

»Wenigstens wissen Sie, wer ich bin.«

Als Bettina in keiner Weise reagierte, beugte er sich noch weiter über die Barriere vor. »Sagen Sie mal, haben Sie eigentlich etwas gegen mich?«

»Nicht im geringsten.«

»Warum behandeln Sie mich dann so merkwürdig?«

»Merkwürdig?« Bettina strich sich das helle, seidige Haar aus der Stirn. »Ich behandele Sie wie jeden anderen Gast dieses Hauses.« Sie mußte lächeln. »Anscheinend sind Sie es nicht mehr gewohnt, wie ein normaler Mensch behandelt zu werden.«

»Anscheinend nicht«, sagte er ernsthaft. »Sie haben recht. Sie sind ein außergewöhnlich intelligentes junges Mädchen. Darf ich fragen, wie Sie heißen?«

»Warum nicht. Bettina Steutenberg.«

»Ach so! Sie sind die Tochter dieser zauberhaften Ärztin, die …«

Bettina wußte selber nicht, warum ihr seine Bemerkung einen Stich ins Herz gab. »Die Stieftochter«, sagte sie rasch.

»Interessant. Tatsächlich, um eine so reizende Stiefmutter könnte ich Sie direkt beneiden. Sagen Sie mal …«

»Herr Kuban!« unterbrach Bettina ihn kühl. »Ich nehme doch nicht an, daß Sie in mein Büro gekommen sind, um sich mit mir über meine Privatangelegenheiten zu unterhalten, wie?«

Er lachte. »Natürlich nicht. Ich hatte ja keine Ahnung. Erklären Sie mir mal, wie es kommt, daß ich Sie bisher noch nie gesehen habe?«

»Zufall.«

»Sie sind mir doch nicht etwa absichtlich aus dem Weg gegangen, wie?«

»Warum sollte ich?«

»Keine Ahnung. Vielleicht … vielleicht haben Sie sich vor mir gefürchtet. Vielleicht hat Ihnen jemand etwas über mich erzählt. Wissen Sie, wenn man so wie ich im Mittelpunkt des öffentlichen Interesses steht, dann muß man sich schon damit abfinden, daß immer allerlei getratscht wird. Oder … haben Sie sich vielleicht einfach zu befangen gefühlt, um mir gegenüberzutreten?«

Bettina wurde wütend. »Herr Kuban«, sagte sie, »Sie leiden an einer ziemlich starken Selbstüberschätzung. Entschuldigen Sie, wenn ich Ihnen das so offen sage. Sie sollten darüber mal mit unserem Psychiater Doktor Herber sprechen, das würde …«

Norbert Kuban lachte laut. »Sie sind zauberhaft … wirklich, Bettina … Sie sind das zauberhafteste junge Ding, das mir seit langem begegnet ist.«

»Danke«, sagte Bettina kühl, »darf ich Sie trotzdem noch einmal bitten, mir zu sagen, was Sie zu mir geführt hat?«

»Ach so.« Norbert Kuban strich sich mit der Hand – einer langfingrigen schmalen, sehr gepflegten Hand – über die hohe Stirn. »Ich wollte nur fragen, wie kommt man eigentlich ins Dorf hinunter?«

»Wenn Sie irgendwelche Besorgungen haben ...«
»Sehr lieb. Aber das muß ich schon selber erledigen.«
Bettina zögerte eine Sekunde. »Ich weiß nicht«, sagte sie, »der Chef sieht es nicht gern ...«
»Mein liebes Kind ...« Norbert Kubans Gesicht verschloß sich, »ich habe Sie nicht um Ihre Meinung gefragt, sondern Ihnen eine klare Frage gestellt. Noch einmal: Wie kommen Sie ins Dorf hinunter?«
»Mit dem Auto. Übrigens ist Schliersee kein Dorf, sondern ein Kurort.«
»Wenn schon. Mit welchem Auto?«
»Mit meinem eigenen, wenn Sie es unbedingt wissen wollen.«
»Sie haben ein ... Donnerwetter! Allerhand!« Norbert Kuban setzte ein gewinnendes Lächeln auf. »Vielleicht könnten wir beide einen kleinen Vertrag miteinander machen ... wie wär's, hätten Sie Lust, mich in das Dorf ... Pardon, den Kurort hinunterzufahren? Natürlich würde ich mich dafür erkenntlich erweisen.«
»Ich glaube kaum, daß Doktor Grotius das erlauben würde.«
»Wozu brauchen wir denn seine Erlaubnis?«
»Er ist mein Chef.«
»Ei, sieh an, das brave Kind!« spottete der Filmschauspieler. »Sie waren wohl immer eine Musterschülerin?« Dann, als er Bettinas Gesicht sah, fügte er rasch hinzu: »Um Himmels willen, seien Sie doch nicht so empfindlich, es war ja nur ein Witz. Ich halte es zwar unbedingt für übertrieben, aber wenn Sie so großen Wert darauf legen ... gut, ich werde den Onkel Doktor fragen. Sind Sie jetzt beruhigt?«
Bettina war fest überzeugt, daß Dr. Grotius die Erlaubnis zu einer Fahrt nach Schliersee nicht geben würde, ja, sie zweifelte sogar daran, ob Norbert Kuban ihn wirklich darum fragen würde. Aber sie hatte sich geirrt.
Gleich nach dem Abendessen fing Dr. Grotius sie im Speisesaal ab. »Auf ein Wort, Bettina«, und zu Philine Steu-

tenberg gewandt: »Ich habe etwas mit Bettina zu besprechen ... es wäre mir schon sehr recht, wenn du auch dabei wärst, Philine.«

Zu dritt gingen sie die Treppe hinunter, durchquerten die Praxis des Arztes und traten in seinen schön eingerichteten Arztraum. Die schweren, dunkelblauen Vorhänge waren vor dem großen Fenster zugezogen, die Schreibtischlampe brannte, und Dr. Grotius knipste jetzt auch noch die Stehlampe an. Das gedämpfte, goldgelbe Licht erfüllte den Raum mit Behaglichkeit.

Bettina wartete gespannt darauf, was der Chefarzt sagen würde. Aber er ließ sich Zeit, trat erst zu dem großen Wandschrank, holte eine Flasche Cognac heraus, fragte die Damen, ob sie auch trinken möchten, schenkte sich, als diese Frage verneint wurde, selber einen Schluck in ein großes, bauchiges Glas.

»Worum handelt es sich, Gerhard?« fragte Philine. »Spann uns nicht auf die Folter.«

»Hat dir Bettina nichts erzählt?«

»Mir?« Philine legte sich unwillkürlich die Hand auf die Brust. »Nein. Was soll sie mir denn erzählt haben? Ist etwas geschehen?«

»Nein, durchaus nicht, kein Grund zur Aufregung. Ich dachte nur ...« Er schwenkte den goldgelben Cognac in seinem Glas, roch genüßlich daran. »Norbert Kuban hat mit mir gesprochen.«

»Über was?« fragte Philine verständnislos.

»Er möchte gerne ... ja ... etwas mehr Bewegungsfreiheit haben, zum Beispiel mal nach Schliersee hinüberfahren.«

»Aber was hat das mit Bettina zu tun?«

»Er hat sich gedacht, sie könnte ihn bringen.«

In Philine Steutenbergs Augen stieg ein so seltsamer Ausdruck, daß Bettina sich verpflichtet fühlte, einen unausgesprochenen Vorwurf zu entkräften. »Ich habe ihn nicht auf die Idee gebracht«, sagte sie heftiger, als notwendig gewesen wäre, »ganz im Gegenteil, ich habe ihm ausdrücklich gesagt, daß Doktor Grotius das gar nicht liebt.«

»Aber wie kommt er überhaupt darauf?« sagte Philine.

Dr. Grotius schnitt ihr das Wort ab. »Darum handelt es sich ja nicht«, sagte er kurz, »wir wollen uns doch an die Tatsachen halten. Außerdem, ich habe durchaus den Eindruck, daß Bettina sich korrekt verhalten hat.«

Er wandte sich an Bettina: »Ihr könnt also von mir aus losgondeln ... am besten vielleicht abends nach der Dienstzeit, damit Sie mit der Arbeit nicht in Rückstand kommen.«

»Ja, aber ...« sagte Philine, »hältst du das wirklich für richtig, Gerhard? Erstens mal für Bettina ... und dann, auch der junge Mann ist doch ...«

»Ich weiß, ich weiß! Du hast mit allem recht, was du sagen willst, völlig recht ... aber was hat es für einen Sinn, wenn ich versuche, etwas zu verhindern, was unweigerlich doch geschehen muß? Auch wenn ich es ausdrücklich verbiete, Norbert Kuban wird Mittel und Wege finden, das Sanatorium zu verlassen, und wenn es heimlich sein muß! Mach mal was dran! Außerdem, er ist ja hier nicht als Gefangener ... nicht mal als Patient, sondern als Gast. Der Fehler liegt woanders, ich hätte ihn gar nicht aufnehmen dürfen.«

»Warum hast du's getan?«

»Warum? Warum? Aus Dummheit! Was er in seinen Briefen schrieb, klang immer ausgesprochen vernünftig. Ich hatte ja keine Ahnung, daß es sich um einen so extravaganten jungen Mann handelt. Da er nun einmal hier ist, müssen wir uns damit abfinden. Schließlich kann ich ihn nicht rausschmeißen, oder?«

»Was glaubst du wohl, was er in Schliersee will?« fragte Philine Steutenberg. »Essen ... und was noch schlimmer ist ... trinken. Dabei sind wir uns doch wohl beide darüber klar, daß das, was dieser Junge braucht, strikte Diät und eine, wenn auch kurzfristige Enthaltsamkeit von alkoholischen Getränken ist. Wenn er nur einmal sündigt, sind die acht Tage, die wir ihn hier bei der Stange gehalten haben, nutzlos vertan.«

»Wem sagst du das? Um ihn vor diesen Gefahren zu bewahren, gebe ich ihm ja gerade Bettina mit.«

»Lächerlich. Wie kannst du erwarten, daß Bettina einem so ausgekochten Burschen gewachsen sein könnte.«

»Du hast ihn noch vor nicht allzu langer Zeit für sehr charmant gehalten, Philine«, sagte Bettina.

»Charmant! Natürlich ist er das. Gerade deshalb ist er ja so gefährlich. Mit seinem Charme hat er alle hier im Hause verwirrt, die mit ihm zu tun haben.«

»Dich etwa auch, Philine?« warf Bettina ein.

»Sei nicht albern«, sagte ihre Stiefmutter ärgerlich. »Ich bin schließlich eine erwachsene Frau. Aber du … wirklich, Bettina, ich sehe keinen Grund, weshalb du mit ihm fahren solltest.«

Philine Steutenberg wandte sich an den Chefarzt. »Warum schickst du nicht eine von den Schwestern mit? Schwester Hilde zum Beispiel … sie hat den Führerschein. Schwester Agnes auch. Warum soll ausgerechnet Bettina …«

»Hilde und Agnes! Wenn ich das höre. Die beiden werden doch schon rot wie die Klatschrosen, wenn nur der Name Kuban fällt. Nein, wirklich, Philine, ich glaube, du unterschätzt deine Stieftochter. Wenn es jemand gibt, der auf ihn aufpassen kann, dann ist sie es.« Er nahm einen Schluck Kognak. »Außerdem ist es eine glänzende Gelegenheit für Sie, Bettina, einmal auszuprobieren, ob Sie wirklich Talent zur Krankenschwester haben. Darin besteht nämlich eine der schwersten Aufgaben, den Patienten von dem abzuhalten, was er gerne tun möchte, aber nicht tun darf, weil es schädlich für ihn ist. Also, wie ist es? Wollen Sie?«

»Ich habe Herrn Kuban ja schon zugesagt. Wenn Sie es erlauben … warum nicht?«

Bettina versuchte sich einzureden, daß es wirklich die reinste Gefälligkeit von ihr war, Norbert Kuban nach Schliersee zu fahren. Tatsächlich aber konnte sie nicht verhindern, daß ihr Herz vor freudiger Erregung klopfte, als der junge Schauspieler am nächsten Nachmittag zu ihr in ihr elegantes weißes Sportcoupe stieg. Sie mußte daran denken, was Dotty und auch Helga Schmitt für Augen machen würden, wenn sie sie jetzt sehen könnten – Seite an Seite mit einem so beliebten und umschwärmten Star.

Norbert Kuban trug einen Kamelhaarmantel, darunter ein grünes Seidentuch, ziemlich genial um den Hals geschlungen. Er zog die Tür mit einem Knall hinter sich zu, bohrte dann, wie es seine Art war, die Fäuste in die Manteltaschen, streckte die langen Beine weit von sich.

»Toller Wagen!« sagte er anerkennend. »Für eine Krankenhaussekretärin eigentlich allerhand.«

Bettina fühlte sich wider Willen in seiner Gegenwart befangen, wußte nichts zu sagen und tat so, als wenn sie alle Aufmerksamkeit auf die Straße richten müßte.

»Wie heißt denn der edle Spender?« fragte Norbert Kuban.

Bettina verstand nicht. »Ich weiß gar nicht, wovon Sie reden.«

»Na, von dem großartigen Burschen, der Ihnen dieses ansehnliche Präsent gemacht hat.«

»Sie glauben doch nicht etwa ...«

»Was denn sonst? Oder wollen Sie mir weismachen, daß Sie sich das Wägelchen von Ihrem Gehalt gekauft haben?«

»Sie sind unverschämt!« Bettina trat so hart auf die Bremse, daß der Wagen leicht ins Schleudern geriet, bevor er stehen blieb. Sie schaltete den Rückwärtsgang ein.

»Was ist los? Was soll das?« fragte Norbert Kuban.

»Ich bringe Sie jetzt ins Sanatorium zurück!« Bettinas Stimme klang sehr ruhig. »Bestimmt wird es Ihnen mit Ihrem berühmten Charme nicht schwerfallen, eine andere Chauffeuse zu finden.«

Er legte beschwörend seine Hand auf ihren Arm. »Nein wirklich, tun Sie mir das nicht an«, sagte er mit zerknirschter Stimme. »Ich weiß, ich sage manchmal Sachen, die man lieber für sich behalten sollte ... aber ich hab's gewiß nicht böse gemeint.«

Bettina sah ihn von der Seite an. »Es handelt sich nicht darum was Sie gesagt haben ... ich begreife nicht, wie Sie überhaupt nur denken können, ich hätte diesen Wagen von einem … einem Mann geschenkt bekommen.«

»Also gut, wenn Sie darauf bestehen, bitte ich Sie auch feierlich um Vergebung für das, was ich gedacht habe und schwöre Ihnen, daß ich mich von nun an jedes Gedankens enthalten will. Aber ich bitte Sie, liebes Mädchen, ich bitte Sie von Herzen, fahren Sie weiter.«

Bettina spürte, daß er sich über sie lustig machte. Am liebsten wäre sie umgekehrt, aber sie wollte Philine den Triumph nicht gönnen. So entschied sie sich denn weiterzufahren, aber sie würdigte Norbert Kuban bis Schliersee keines Blickes mehr. Trotzdem fühlte sie sich ein wenig gekränkt, daß er nicht einmal den Versuch machte, sich mit ihr zu unterhalten.

Als sie in die Ortschaft einbogen, war es schon dunkel geworden, die Straßenlaternen brannten, auch aus den Lokalen und Schaufenstern drang Lichtschein.

»Wohin wollen Sie?« fragte Bettina kurz.

Sie spürte, wie er neben ihr zusammenschrak. Offensichtlich war er in Gedanken weit weg gewesen.

»Zu einem Kiosk«, sagte er dann, »oder besser noch zu einer Buchhandlung, die auch Zeitungen und Zeitschriften führt.«

Bettina fuhr Norbert Kuban bis zu einem Eckgeschäft auf der Hauptstraße, ließ ihn aussteigen, fuhr weiter, suchte einen Parkplatz und folgte ihm dann zu Fuß. Er hatte schon einen großen Stoß Zeitungen und Zeitschriften vor sich liegen, war jetzt dabei, die Taschenbuchausgaben durchzustöbern.

Als sie eintrat, schenkte er ihr ein rasches, gewinnendes Lächeln, sagte: »Sie sehen, Bettina, ich habe nicht geschwindelt … Bücher sucht man sich am besten selber und an Ort und Stelle aus.«

Als sie den Laden verließen, schob er seinen Arm unter ihren Ellbogen, sah sie aus seinen dunklen Augen von der Seite her an, fragte: »Und nun, schönes Mädchen? Was machen wir mit dem angefangenen Abend?«

»Wenn ich Sie noch irgendwo hinfahren kann?« sagte sie steif.

Er schüttelte den Kopf. »Hören Sie auf damit, um Himmels willen! Merken Sie nicht, daß ich schon ganz verschüchtert bin? Was habe ich denn getan, daß Sie so streng zu mir sind?«

»Wenn Sie keine weiteren Besorgungen mehr vorhaben«, sagte Bettina statt einer Antwort, »dann werde ich Sie wieder zurückbringen.«

»Einverstanden«, sagte er nur und ließ ihren Arm los.

Bettina war überrascht. Sie hatte fest damit gerechnet, daß er sich nach Schliersee hatte bringen lassen, um den ärztlichen Anordnungen entgegen ein Restaurant aufzusuchen. Aber sie hatte ihm offensichtlich unrecht getan. Sie fühlte sich beschämt, hatte das Gefühl, ihn schlecht behandelt zu haben. Wie albern von ihr, die Verdächtigungen Philine Steutenbergs und Dr. Grotius' kritiklos als reine Münze zu nehmen.

Sie schloß ihren Wagen auf, setzte sich ans Steuer, öffnete die gegenüberliegende Tür von innen. Er verstaute das Bücherpaket und die Zeitschriften hinten im Wagen, ließ sich dann auf seinen Sitz fallen.

Sie hatte schon den Motor angelassen, als sie sich ihm zuwandte. »Der Wagen«, sagte sie, »mein Vater hat ihn mir geschenkt. Zum achtzehnten Geburtstag.«

»Können Sie mir verzeihen?« Er lächelte sie an, aber seine Augen blieben ganz ernst.

»Sie konnten es ja nicht wissen«, sagte sie rasch, »weil … ich habe mich sehr albern benommen.«

»Sie sind ein merkwürdiges Mädchen.« Er nahm ihre Hand, hielt sie fest, ohne den Versuch zu machen, sie zu streicheln. »Was hat Sie plötzlich so verändert? Sie sind verändert, ich merke es genau … viel weicher auf einmal, viel mädchenhafter.«

Sie biß sich auf die Lippen, kämpfte mit sich, spürte den unbezähmbaren Drang, die Wahrheit zu sagen. »Ich hatte geglaubt, Sie würden … etwas trinken wollen.«

Er lachte. »Wirklich? Wer hat Ihnen das erzählt?«

Sie schwieg.

»Ich kann's mir schon denken«, sagte er, »Sie brauchen es mir nicht zu verraten. Was für ein Unsinn. Wissen Sie denn nicht, daß ich meinen eigenen Wagen oben in der Garage stehen habe?«

»Nein!«

»Aber Doktor Grotius hat's gewußt. Ich hätte jederzeit mit meinem Wagen hierher fahren können ... ohne Aufsicht, verstehen Sie. Aber schließlich bin ich kein kleiner Junge mehr. Glauben Sie wirklich, ich faste und kasteie mich zehn Tage lang, schone meine Leber und päpple sie mit Vitaminen auf, um dann den ganzen Erfolg durch einen einzigen Sündenfall wieder in Frage zu stellen? Ich bin kein Trottel, mein liebes Mädchen, bestellen Sie das bitte dem Onkel Doktor. Oder war es etwa die charmante Stiefmama, die Sie eingeheizt hat?«

»Keiner von beiden«, log Bettina mit steifen Lippen.

Er lachte. »Nun, soviel steht fest, in Ihrem Garten ist diese Idee bestimmt nicht gewachsen. Habe ich recht? Sie brauchen mir gar nichts zu erzählen, ich weiß Bescheid. Auf alle Fälle danke ich Ihnen, daß Sie mir die Wahrheit gesagt haben. Und jetzt sind wir quitt, nicht wahr? Sie brauchen also nicht mehr so ein bitterböses Gesicht zu machen.«

Als sie die Uferstraße entlang fuhren, stieg der Mond wie eine blanke glatte Scheibe über den Bergen hoch, tauchte den See in silbrig schimmerndes Licht, schien wie ein silberner Taler durch dunkle Wolkenschwaden zu rollen.

»Warum«, fragte Bettina, »wenn Sie Ihren Wagen in der Garage haben ... warum haben Sie sich von mir fahren lassen, Herr Kuban?«

»Wollen Sie das wirklich wissen?«

Der Ton seiner Stimme machte sie unsicher. »Nein, natürlich nicht ... wenn Sie ...«

»Bitte, halten Sie.«

Sie fuhr zum Straßenrand, nahm das Gas weg, bremste, sah ihn mit großen Augen an. »Warum?«

»Weil dies ein wunderschöner Abend ist, mein Mädchen. Steigen Sie mit mir aus, schauen wir uns den See an, den

Mond und den Himmel. Vielleicht werden Sie nie mehr eine solche Nacht wie diese erleben.«

Sie folgte ihm ein wenig befangen. Es war herbstlich kalt, ein leichter Wind trieb die Wolken über den Himmel, die Berge standen schwarz und drohend gegen den Himmel, das kalte, diffuse Licht des Mondes, die tiefschwarzen Schatten, das Rascheln der welken Blätter – all das verbreitete eine Atmosphäre, die geisterhaft und ganz und gar unwirklich war.

Eine Weile standen sie schweigend nebeneinander.

»Sie haben mich vorhin etwas gefragt«, sagte er dann, ohne sie anzusehen.

Sie wußte sofort, was er meinte, wollte es aber nicht zugeben. »Ich … was denn? Ich weiß nicht mehr …«

»Doch, Sie wissen es, Bettina. Sie haben mich gefragt, warum ich mich von Ihnen habe fahren lassen. Ich will es Ihnen sagen. Weil ich mit Ihnen zusammen sein wollte.«

Ihr Herz tat ein paar rasche Sprünge. Sie ballte die Fäuste, grub die Nägel in die Handflächen. Um keinen Preis wollte sie verraten, was sie bei diesen Worten empfand.

Jetzt wandte er ihr sein Gesicht zu, sein vom Mondlicht verzaubertes Gesicht, sagte: »Bettina!« Dabei streckte er mit einer fast flehenden Gebärde die Arme nach ihr aus, ohne sich jedoch von der Stelle zu rühren.

In dieser Sekunde überkam sie etwas sehr Merkwürdiges, ein nie gekanntes, nie auch nur geahntes Gefühl. Es war ihr, als wenn ihr ganzes Blut von ihrem Herzen weg zu ihm hinströmte, als wenn eine nahezu magnetische Kraft von ihm ausging, der sie keinen Widerstand entgegensetzen konnte.

Ohne es zu wollen, ohne es auch nur zu wissen, trat sie einen Schritt auf ihn zu – und dann lag sie in seinen Armen, sie spürte seine warmen Lippen auf ihrem Mund – und vergaß alles um sich her. Ihr war, als wenn sie nach einer langen Reise endlich ans Ziel gekommen wäre.

Erst später, viel viel später, als sie wieder nebeneinander im Auto saßen und in der Ferne die Lichter des Sanatoriums vor ihnen auftauchten, fragte sie: »Bitte, sei ehrlich … du hattest mich doch noch nie gesehen, bevor du in mein Büro kamst. Wie kannst du dann sagen, daß du nur, um mich näher kennenzulernen …«

»Ich bin in dein Büro gekommen, um mir ein paar Briefmarken zu besorgen. Begreifst du jetzt endlich? Erst als ich dich sah, kam mir die Idee …«

»Aber du konntest doch nicht wissen, daß ich ein Auto habe.«

»Wenn du keins gehabt hättest, würde ich es eben so eingerichtet haben, daß wir in meinem gefahren wären. Glaubst du mir etwa immer noch nicht? Eines muß ich dir sagen, du bist das mißtrauischste Frauenzimmer, das mir je begegnet ist.«

»Verzeih mir«, sagte Bettina und lächelte ihm zu, »ich glaube, auch Vertrauen muß erst gelernt werden.« – –

Von nun an sah Bettina Norbert Kuban täglich.

Sie unternahmen lange Spaziergänge durch den Park und die nähere Umgebung des Sanatoriums, manchmal fuhren sie auch nach Schliersee, verbrachten lange Abende im Wohnzimmer von Norbert Kubans schönem Appartement.

Bettina war so glücklich wie noch nie in ihrem Leben. Sie fühlte sich wie in einem Rausch, weit über sich selber hinausgehoben in einem seltsam schwerelosen, glückseligen Zustand.

Sie war erstaunt, als sie eines Abends die Tür zu ihrem Zimmer öffnete und Philine Steutenberg auf ihrem Bettrand sitzen sah.

»Ich habe auf dich gewartet, Bettina«, sagte die Stiefmutter, »ich muß mit dir sprechen. So kann es nicht weitergehen …«

Obwohl Bettina ein gutes Gewissen hatte, war ihr an einem nächtlichen Gespräch mit ihrer Stiefmutter weniger denn nichts gelegen. So sagte sie ausweichend: »Muß das ausgerechnet jetzt sein? Ich bin wahnsinnig müde.«

Philine Steutenberg erhob sich sofort. »Selbstverständlich. Es hat Zeit bis morgen. Nur …« sie sah Bettina an, »ich bin immer der Meinung gewesen, daß es besser ist, unangenehme Dinge so rasch wie möglich hinter sich zu bringen.«

Bettina zögerte noch einen Augenblick, dann sagte sie: »Na schön, wie du willst. Also … um was handelt es sich?«

»Fragst du im Ernst?« Aus Philine Steutenbergs Stimme klang Unglauben.

»Ja«, sagte Bettina ruhig. »Ich bin mir keiner Schuld bewußt … und du machst ganz den Eindruck, als wenn du mir Vorhaltungen machen wolltest. Ich weiß nicht, wie ich mir einen Reim daraus machen soll.«

»Du könntest es ja wenigstens mal versuchen«, sagte Philine Steutenberg mit unverhohlener Ironie.

»Danke.« Bettina schlüpfte aus ihrem Regenmantel, hing ihn über einen Bügel. »Zum Rätselraten bin ich wirklich zu müde.«

»Du bist im Begriff, deinen guten Ruf zu ruinieren.«

Bettina fuhr herum: »Was?« Sie lachte. »Um Himmels willen, Philine, wie kannst du nur so furchtbar altmodisch sein!«

»Ist es wirklich so altmodisch, wenn ich der Ansicht bin, ein junges Mädchen sollte ein wenig auf sich halten?«

»Jedenfalls kommt es nicht darauf an, was die Leute reden. Hauptsache, daß man verantworten kann, was man tut.«

»Kannst du das?«

»Selbstverständlich.«

Philine Steutenberg seufzte. »Ich habe es kommen sehen von allem Anfang an. Du hast dich in diesen Kuban verliebt, nicht wahr?«

»Nein«, erklärte Bettina mit fester Stimme, »ich liebe ihn.«

»Liebe«, sagte Philine Steutenberg, »was weißt du schon von Liebe?«

»Genauso viel wie du!« Bettina wurde zornig. »Ich bin kein kleines Mädchen mehr, ich lasse mich nicht mehr wie ein Kind behandeln. Gerade du hast nicht das geringste Recht, die Überlegene zu spielen. Vater und du …«

Philine unterbrach sie. »Findest du das wirklich fair, Bettina?«

Bettina errötete. »Nein, natürlich nicht«, sagte sie. »Aber …« Sie hob den Kopf und sah ihrer Stiefmutter in die Augen. »Warum mußt du dich in meine Angelegenheiten mischen? Ich habe dir doch auch nichts hineingeredet.«

»Ich fühle mich für dich verantwortlich, Bettina.«

»Unsinn! Wieso? Schließlich bist du doch bloß meine Stiefmutter. Seit du mit Vater nicht mehr zusammenlebst, auch das nicht mehr richtig. Außerdem bin ich ein erwachsener Mensch.«

»Bitte, Bettina, sprich nicht in diesem Ton mit mir. Eines solltest du doch wissen … daß ich es gut mit dir meine. Also, sei so nett und hör mich in aller Ruhe an. Setz dich.« Sie zog Bettina an der Hand neben sich auf das Bett. »Wir wollen unsere Verwandtschaft einmal ganz aus dem Spiel lassen … aber du wirst doch zugeben, daß du nur durch mich hierhergekommen bist … in das Sanatorium, meine ich. Ich habe dich seinerzeit, ohne lange zu fragen, bei uns aufgenommen … ohne mich hättest du niemals eine Stellung als Sekretärin hier bekommen.«

»Doch«, sagte Bettina trotzig, »Doktor Grotius hätte sich auch so um mich gekümmert.«

»Gut. Unterstellen wir das. Dann muß ich dir aber sagen, daß du ihm das sehr sehr schlecht dankst, mein Kind. Du weißt sehr gut, daß es den Angestellten nicht gestattet ist, mit den Gästen des Hauses zu flirten … um es einmal zart auszudrücken. Stell dir mal vor, wenn alle sich so benehmen würden.«

»Meine Vorgängerin hat ja auch einen ehemaligen Patienten geheiratet«, sagte Bettina, »dagegen hat niemand was einzuwenden gehabt.«

»Ach so! Er will dich also heiraten!«

Bettina sprang auf. »Bitte, verdreh mir nicht die Worte im Mund! Davon habe ich nichts gesagt!«

»Entschuldige schon, dann habe ich es eben falsch verstanden.« Auch Philine Steutenberg stand auf. »Bettina«, sagte sie eindringlich, »du liebst Norbert Kuban … ich will es dir glauben. Und er? Bist du sicher, daß er es ehrlich mit dir meint?«

»Er liebt mich genauso sehr wie ich ihn.«

»Wenn das so ist, wird er verstehen, daß es nicht recht ist, dich ins Gerede zu bringen.«

»Ich habe dir schon einmal gesagt, daß es mir völlig gleichgültig ist, was die Leute hinter meinem Rücken tuscheln.«

»Aber ihm dürfte es nicht gleichgültig sein. Gerade wenn er dich liebt, nicht, Bettina, du bist doch ein intelligentes Mädchen. Wie ist es möglich, daß du so vollkommen den Kopf verloren hast? Norbert Kuban ist ein reizender und charmanter junger Mann, zugegeben … aber gerade deshalb solltest du dein Herz in beide Hände nehmen und dich nicht von ihm zu einem … zu einem Erholungsflirt ausnutzen lassen. Er macht sich einen Spaß aus dir, weiter nichts! Bettina, bist du denn nicht imstande …«

»Genug!« Bettinas Stimme klang kalt und seltsam fremd. Sie war totenblaß geworden. »Genug damit. Ich lasse meine Liebe nicht in den Schmutz ziehen. Von dir nicht und von niemandem. Sobald es mir möglich ist, werde ich das Sanatorium verlassen.« – –

Am nächsten Tag kam Norbert Kuban gegen fünf Uhr, kurz bevor Bettina Schluß machen wollte, in ihr Büro.

»Hallo, Tina Honey«, grüßte er vergnügt, »könntest du mir wohl einen winzigen Gefallen tun? Ich muß einen ziemlich wichtigen Brief an meine Managerin schreiben … und du weißt, meine Klaue ist so ziemlich unleserlich. Würdest du wohl …«

»Selbstverständlich«, sagte sie ohne ihn anzusehen und nahm den Stenogrammblock zur Hand

»Hoppla!« Er sah sie prüfend an. »Was ist los mit dir?«

»Gar nichts.« Sie zwang sich zu einem Lächeln. »Was sollte schon los sein?«

»Mach mir nichts vor, Honey, dir ist irgendeine kleine Laus über die Leber gelaufen. Schau bloß mal in den Spiegel, du machst ein Gesicht, daß es einen direkt schaudern könnte.«

»Ich habe heute nacht schlecht geschlafen.«

»Ach so.« Seine Stimme klang erleichtert. »Wenn du gescheit gewesen wärst, hättest du gleich ein Schlafmittel genommen. Ich tu das immer in solchen Fällen.« Er lehnte sich über die Barriere. »Na, bist du soweit? Können wir?«

Bettina hatte sich fest vorgenommen, ihm keine Szene zu machen, aber die Leichtherzigkeit, mit der er über ihr schlechtes Aussehen zur Tagesordnung überging, verletzte sie tief. »Ich muß mit dir reden«, sagte sie.

»Kannst du ja. Ich denke, wir machen nachher wieder mal einen tüchtigen Spaziergang, ja? Das Wetter ist einmalig.«

»Ich möchte jetzt mit dir reden. Jetzt gleich.« Ehe er noch etwas sagen konnte, fügte sie hinzu: »Ich habe es dir eigentlich nicht erzählen wollen. Aber es ist etwas passiert.«

»Ärger gehabt?«

»So kann man es auch nennen. Auf jeden Fall ... hier kann ich nicht länger bleiben.«

»Schade«, sagte er, nun doch ein wenig betroffen. »Aber ... so schlimm ist es auch wieder nicht, ich bleibe ja selber nur noch acht Tage, und früher wirst du doch auch nicht gehen, oder?«

»Nein«, sagte sie, »wohl kaum.« Sie sah ihn an. »Möchtest du mir jetzt diktieren?«

»Hör mal zu, Tina, jetzt werde nicht komisch. Warum siehst du mich so an? Habe ich dir irgend etwas getan?«

»Nein. Nichts.«

»Aha, ich weiß schon.« Er tippte sich mit der Hand gegen die Stirn. »Jemand hat dich gegen mich aufgehetzt ... darf ich raten, wer? Deine charmante Stiefmama! Stimmt's, oder habe ich recht?«

Bettina konnte es nicht verhindern, daß sich ihre Augen mit Tränen füllten. Ihre Stimme bebte, als sie sagte: »Norbert, ich ... sie war so gemein. Du kannst dir nicht vorstellen, wie gemein sie war. Sie hat gesagt ...« Sie sprach den Satz nicht zu Ende, weil sie spürte, daß sie im Begriff stand, in Tränen auszubrechen.

»Was hat sie gesagt? Nun red schon!«

»Daß du dir nur einen Spaß mit mir machst.«

»Und das hast du geglaubt?« Er hob die Augenbrauen, sah sie an, mit einem Blick, in dem sich Belustigung und etwas wie Verachtung mischte.

»Nein, natürlich nicht«, entgegnete sie rasch. »Gerade deshalb ... deshalb will ich ja auch fort. Weil ich mich nicht beleidigen lasse ... mich nicht und dich nicht. Deshalb ...«

Er unterbrach sie. »Du hast es doch geglaubt, Bettina. Mach mir nichts vor. Sonst hättest du mich nicht so merkwürdig behandelt.«

»Ich ... ich habe das getan? Verzeih mir, ich war nur ... verwirrt.«

»Bist du jetzt beruhigt?«

»Wenn du mich nicht gefragt hättest, würde ich dir von der ganzen Sache nichts erzählt haben.«

»Ich bin froh, daß ich es weiß. Aber vielleicht, wenn du dir jetzt mal tüchtig die Nase putzt und die Tränen abgewischt hast, können wir doch noch den Brief an meine Managerin schreiben.«

Eine Stunde später machten sie, wie gewöhnlich, ihre abendliche Fußwanderung durch den Wald. Die gelben und roten Blätter der Bäume bildeten leuchtende Flecke in der hereinbrechenden Dunkelheit. In der Luft lag ein seltsamer Geruch nach Tannen, Moos und Moder. Unter ihren Füßen raschelte dürres Laub.

Norbert Kuban trug seinen großartig geschnittenen Kamelhaarmantel, Bettina hatte eine Hand in seine Tasche gesteckt und fühlte die wohltuende Berührung seiner warmen Finger. Es war ziemlich kalt für die Jahreszeit, aber sie trug immer noch ihren Regenmantel. Als sie das Haus ihres Vaters verließ, war es Sommer gewesen, und sie hatte nur das Notwendigste mitgenommen.

Sie gingen in gleichem Schritt eng nebeneinander, Bettina nahm mit allen Poren das berauschende Gefühl der Zweisamkeit in sich auf.

Schon bereute sie, daß sie es nicht fertiggebracht hatte, über ihre Auseinandersetzung mit Philine Steutenberg zu schweigen. Er hatte es zwar nicht ausgesprochen, aber sie fürchtete, ihn enttäuscht zu haben. Sie hatte sich kleinlich und töricht benommen, wenig würdig ihrer großen Liebe. Sie war entschlossen, sich nie wieder so gehenzulassen.

Wie so oft war er schweigsam, wahrscheinlich tief in Gedanken versunken, und Bettina wagte nicht, ihn zu stören, obwohl sie viel darum gegeben hätte, zu erfahren, was in seinem Kopf und in seinem Herzen vorging.

Aber er schwieg lange.

Erst als sie wieder auf dem Heimweg waren, öffnete er die Lippen, aber nicht, um mit ihr zu reden, sondern um ein Gedicht zu rezitieren. Seine Stimme klang tief und ein wenig rauh. »Jetzt reifen schon die roten Berberitzen, alternde Astern atmen schwach im Beet, wer jetzt nicht reich ist, da der Sommer geht ...« Plötzlich unterbrach er sich, blieb stehen und sah sie an.

»Weiter ...« sagte sie, »bitte weiter! Es war sehr schön.«

»Ich habe übrigens nachgedacht«, sagte er.

»Über mich?« Sie lachte unsicher. »Über mich brauchst du dir wirklich keine Gedanken zu machen.«

»Na schön. Wenn es dir besser gefällt ... über uns beide.«

Sie hatte das Gefühl, daß ihr Herz einen Schlag aussetzte, so jäh stieg eine glückhafte Erwartung in ihr auf. »Ja ... uns?« fragte sie und war froh, daß ihre Stimme nichts von ihren Gefühlen verriet.

»Ich halte es für Unsinn, daß du einfach aus dem Sanatorium fortlaufen willst«, er schob seinen Arm unter ihren Ellbogen, ging weiter. »Ich verstehe, daß die Bemerkungen deiner Stiefmutter dich gekränkt haben, aber im Grunde genommen ... so was hättest du doch erwarten müssen. Übrigens bin ich überzeugt, daß sie es nur gut mit dir gemeint hat.«

Als sie schwieg, sah er sie von der Seite an. »Was ist los mit dir? Warum sagst du kein Wort?«

Die Enttäuschung hatte sich wie eine Zentnerlast auf ihre Brust gelegt. Dabei wußte sie selber nicht einmal genau, was sie eigentlich erwartet hatte. »Du hast sicher recht«, sagte sie mühsam.

Er überhörte wie gequält ihre Stimme klang.

»Siehst du«, sagte er fast fröhlich, »ich wußte doch, du würdest vernünftig sein. Merk dir eines für dein ganzes Leben ... es hat nie Sinn, etwas aus einem Impuls heraus zu tun. Meiner Meinung nach war es schon falsch, daß du aus Hamburg weggelaufen bist.«

»Bitte ... müssen wir jetzt darüber reden? Das ist doch wirklich vorbei.«

»Du hast recht. Ich wollte dich nicht verletzen. Ich möchte nur eines, daß du mir in die Hand versprichst, hierzubleiben und keine Dummheiten zu machen.« Er streckte ihr seine Hand entgegen, und als sie zögerte, einzuschlagen, sagte er: »Du mußt doch auch an mich denken, Bettina!«

»Dir kann es doch gleichgültig sein, was ich tue ... wenn du erst fort bist.«

Er sah sie mit einem seltsamen Blick an. Einen Augenblick lang glaubte sie, daß er protestieren würde, dann zuckte er die Achseln, sagte gelassen: »Warum soll ich mich mit dir streiten? Wenn du's unbedingt hören willst ... na schön, es ist mir gleichgültig. Jetzt zufrieden?«

Sie drehte sich um und begann mit großen Schritten durch die raschelnden Blätter in Richtung auf das Sanatorium davonzustapfen. Sie hörte, wie er hinter ihr herrief: »He, warum rennst du denn fort?«

Sie wandte nicht einmal den Kopf, setzte mechanisch Schritt für Schritt. Ihr war, als wenn in ihr etwas zerbrochen wäre.

Dann war er bei ihr, packte sie beim Arm, schüttelte sie, sagte zornig: »Tina, was fällt dir ein? Was ist das für eine Art, plötzlich verrückt zu spielen?«

Sie hielt sich steif wie eine Puppe, ließ sich schütteln und rütteln, sah ihn nicht an.

Ganz plötzlich ließ er sie los. »Du enttäuschst mich, Honey«, sagte er bitter. »Verdammt noch mal, wie du mich enttäuschst.«

Ihre Verkrampfung löste sich, Tränen stiegen in ihre schönen, weit auseinanderstehenden Augen. Sie wollte sich verteidigen. »Ich ... oh ...« stammelte sie, mehr brachte sie vor innerer Erregung nicht über die Lippen.

»Ja, da kann man wohl ›oh‹ sagen«, spottete er. »Tina, Tina, was für eine Enttäuschung. Du bist genau wie alle anderen Mädchen. Und ich bin auf dein Theater hereingefallen.«

»Nein ... ich ... wie kannst du ...«

»Mach mir doch nichts vor, ich weiß Bescheid. Heiraten willst du, weiter nichts.«

Sie fand ihre Sprache wieder. »Das ist nicht wahr!« schrie sie wütend, »wie kannst du so etwas behaupten! Kein Wort habe ich davon gesagt ... kein einziges Wort!«

»Aber gedacht hast du daran. Wer weiß wie lange schon ... von Anfang an. Versuch nicht, mir etwas vorzumachen, Tina, ich kenne euch Frauen. Ihr seid eine wie die andere. Erst legt ihr es darauf an, daß man euch küßt, und nachher versucht ihr, einen so rasch wie möglich aufs Standesamt zu schleppen.«

Ein paar Atemzüge lang blieb Bettina ganz still. Dann sagte sie mit veränderter Stimme: »Vielleicht paßt es dir nicht, wenn ich dich jetzt daran erinnere ... aber du hast mir mehr als einmal versichert, daß du mich liebst. Wenn man aber jemanden ehrlich liebt, so stelle ich mir das jedenfalls vor ... dann will man mit ihm zusammenbleiben. Für immer. Sonst kann von Liebe gar keine Rede sein. Philine hat ganz recht, du hast dir einen Spaß aus mir gemacht, und ich war dumm genug, darauf hereinzufallen.«

Er wollte sie unterbrechen, aber sie brachte ihn mit einer Handbewegung zum schweigen. »Ich habe dich nicht herausgefordert, mich zu küssen, das weißt du ganz genau. Trotzdem sehe ich ein, daß ich mich bei dir entschuldigen muß ... für meine Dummheit und meine Gutgläubigkeit. Adieu!«

Sie wollte gehen, aber er hielt sie zurück. »Tina«, sagte er zärtlich, »Honey, bitte, verzeih mir!«

»Was?« sagte sie. »Es war meine eigene Schuld, ich habe es dir ja schon gesagt.«

Er machte ein tieftrauriges Gesicht. »Ich bin ein gräßlicher Mensch, Tina, ich weiß es. Du hast ganz recht, wenn du nichts mehr von mir wissen willst. Es ist immer dasselbe mit mir. Ich enttäusche alle Menschen, mit denen ich in Berührung komme.«

»Alle Mädchen, wolltest du wohl sagen!«

»Tina! Du glaubst ja selber nicht, was du redest. Du kannst es nicht glauben. Fühlst du denn nicht, wie sehr ich … wie sehr ich dich, liebe. Ich brauche dich doch, Tina!«

Ihr Herz flammte auf. Sie spürte, daß sie kurz davor war, wieder seinem Zauber zu verfallen, aber sie zwang sich zur Kälte. »Sagtest du mir nicht eben doch, daß ich dir gleichgültig wäre?«

»Mein Gott, ja, ich habe es gesagt!« Er raufte sich in übertriebener Verzweiflung das Haar. »Was sagt man nicht alles, wenn man gereizt wird … du hast mich gereizt, Tina, bis aufs Blut hast du mich gereizt.«

»Fein, dann sind wir wieder gerade soweit, wie wir schon einmal waren … ich bin an allem schuld.«

Er nahm sie in seine Arme, zog ihren Kopf an seine Brust, streichelte sie mit zärtlicher Heftigkeit. »Glaubst du denn, ich würde dich nicht gerne heiraten? Glaubst du denn, mir wird nicht ganz elend bei dem Gedanken, daß wir uns bald trennen müssen? Aber es geht nicht anders, Tina, mein Honey, noch nicht! Hab ein bißchen Geduld mit mir! Du weißt doch, daß ich ohne dich nicht mehr leben kann, du weißt es doch!« –

Die Versöhnung war ebenso heftig wie ihr Streit.

Bettina kam zu spät zum Abendessen. Der unausgesprochene Vorwurf ihrer Stiefmutter prallte an ihr ab. Sie war viel zu glücklich, als daß irgend etwas sie gestört hätte.

Wie im Traum kam sie in den nächsten Tagen ihren Pflichten nach, wurde erst richtig wach, wenn sie Norbert Kuban gegenüberstand. Sie stritten sich noch öfter bis zu seiner Abreise, sie stritten sich und versöhnten sich wieder. Aber selbst wenn sie um ihn weinte, spürte sie das Glück, ihn lieben zu dürfen.

Dann kam der Tag, an dem er das Sanatorium verließ. Es hatte in der Nacht zuvor geschneit, jetzt wischte Regen das Weiß von Bäumen und Dächern. Norbert Kubans Wagen stand vor dem Portal. Er hatte den Kragen seines Kamelhaarmantels hochgeschlagen, eine elegante Stoffmütze, die sie nicht an ihm kannte und ihn fremd machte, tief ins Gesicht gezogen.

Alle waren sie zum Abschied erschienen, die Ärzte, die Schwestern, und die meisten der Gäste und Patienten. Norbert Kuban schüttelte Hände, fand liebenswürdige Dankesworte, machte Witze, Bettina spürte, wie sehr er diesen großen Abgang genoß.

Sie wäre gerne mit ihm alleine gewesen, sehnte sich danach, ihn noch einmal zu küssen, aber sie wußte, daß es unmöglich war. So reichte sie ihm nur die Hand, lächelte wie die anderen – in der Sekunde, in der sich ihre Augen begegneten, spürte sie, daß er ihr etwas sagen wollte, sein Versprechen bekräftigte.

Sie standen und winkten ihm nach, bis er durch das große Tor auf die Straße hinausgekurvt und wirklich nichts mehr von ihm zu sehen war. Dann löste man sich in Gruppen und Grüppchen auf. Die Schwestern stoben als erste davon, um ihre versäumten Pflichten nachzuholen.

Bettina ging weder schnell noch langsam. Sie hatte Zeit genug für ihre Arbeit, viel, viel Zeit. Sie fühlte sich plötzlich innerlich leer, wie ausgebrannt.

Ein Arm legte sich um ihre Schultern. Ohne aufzusehen wußte Bettina, daß es nur Philine Steutenberg sein konnte. »Du warst sehr tapfer, mein Liebes«, sagte die Ärztin.

Bettina schwieg. Sie hätte gerne Philines Arm abgeschüttelt, wagte aber nicht, die Stiefmutter zu kränken.

»Du wirst ihn schneller vergessen, als du jetzt glaubst«, sagte Philine.

Bettina fuhr herum. »Vergessen? Warum sollte ich das?«

Philines Leib war schwer geworden in den letzten Wochen, auch ihr Gesicht schien verändert, breitflächiger, stumpfer. »Ich wollte dich nicht verletzen«, sagte sie ruhig.

»Das kannst du nicht.« Bettinas Stimme klang so heftig, daß sie rasch hinzufügte: »Entschuldige bitte, aber tatsächlich, Philine, du hast ja keine Ahnung.«

Bettina spürte genau, daß es richtig gewesen wäre, das Gespräch damit zu beenden, aber das mütterliche Mitleid in den Augen Philines machte sie wütend. Der Wunsch, Norbert Kuban und ihre Liebe zu verteidigen, wurde unbezwinglich. »Aber vielleicht ist es ganz gut, daß wir darüber sprechen«, sagte sie hochmütig, »ich möchte nämlich kündigen.«

Philine Steutenberg erschrak sichtlich. »Bettina, bitte ...«

»Es hat gar keinen Zweck, daß du versuchst, mich umzustimmen«, sagte Bettina, »ich weiß sehr genau, was ich tue.«

Philine Steutenberg packte Bettina beim Arm und führte sie in das sogenannte Gartenzimmer, das bei diesem Wetter – Regen schlug gegen die großen Glasfenster, es war kaum einen Meter weit zu sehen – ganz verlassen war. »Was hast du vor?« fragte sie.

»Ich gehe nach München.«

»Willst du ihm etwa ... nachfahren? Bettina, bitte, hör dieses eine Mal auf mich. Tu es nicht! Du wirst eine schreckliche Enttäuschung erleben. Glaub mir doch, du wirst ...«

»Du siehst die Dinge ganz falsch, Philine«, sagte Bettina, »ich werde ihm nicht nachfahren, er wird mich holen. Ich habe auch nicht die geringste Absicht, mich an ihn zu hängen, sondern ich werde mir selber mein Brot verdienen. Norbert wird mich bei seiner Managerin unterbringen ... vielleicht auch als Skriptgirl, das kommt ganz darauf an.«

»Ach, das hat er dir also erzählt ... na ja, so etwas Ähnliches hätte ich mir denken können. Ein Wunder, daß er dir nicht versprochen hat, eine Schauspielerin aus dir zu machen!«

»Was willst du damit sagen?«

»Bettina, bitte, sei mir nicht böse. Es war mein Fehler. Ich bin augenblicklich in einer Verfassung … es ist anscheinend noch zu früh, mit dir zu sprechen.« Philine Steutenberg nickte Bettina zu und wollte das Gartenzimmer verlassen.

Bettina verstellte ihr den Weg. »O nein, so einfach geht das nicht. Erst machst du Andeutungen, stößt Verdächtigungen aus, dann …«

»Bettina, bitte. Weißt du wirklich nicht, daß ich es immer gut mit dir gemeint habe?«

»Hast du das wirklich? Ich habe keine Ahnung. Jedenfalls eines steht fest, meine Liebe zu Norbert Kuban hast du mir von Anfang an nicht gegönnt.«

»Ich habe dich beschützen wollen!« Philine drehte sich um und trat ins Zimmer zurück. »Ich will es jetzt noch, Bettina. Das ist alles.«

»Danke. Ich bin durchaus imstande, mich selber zu schützen.«

»Das bildest du dir ein, Bettina. Gerade das macht es ja so gefährlich für dich. Ich habe nichts gegen Norbert Kuban, nicht das geringste, glaub mir doch. Er ist charmant und liebenswert, sicher ist er auch sehr begabt. Nur …«

»… ich passe nicht zu ihm, das willst du doch wohl sagen, wie, Philine? Ich bin zu unbedeutend, zu dumm, zu einfältig für ihn!« Bettina trat nahe an ihre Stiefmutter heran. »Aber er liebt mich, daß du's nur weißt, er liebt mich. Vielleicht kannst du es nicht verstehen, wie jemand etwas an mir finden kann, aber es ist eine Tatsache, Er liebt mich.«

Philine seufzte leicht. Sie wollte etwas sagen, aber Bettina ließ sie nicht zu Wort kommen. »Ich weiß schon, was jetzt kommt«, sagte sie wild, »wenn er mich liebt, warum will er mich dann nicht heiraten? Ich will es dir sagen, Philine, weil er es sich nicht erlauben kann … noch nicht. Er ist auf seine Fan-Clubs angewiesen, sie haben ihn groß gemacht. Er kann nicht Millionen Mädchen enttäuschen, indem er heiratet … kannst du das wirklich nicht begreifen?«

»Kannst du's?« fragte Philine ruhig.

Das Blut schoß Bettina in den Kopf. Sie hatte das unangenehme Gefühl, daß Philine sie durchschaute. »Natürlich kann ich das«, sagte sie heftig. »Er muß an seine Karriere denken. Sobald er ganz sicher ist ...«

»Machen wir Schluß damit, Bettina«, sagte Philine Steutenberg freundlich, »es hat keinen Zweck. Du weißt, was ich von der ganzen Geschichte halte. Ich habe dich gewarnt, mehr kann ich nicht tun.«

Als Bettina etwas sagen wollte, hob Philine beschwörend die Hand. »Ja, ich gebe zu, es kann auch sein, daß ich die Dinge falsch sehe. Ich bilde mir nicht ein, allwissend zu sein. Du hast mir einmal vorgeworfen, daß ich selber eine Menge falsch gemacht habe, und damit hattest du sogar recht. Also, warten wir es ab«

»Was?« fragte Bettina. »Was willst du jetzt wieder andeuten?«

»Gar nichts. Weshalb regst du dich so auf? Ich meine nur ... warten wir ab, wann er sich wieder melden wird, was er schreibt ... ob er überhaupt schreibt. Dann haben wir immer noch Zeit, uns gründlich zu unterhalten.«

»Philine!« rief Bettina empört. »Wie kannst du nur so gemein sein! So gemein! Jetzt weiß ich, was du willst? Mich quälen! Mich irre machen. Aber das wird dir nicht gelingen. Ich weiß, daß er mich liebt, und ich weiß, daß er mich holen wird. Vielleicht eher, als euch allen lieb ist.«

XIV.

Bettina war sich sicher gewesen, schon sehr bald einen Brief von Norbert Kuban zu bekommen, vielleicht sogar ein Telegramm, das sie nach München rief. Jedesmal, wenn das Telefon auf ihrem Schreibtisch klingelte, hoffte sie, seine Stimme zu hören.

Aber die Tage und Wochen vergingen, ohne daß eine Nachricht von ihm kam.

Weder Philine Steutenberg noch Dr. Grotius verloren ein Wort darüber. Aber selbst wenn sie etwas gesagt hätten, würde es an Bettina abgeprallt sein. Die Menschen, unter denen sie lebte, waren ihr ganz uninteressant geworden. Ihr Denken und Sehnen galt nur einem einzigen Mann – Norbert Kuban.

Sie litt auch nicht unter den teils mitleidvollen, teils schadenfrohen Blicken der Schwestern; sie merkte es nicht einmal. Sie war ganz in sich selber, ihren Schmerz, ihre Sehnsucht, ihre immer noch blühende Hoffnung versunken.

Der November verging, es wurde Dezember. Die Gäste und Patienten wechselten. Park und Wälder lagen tief verschneit. Weihnachten kam heran, und immer noch wartete Bettina vergebens auf ein Lebenszeichen von Norbert Kuban.

Jeden Abend tröstete sie sich mit dem Gedanken: Morgen wird bestimmt Post von Norbert da sein. Mit klopfendem Herzen sortierte sie die Briefe, immer darauf gefaßt, daß eine Nachricht von Norbert Kuban für sie darunter sein würde. Jedesmal war die Enttäuschung gleich schwer zu ertragen, immer wieder war sie den Tränen nahe.

Sie konnte nicht begreifen, was geschehen war. Wenn ich es nur begreifen könnte, dachte sie, wenn ich nur wüßte, was wirklich passiert ist – ich würde damit fertig werden. Aber so! Ich verstehe es einfach nicht. Er hat mir doch gesagt, daß er mich liebt – nicht nur einmal, oft. Es ist doch nicht möglich, daß ein Mensch von heute auf morgen seine Meinung ändert. Daß Gefühle so schnell verschwinden können. Das ist doch nicht möglich. Selbst wenn er nichts mehr von mir wissen will, müßte er mir doch wenigstens ein paar Zeilen schreiben, es mich wissen lassen. Ich verstehe das nicht.

Sie hatte es sich angewöhnt, jede Woche nach Schliersee hinunterzufahren. Sie kaufte sämtliche Zeitschriften auf, durchblätterte sie gierig, suchte nach Bildern und Notizen über Norbert Kuban. So erfuhr sie endlich, daß Norbert Kuban zu Aufnahmen eines großen Reise- und Abenteuerfilms mit einem großen Stab nach Ägypten gereist war. Sie atmete auf, als sie es las. Einen Augenblick glaubte sie, die

Lösung des Rätsels gefunden zu haben. Wenn er in Ägypten war, konnte er ihr natürlich nicht schreiben.

Konnte er das wirklich nicht? Wieso nicht? Nein, sein Aufenthalt in Ägypten erklärte gar nichts. Bettina mußte sich zugeben, daß sie so wenig wußte wie zuvor.

Sie hätte gern die Zeitschriften mit nach Hause genommen, die Bilder Norbert Kubans, die ihn auf dem Rücken eines Kamels, am Fuße der Pyramiden, vor dem Zelt eines Scheichs zeigten – ausgeschnitten. Aber sie tat es nicht, es schien ihr demütigend.

Zum erstenmal kam ihr der Gedanke, daß Philine vielleicht doch recht gehabt hatte. Es gab keine andere Erklärung für Norbert Kubans rätselvolles Schweigen.

Es war alles aus. Es blieb ihr nichts anderes übrig, als sich abzufinden. Aber sie wußte nicht, woher sie die Kraft dazu nehmen sollte. – –

Einige Tage später sah sie ganz zufällig, wie Philine Steutenberg vor dem Hauptportal den Briefträger empfing. Bettina hatte die Daten eines neuen Patienten, eines alten Mannes, der sich nach einer schweren Operation im Sanatorium erholen wollte, aufgeschrieben und kam die Treppe herunter. Philine Steutenberg sah sie nicht.

Der Briefträger zog einen Stapel Post aus der Tasche, blätterte sie durch, reichte Philine zwei, drei Briefe, ließ sich einen Zettel unterschreiben. Dann hob er grüßend die Hand an die Mütze. Philine nickte ihm lächelnd zu, wandte sich ab und begann, noch im Gehen, einen der Umschläge aufzureißen.

Ein schrecklicher Verdacht stieg in Bettina auf.

Am liebsten hätte sie die Stiefmutter sofort und auf der Stelle zur Rede gestellt, aber sie fürchtete, daß sie nicht die Nerven dazu haben würde. Sie war in den letzten Wochen abgemagert, fühlte sich elend und wurde oft schwindelig. Sie neigte dazu, wegen Nichtigkeiten in Tränen auszubrechen.

So wartete sie, bis Philine im Arbeitszimmer des Chefs verschwunden war, dann drehte sie sich auf dem Absatz um und rannte über den gepflasterten Weg in ihr eigenes Büro hinüber.

Der Briefträger war schon da. Er hatte begonnen, seine Tasche aufzuräumen. »So, das wär's«, sagte er freundlich, nachdem er noch ein paar Zeitungen und Illustrierte ausgepackt hatte.

»Sind Sie sicher, Herr Wachtl?« fragte Bettina atemlos.

Der Briefträger begriff nicht. »Hö?« fragte er.

»Ich meine, sind das alle Postsachen für das Sanatorium?«

Herr Wachtl verstand sie immer noch nicht richtig, begann noch einmal in seiner Tasche zu wühlen, schüttelte dann seinen Kopf.

»Tut mir leid, Fräulein, das ist alles!«

»Aber vorhin haben Sie doch Frau Doktor Steutenberg ein paar Briefe gegeben.«

»Ja, das habe ich«, sagte der Briefträger, immer noch ohne recht zu verstehen, worauf Bettina hinaus wollte.

»Machen Sie das öfters so?«

»Daß ich der Frau Doktor ihre Briefe gleich gebe? Ja das schon. Sie paßt mich jeden Tag ab.«

»Sind Sie sicher, daß Sie ihr nur immer die Briefe geben, die nur für sie bestimmt sind? Bitte, Herr Wachtl, denken Sie doch einmal ganz gut nach!«

»Nein«, sagte der Briefträger, »nein, das tu ich nicht. Ich geb ihr auch mal Sachen für den Chefarzt ... und manchmal auch für einen von den kranken Leuten. Sie sagt: Geben's her, Wachtl, und dann geb ich's ihr. Warum auch nicht? Wenn es nichts Eingeschriebenes ist, darf ich's ihr ruhig geben.«

Bettina war nahe daran, ihn zu fragen, ob er ihrer Stiefmutter auch schon mal einen Brief, der für sie bestimmt gewesen war, gegeben hatte. Aber sie schreckte davor zurück, ihre Stiefmutter so offen zu verdächtigen.

»Ist was falsch dabei?« fragte Herr Wachtl.

»Nein, nein.« Bettina zwang sich zu einem Lächeln. »Es ist alles in Ordnung. Ich wollte es nur mal wissen.«

Dann, als er gegangen war, ließ sie sich auf ihren Stuhl hinter den Schreibtisch sinken, stützte den Kopf in beide Hände. Ihre Erleichterung war größer als ihr Zorn. Jetzt war alles klar.

Norbert Kuban hatte sie nicht vergessen. Er hatte ihr doch geschrieben, vielleicht sogar oft. Philine hatte die Post unterschlagen.

Daß sie nicht eher darauf gekommen war? Philine hatte ihr ihre Liebe nicht gegönnt. Vielleicht war sie sogar ehrlich um sie besorgt gewesen. Warum sie es getan hatte, war gleichgültig. Das Wichtigste war, daß sie jetzt wußte – Norbert Kuban hatte sie nicht belogen. Bettina fühlte sich fast schwindelig vor Glück. Es war ihr, als wenn sie aus einem schweren Alptraum erwachte.– –

Es dauerte eine ganze Weile, bis Bettina begriff, daß die Entdeckung, die sie gemacht hatte, ihre Gefühle, nicht aber die Wirklichkeit veränderte. Norbert Kuban war ihr so unerreichbar wie zuvor.

Er hatte ihr geschrieben, das stand für sie fest. Was aber mochte er gedacht haben, als keine Antwort von ihr kam? Er mußte glauben, daß sie sich von ihm abgewandt hatte.

Bettina war überzeugt von seiner Liebe gewesen, aber sie hatte auch nie die Versuchungen unterschätzt, denen er ausgesetzt war, als er in seine eigene Welt – die Welt des Films – zurückkehrte. Sie wußte, daß er launisch war, reizbar. Sie hatte erfahren, wie schnell seine Stimmungen wechselten – bestimmt hatte er, als er nichts mehr von ihr hörte, versucht, sie aus seinem Gedächtnis zu streichen.

Bettinas Zorn auf Philine wuchs. Dennoch gab sie sich zu, daß sie selber nicht ohne Schuld war. Warum hatte sie gewartet und gewartet, ohne auch nur zu versuchen, sich mit ihm in Verbindung zu setzen? Warum war sie zu stolz gewesen, ihm zu schreiben? Warum war es ihr so wichtig gewesen, daß er den ersten Schritt tat? Hätte er eine Nachricht von ihr bekommen, würde er wissen, wie die Dinge standen. – Laß es nicht zu spät sein, betete sie in ihrem Inneren, lieber Gott, bitte, laß es nicht zu spät sein.

Mit bebenden Händen suchte sie seine Karteikarte aus einem der Kästen. Seine Adresse war eingetragen, hinter der Telefonnummer stand in Klammern: Geheim.

Bettina entschloß sich sofort anzurufen. Zwar hatte sie gelesen, daß Norbert Kuban sich in Ägypten befand. Aber Bettina rechnete damit, daß irgend jemand da war, der seine Wohnung hütete – eine Sekretärin oder eine Haushälterin. Sie mußte erreichen, daß man ihr seine augenblickliche Adresse mitteilte oder wenigstens versprach, einen Brief an ihn weiterzuleiten.

Bevor Bettina telefonierte, stand sie auf, warf einen Blick zum Fenster hinaus auf den gepflasterten Weg, der jetzt auf beiden Seiten von Schneewellen abgegrenzt war. Dann, als sie sicher war, daß sich niemand dem Wirtschaftskontrakt näherte, ging sie zur Tür, drehte den Schlüssel im Schloß. Sie trat zum Schreibtisch, nahm, noch im stehen, den Hörer ab, wählte die Vornummer, wartete, bis eine weibliche Stimme monoton wiederholte: »München ... München ... München...« Dann drehte sie weiter – Norbert Kubans Geheimnummer.

Sie wartete. Der Anschluß war frei, aber niemand meldete sich Sie wartete, aber ihre Hoffnung sank.

Sie wartete auch dann noch, als sie überzeugt war, daß Norbert Kubans Wohnung leer war, blieb stehen, den Hörer in der Hand, wartete einfach deswegen, weil sie nicht die Kraft hatte, aufzulegen. Sie wartete, weil dies ihre einzige Chance war.

Dann, ganz unvermittelt, war ein Geräusch in der Leitung. Eine atemlose und eher ärgerliche als erwartungsvolle Stimme sagte: »Hallo!«

Bettina stand, den Hörer ans Ohr gepreßt, unfähig, ein Wort hervorzubringen.

»Hallo ... wer ist denn da?« fragte die Stimme noch einmal. »Sprechen Sie doch! Warum melden Sie sich nicht?«

Es war Norbert Kubans geliebte Stimme.

Bettina war so überrumpelt, daß ihr beim besten Willen nicht einfiel, was sie jetzt sagen sollte.

»Soll das etwa ein Witz sein?« fragte Norbert Kuban am anderen Ende der Leitung. »Dann ist es aber ein verdammt schlechter!«

Bettina hörte, wie er den Hörer auf die Gabel warf.

Langsam sank auch ihre Hand herab.

Ohne zu wissen, was sie tat, ließ sie sich auf den Stahlrohrsessel sinken, der eigentlich für Besucher bestimmt war. Sie biß sich auf die Lippen, zwang sich, ihre Gedanken zu ordnen.

Norbert Kuban war nicht in Ägypten, er war in München, kaum fünfzig Kilometer von ihr entfernt. Die Erklärung war ganz einfach. Der Bericht von Ägypten war wahrscheinlich erst in die Zeitschriften gelangt, als der Stab schon auf der Rückreise war.

Norbert Kuban war da, sie konnte mit ihm sprechen, jetzt, in diesem Augenblick, sie brauchte nur noch einmal die Verbindung mit ihm herzustellen.

Aber Bettina tat es nicht. Es war alles zu kompliziert. Wie sollte sie ihm am Telefon erklären, warum sie nicht geschrieben hatte? Wie sollte sie ihm glaubhaft machen, daß sie seine Briefe nicht bekam?

Nein, so ging das nicht. Sie mußte zu ihm. Wenn sie einander gegenüberstanden, würden sich viele Worte erübrigen.

Am liebsten wäre Bettina noch in diesem Augenblick aus dem Haus gelaufen, hätte sich hinter das Steuer ihres Wagens gesetzt und wäre in Richtung München losgebraust.

Aber ihr Pflichtgefühl siegte; sie war nicht mehr das unreife Mädchen, das damals ohne ein Wort des Abschiedes aus dem Haus ihres Vaters geflohen war. Sie war nicht im Unrecht, und sie dachte nicht daran, sich selber ins Unrecht zu setzen.

Mit fieberhaftem Eifer machte sie sich daran, alle laufenden Arbeiten soweit abzuschließen, daß sie von ihrer Nachfolgerin ohne Schwierigkeiten übernommen werden konnten.

Dr. Grotius empfing Bettina nach dem Mittagessen in seinem großen, geschmackvoll eingerichteten Arbeitsraum. Eine junge Schwester servierte Kaffee. Es war alles wie damals, als er ihr die Stellung als Sekretärin an seinem Sanatorium anvertraut hatte.

Es war alles wie damals, und doch – wieviel war in den Monaten, die dazwischenlagen, geschehen. Der Sommer war vergangen, und die großen Fenster gaben den Blick auf eine verschneite Winterlandschaft frei.

»Sie hätten eher zu mir kommen sollen«, sagte der Chefarzt und sah sie prüfend aus seinen klugen Augen an. »Sie gefallen mir schon seit langem nicht mehr ...«

Bettina fuhr hoch. »Ich ...? Was habe ich Ihnen denn getan?«

Dr. Grotius lächelte. »Noch immer der gleiche kleine Hitzkopf«, sagte er. »Ich wollte Ihnen keine Vorwürfe machen, Bettina ... ich bin einfach besorgt um Sie. Sie sind mager geworden und nervös. Vielleicht halten Sie das für interessant, aber es steht Ihnen gar nicht. Haben Sie öfter Kopfschmerzen?«

Bettina verneinte.

»Sonst irgendwelche Beschwerden? Schwindelanfälle? Übelkeit?«

»Nein«, sagte Bettina, »ich ... ich bin nicht als Patientin zu Ihnen gekommen.«

»Schade. Ich hätte Sie gerne mal auf Herz und Nieren untersucht. Aber wenn Sie nicht wollen ...«

»Nein, ich will wirklich nicht.«

»Na schön. Da kann man nichts machen. Aber einen Rat werden Sie doch wenigstens von mir annehmen ... besorgen Sie sich flüssiges Lecithin. Nehmen Sie es regelmäßig, Sie werden sehen ...«

»Ich bin aus einem ganz anderen Grund zu Ihnen gekommen ...« sagte Bettina zögernd. Plötzlich kam sie sich sehr undankbar vor gegenüber dem Arzt, von dem sie immer nur Gutes empfangen hatte.

Er sah sie an, lächelte unmerklich. »Sie wollen uns verlassen, nehme ich an?«

Bettina errötete. »Ja. Woher wissen Sie ...«

»Ich habe es kommen sehen ... schon seit einiger Zeit. Wann wollen Sie fort?«

»Noch heute.«

Sie sah, daß das Gesicht des Arztes sich verfinsterte und fügte rasch hinzu: »Sie wissen, daß ich schon vor fast zwei Monaten vorsorglich gekündigt habe.«

»Stimmt auffallend. Darum handelt es sich auch gar nicht. Haben Sie eigentlich daran gedacht, Bettina, daß in wenigen Tagen Weihnachten ist?«

»Gerade deshalb.«

»Und ... was haben Sie für Pläne? Falls Sie es nicht für aufdringlich halten, daß ich mich danach erkundige, versteht sich.«

Bettina schwieg.

»Sie haben recht«, sagte Dr. Grotius und stand auf. »Es hat keinen Sinn, wenn Sie mir etwas erzählen. Es würde mich nur belasten, da ich mich zu meinem Leidwesen außerstande sehe, Ihnen zu helfen.« Er lächelte. »Wenn ich ein weltbekannter Mann wäre, fünfzehn Jahre jünger und Norbert Kuban hieße, könnte ich es vielleicht, wie?«

Er sah ihre Verlegenheit, setzte hinzu: »Ich habe das jetzt nur gesagt, um Ihnen zu zeigen, daß man mich nicht so leicht beschwindeln kann – also aus Eitelkeit. Ja, ich gebe es zu, daß ich das bin. Nur die Heiligen sind ohne Eitelkeit.« Er blieb vor ihr stehen, sah sie an. »Schade. Na, da kann man nichts machen. Ich nehme an, es hat keinen Sinn, wenn ich Ihnen jetzt gute Ratschläge gebe. Jeder Mensch muß seine eigenen Fehler machen. Anders geht es nicht.«

Bettina stand auf. »Ich hätte gern noch ein Zeugnis, Herr Doktor.«

»Ja, richtig. Was soll ich schreiben?«

»Ich habe es schon aufgesetzt«, sagte Bettina und holte ein zusammengefaltetes Stück Papier aus ihrer Handtasche. »Sie brauchen es nur noch unterschreiben, das heißt ... natürlich, wenn Sie nichts dagegen haben.«

Dr. Grotius faltete das Blatt auseinander, warf Bettina einen merkwürdigen Blick zu, las laut: »Fräulein Bettina Steutenberg war vom 1. September bis 17. Dezember als Sekretärin in meinem Sanatorium tätig. Sie war pflichtbewußt, zuverlässig und arbeitsam, zeigte sich vertraut mit allen Büroarbeiten. Sie verläßt mich auf ihren eigenen Wunsch.« Dr. Grotius nahm das Blatt, legte es auf seinen Schreibtisch, schraubte seinen Füllfederhalter auf und unterschrieb. »Sie scheinen keine schlechte Meinung von sich zu haben, Bettina«, sagte er. »Na, immerhin, so sehr übertrieben ist es ja gar nicht.«

»Ich muß Geld verdienen«, sagte Bettina. »Soviel wie möglich.«

»Ich wünsche, daß es Ihnen gelingt«, sagte Dr. Grotius herzlich, »und alles andere auch.« Er gab ihr das unterschriebene Zeugnis zurück, schüttelte ihr die Hand. »Und ... nicht das flüssige Lecithin vergessen, hören Sie?«

Bettina war erleichtert, daß alles so glatt gegangen war. Dennoch blieb ein Rest von Beschämung.

Während ihres Aufenthaltes im Sanatorium hatte Bettina nur wenige Anschaffungen gemacht. Sie hatte sich ein Paar bequeme Schuhe gekauft, später, nach Einbruch des Winters, auch ein paar Stiefel, bunte Strumpfhosen und warme Handschuhe, ein Wollkleid, einen fröhlich karierten Schottenrock und zwei Pullover – alles Sachen, die sie dringend gebraucht hatte.

Da sie im Haus wohnte und verpflegt wurde, hatte sie ihr ganzes Gehalt für Einkäufe aufwenden können.

Sie besaß hundertachtzig Mark in bar – das Geld hatte eigentlich zum Kauf eines Wintermantels dienen sollen, jetzt war sie froh, daß sie es noch nicht ausgegeben hatte.

Der Gedanke war ihr entsetzlich, Norbert Kuban um Geld bitten zu müssen.

Sehr eilig und dennoch methodisch begann Bettina zu packen. Sie mußte bald einsehen, daß der Koffer, mit dem sie aus Hamburg geflohen war, viel zu klein war, um alle ihre Sachen aufnehmen zu können. Sie entschied sich, nur Wäsche, Pullover und Kleinigkeiten einzupacken, die Kleider über den Arm zu nehmen und hinten ins Auto zu hängen.

Sie war gerade dabei, den Koffer zu schließen, sah sich noch einmal prüfend im Zimmer um, ob sie auch nichts vergessen hatte – als ohne anzuklopfen die Tür geöffnet wurde.

Philine trat ein. Einen Augenblick sahen die beiden Frauen sich schweigend an.

»Ich höre, du willst fort?« sagte Philine dann.

»Ja!« Bettina wandte sich wieder ihrem Koffer zu, drückte das rechte Knie darauf. Es gelang ihr, die Schlösser zum Zuschnappen zu bringen.

»Hast du schon eine Adresse?« fragte Philine.

»Nein.«

»Ich hoffe sehr, du wirst mit mir in Verbindung bleiben.«

Bettina hatte sich geschworen, sich auf keinerlei Auseinandersetzung mit ihrer Stiefmutter einzulassen, aber es gelang ihr nicht, ruhig zu bleiben. »Warum sollte ich«, sagte sie kalt.

Philine kam einen Schritt näher, fragte voll mütterlicher Besorgnis: »Bettina! Aber was hast du, Kind?«

»Solltest du das wirklich nicht wissen?«

»Nein.« Ihre Stimme klang so ehrlich erstaunt, daß Bettinas Widerwillen wuchs. »Habe ich dich gekränkt?«

»Gekränkt! Wenn es nur das wäre!«

Philine Steutenberg holte tief Atem. »Bettina«, sagte sie eindringlich. »Bitte, erklär mir doch, was vorgefallen ist. Ich weiß von nichts, das mußt du mir glauben. Du willst doch nicht etwa behaupten, daß du meinetwegen das Sanatorium verläßt?«

»Nein, das ganz bestimmt nicht«, sagte Bettina bitter, »im Gegenteil.«

»Jetzt verstehe ich überhaupt nichts mehr. Willst du mir nicht wenigstens erklären …«

»Nein!« sagte Bettina. »Dazu sehe ich keinen Anlaß. Du hast dich jetzt lange genug in meine Angelegenheiten eingemischt. Jetzt ist es damit aus!«

»Bettina, aber … wie kann ich deinem Vater gegenüber verantworten …«

»Tu doch nicht so!« sagte Bettina außer sich vor Zorn. »Hör endlich auf mit dem Theater! Ich habe längst heraus, daß Vater dir herzlich gleichgültig ist, sonst wärst du doch nicht hier … ach was, wozu soll ich mich mit dir zanken. Laß mich gehen!«

Bettina riß ihren Regenmantel vom Haken, schlüpfte hinein, sie legte ihre Kleider über den linken Arm, faßte mit der anderen Hand den Griff ihres Koffers.

Philine blieb reglos in der Tür stehen, versperrte ihr den Weg.

»Ich weiß nicht, was dich so zornig gemacht hat, Bettina«, sagte sie, »es muß sich um ein schreckliches Mißverständnis handeln. Ich kenne dich gar nicht wieder. Sag mir, was du gegen mich hast … und ich werde dir erklären …«

»Ach, Philine«, sagte Bettina erschöpft, »spar dir deinen Atem. Merkst du denn wirklich nicht, daß es aus ist?«

»Du fährst zu Norbert Kuban.«

»Ja.«

»Ich hoffe, du hast überlegt, was du tust.«

»Auch das.«

Philine zögerte noch immer, Bettina die Tür freizugeben. »Willst du mir etwas versprechen, Bettina … eine winzige Kleinigkeit …«

»Nein. Das tu ich nicht.«

»Hör mich doch erst mal an. Ich verlange ja nur von dir … was heißt verlangen … ich bitte dich von ganzem Herzen … wenn du eine Enttäuschung erleben solltest, wenn nicht alles so wird, wie du es dir vorgestellt hast, bitte, setze dich mit mir in Verbindung. Komm zurück. Ich werde immer für dich da sein, Bettina … das ist es, was ich dir sagen wollte.«

XV.

Als Bettina endlich das Sanatorium verlassen konnte, war schon die frühe Dämmerung des Wintertages hereingebrochen. Der verhangene Himmel hob sich bläulich gegen den weißen Schnee ab.

Obwohl die Garage geheizt war, brauchte sie einige Zeit, bis der Motor sich warmgelaufen hatte. Als er endlich ansprang, als der schnittige Wagen sich fast geräuschlos und voller Kraft in Bewegung setzte, spürte Bettina, daß sie mit diesem Aufbruch ein weiteres Kapitel in ihrem Leben beendet hatte. Es tat ihr nicht leid darum.

Sie war schon viele Male nach Schliersee hinuntergefahren, und sie hatte es eilig. Zwar fuhr sie im zweiten Gang, da die Straße, obwohl gestreut, verdächtig schimmernde Eisbänder zeigte, aber sie fand nichts dabei, daß das Tachometer sechzig Sachen anzeigte. In Gedanken war sie schon bei Norbert Kuban in München.

So geschah es, daß sie einen Unfall baute.

In einer Kurve geriet der Wagen ins Schwingen, sie nahm sofort Gas weg, versuchte zu bremsen, hielt das Lenkrad eisern umklammert – aber der Wagen gehorchte ihr nicht mehr, drehte sich im Kreise um sich selber. Der Schock raubte Bettina das Bewußtsein.

Als sie wieder zu sich kam, fand sie sich und den Wagen im Straßengraben wieder. Es dauerte ein paar Augenblicke, bis sie begriff, was geschehen war. Ihre erste Reaktion war, den Zündschlüssel herauszuziehen.

Mit ungeheurer Erleichterung stellte sie fest, daß Arme und Beine ihr noch gehorchten, daß sie unverletzt war.

Das Auto stand schief, die Tür klemmte, es dauerte eine ganze Weile, bis sie sie aufbrachte. Dann stieg sie aus, ging um den Wagen herum und besah sich den Schaden. Es war noch einmal glimpflich abgelaufen. Wäre das Auto zur Außenseite der Straße hingeschleudert worden, würde es unweigerlich den Abhang hinuntergestürzt sein und die Überreste hätten nur noch den Totengräber und den Schrotthändler interessieren können.

Bettina fiel ein, daß sie im Kofferraum eine Signallaterne hatte. Sie stellte sie an, setzte sie auf die Straße, ging, mit den Füßen trappelnd, mit den Händen gegen die Oberarme schlagend, frierend auf und ab.

Es dauerte gut zwanzig Minuten, bis ein Personenwagen, der aus der entgegengesetzten Richtung kam, hielt. Nach einigen vergeblichen Anstrengungen gelang es drei hilfreichen jungen Männern, ihr Auto wieder auf die Fahrbahn zu schaffen. Sie warteten, bis ersichtlich war, daß der Motor noch funktionierte. Bettina bedankte sich mit ehrlicher Herzlichkeit, bevor sie ihre Fahrt fortsetzte.

Sie chauffierte jetzt sehr langsam und mit konzentrierter Aufmerksamkeit.

Es war kurz vor neun, als sie München erreichte. Hier in der Stadt gab es Schnee nur auf den Dächern. Straßenlaternen, Schaufenster und Neonreklamen warfen ihr Licht bis auf die nasse Fahrbahn.

Bettina kannte sich noch von einer Reise mit ihrem Vater her gut genug aus, um ohne zu fragen die Briennerstraße zu finden. Sie kannte Norbert Kubans Wohnung aus seinen Erzählungen. Sie lag im obersten Stockwerk eines Hochhauses, mit einer kleinen Dachterrasse, von der aus man über die ganze Stadt sehen konnte. Hier pflegte der Schauspieler seine berühmten Junggesellenpartys zu feiern.

Bettina kam es keinen Augenblick in den Sinn, sich erst ein Hotelzimmer zu beschaffen, sich frisch zu machen, telefonisch anzumelden.

Sie fand das Haus, parkte ihr Auto, ging die wenigen Schritte zurück, stieß die hohe Glastür auf und trat in eine Diele von imponierendem Ausmaß. Die meisten der Hochhauswohnungen waren als Büros an gute Firmen vermietet.

Ohne den Pförtner zu fragen durchquerte sie die Diele. Der Lift war unten, sie ließ sich zum obersten Stockwerk fahren.

Obwohl die Tür durch kein Schild gekennzeichnet war, fand sie Norbert Kubans Wohnung sofort.

Sie klingelte.

Kaum zwei Sekunden später wurde geöffnet.

Norbert Kuban stand auf der Schwelle. Als er Bettina sah, veränderte sich sein Gesichtsausdruck.

Norbert Kubans Gesicht wirkte fast töricht vor Überraschung. »Tina«, sagte er benommen, »nein, aber das ist doch nicht möglich!«

Bettina hatte sich alles, was sie ihm sagen wollte, genau zurechtgelegt. Jetzt, als er ihr gegenüberstand, war alles vergessen.

»Norbert«, sagte sie unsicher, »ich bin gekommen, um ... ich muß dir erklären ...«

Der Mann hatte sich schon wieder gefaßt. »Komm herein«, sagte er und machte die Tür ganz auf.

Bettina trat an ihm vorbei in eine sehr exzentrisch eingerichtete, mit ostasiatischen Kunstgegenständen überladene Diele.

»Norbert, ich bin so froh ...«, begann sie.

Er schnitt ihr das Wort ab. »Später, Honey, später!«

Erst jetzt begriff Bettina, daß er nicht allein war. Vor einem kostbar gerahmten Spiegel stand eine Frau, von der nur fast blauschwarzes Haar, ein schimmernder Nerzmantel, schöngeformte Waden, schlanke Fesseln und sehr hohe bleistiftdünne Absätze zu sehen waren.

»Darf ich bekannt machen, Ada«, sagte Norbert Kuban, »Bettina Steutenberg. Bettina, das ist Ada Berger!«

Ada Berger sagte kein Wort, nahm sich nicht die Mühe, sich umzudrehen. Sie war eine faszinierende und sehr erfolgreiche Schauspielerin; Bettina hatte sie in einigen Filmen gesehen. Sie kam sich plötzlich unscheinbar und ganz und gar bedeutungslos vor.

»Ja, Tina ... was machen wir denn nun mit dir?« fragte Norbert Kuban und sah sie freundlich, wenn auch ein wenig abwesend an.

»Wenn ich störe ...« Bettinas Lippen zitterten. »Bitte, entschuldige, ich wußte ja nicht ...«

»Unsinn!« sagte er barsch. »Natürlich freue ich mich, dich mal wieder zu sehen. Die Frage ist bloß, was ich jetzt im Augenblick mit dir anfange. Jedenfalls denke ich, du wirst doch ein paar Tage in München bleiben, wie?«

Sie nickte, unfähig, ein Wort hervorzubringen.

»Na, dann ist ja alles in bester Ordnung. Wir machen einen Termin für einen Treff aus. Sag mir ganz rasch, wo du wohnst …«

»Ich habe noch kein Zimmer.«

»Hör mal, Norbert«, sagte Ada Berger überraschend, »wenn es noch lange dauert, bis du dieses Waisenkind verarztest hast, dann nehme ich mir wohl doch lieber ein Taxi!« Sie wandte sich um, und Bettina sah, daß sie in Wirklichkeit genauso schön wirkte wie auf der Leinwand. Ihre glatte bräunliche Haut war ungepudert, ihre großen, fast schwarzen Augen durch geschickte Striche und grünliche Schatten noch vergrößert, ihr voller Mund so zart geschminkt, daß er fast natürlich wirkte.

Bettina konnte nicht anders, als sie fasziniert anstarren.

»Ada, hör mal …«, begann Norbert Kuban unsicher.

»Warum machst du so ein Theater?« sagte Ada Berger, der Bettinas offenkundige Bewunderung anscheinend gefiel. »Nimm sie doch einfach mit!«

»Zu Kai?«

»Warum nicht? Du wirst mir doch hoffentlich nicht erzählen wollen, daß dort nur die Creme der Gesellschaft versammelt ist!«

»Eigentlich hast du recht«, sagte Norbert Kuban, »nur …« Er kam nicht dazu, den Satz zu Ende zu sprechen.

Es klingelte an der Wohnungstür. »Verdammt!« sagte er ärgerlich.

»Na, mach schon auf!« drängte Ada.

Norbert Kuban öffnete die Tür und herein stürzte ein wild geschminktes junges Mädchen, dessen weißblonde Locken genauso zerzaust waren wie ihr heller Pelzmantel. »Hei!« rief sie vergnügt. »Da bin ich ja gerade noch zurechtgekommen!«

»Tag, Bunny«, sagte Norbert Kuban gelassen.

»Auch das noch!« Ada Berger hob die Augenbrauen.

»Du hast hoffentlich nicht vergessen, daß du versprochen hast, mich mitzunehmen, Honey?« fragte Bunny.

Bettina zuckte zusammen, als sie den Kosenamen, den Norbert Kuban ihr gegeben hatte, aus einem anderen Munde hörte.

»Natürlich nicht, bloß …« Norbert Kuban wandte sich an Bettina. »Sag mal, Mädchen, bist du mit dem Wagen da?«

Sie nickte.

»Fein. Dann wäre das auch geritzt. Ich fahre mit Ada, und ihr beide kommt hinterher. Du brauchst bloß meinem Wagen zu folgen, Tina, und falls du uns aus den Augen verlieren solltest, Bunny wird dir den Weg schon zeigen.«

»Ja, aber … ich weiß gar nicht …« sagte Bettina überrumpelt.

Niemand nahm von ihrem schwachen Protest Notiz. Norbert Kuban hatte die Wohnungstür geöffnet, Ada Berger rauschte an ihm vorbei, Bunny stieß Bettina hinterher, Norbert Kuban, der als letzter kam, schloß die Tür ab.

Während sie draußen im Treppenhaus auf den Lift warteten, unterhielten sich Norbert Kuban und Ada Berger leise miteinander, in einer Art, die Bettina und Bunny bewußt oder unbewußt ausschloß.

»Also … was soll ich Jossi sagen?« fragte Ada Berger.

»Daß sie mit Atze reden muß!«

»Also sind wir genauso weit wie zuvor.«

»Wieso denn?«

»Du weißt genau, es kommt auf dich an. Willst du oder nicht?«

»Wenn Atze mich frei gibt …«

Der Lift hielt, Ada Berger stieg zuerst ein, die beiden Mädchen folgten ihr, Norbert Kuban kam als letzter.

Die Schauspielerin nahm sofort den Faden ihrer Unterhaltung wieder auf. »Ich glaube, du hast das Buch gar nicht gelesen, Norbert!«

»Doch, doch.«

»Na dann …«

»Sieh mal, Ada«, sagte Norbert, »ich gebe ja zu, der Stoff ist prima. Die Elena auch. Ganz groß. Aber …«

Der Lift hielt unten, Ada Berger und Norbert Kuban stiegen aus und traten, in ihr Gespräch vertieft, ohne sich nur einmal nach Tina und Bunny umzusehen, auf die Straße hinaus.

Bunny krauste ihre freche kleine Nase. »Die Ada ist bescheuert«, sagte sie mit Überzeugung.

»Sie ist sehr schön …«

»Na, wenn schon! Temperament muß man haben.« Dann wechselte Bunny den Ton. »Zugegeben, sie steht hoch im Kurs, jedenfalls augenblicklich. Bescheuert ist bloß, daß sie jetzt versucht … na, Sie haben's ja selber gehört.«

»Ich habe kein Wort begriffen«, sagte Bettina ehrlich.

»Nicht?« Eine Sekunde lang sah Bunny Bettina mißtrauisch an, dann klärte sich ihr Gesicht sofort wieder auf. »Um so besser. Dann gibt's wenigstens noch einen, dem man was erzählen kann.« Vertraulich schob sie ihren Arm unter den Bettinas. »Also passen Sie auf. Ada dreht jetzt einen neuen Film … so eine Generationsgeschichte, verstehen Sie, sie spielt alle Rollen, Großmutter, Mutter und Kind. Beim Kind fängt's natürlich an. Und da hat sie sich gedacht, sie kann den Norbert kriegen, der soll den jungen Mann übernehmen, der sie verführt und dann mit ihrem unehelichen Kind sitzen läßt.« Sie holte Atem. »So ein Quatsch. Das tut der doch nie.«

»Wieso?«

»Ganz klar. Erstens ist die Ada sowieso schwierig im Atelier … alle Scheinwerfer auf mich! Sie verstehen schon. Zweitens spielt Norbert keine Episoden, das hat er nicht mehr nötig, und drittens, ein Mann, der ein Mädchen verführt … das würden eine Menge Leute ihm verdammt übelnehmen.«

»Und wer ist Jossi?« fragte Bettina.

»Ihre Managerin. Sie möchte das Ding gerne drehen. Verstehen Sie?«

»Und Kai?«

»Hat gar nichts damit zu tun.«

»Aber wieso denn? Ich dachte, wir führen jetzt …«

»Schon. Aber Kai, der ist nicht vom Film, ein netter Junge, hat Geld wie Heu. Haben Sie noch nie von ihm gehört?«

Bettina schüttelte den Kopf.

»Komisch. Er steht doch alle naselang in der Abendzeitung. Einer unserer berühmtesten Playboys, wissen Sie.«

Sie waren während ihres Gespräches die nächtliche Briennerstraße entlanggeschlendert. Jetzt blieb Bettina bei ihrem Auto stehen, holte den Zündschlüssel aus ihrer Handtasche.

Bunny pfiff durch die Zähne. »Hei!« sagte sie beeindruckt. »Ist das etwa Ihrer?«

Bettina nickte. »Eine Sekunde ... Sie können gleich einsteigen!«

»Potzblitz!« Bunnys Staunen über den schneeweißen Sportwagen mit den karminroten Lederpolstern war ungekünstelt. »So eine sind Sie also! Ich glaub', von Ihnen kann ich noch was dazulernen.«

Bettina spürte, daß Bunny es nicht böse meinte. Sie stieg ein, öffnete die gegenüberliegende Wagentür von innen. Bunny schlüpfte auf ihren Sitz. Bettina steckte den Zündschlüssel ein, ließ den Motor an.

»Hat Norbert den Ihnen geschenkt?« fragte Bunny sie interessiert.

»Warum sollte er?« Bettina manöverierte den Wagen vorsichtig auf die Fahrbahn hinaus.

»Na, ja, man kann nie wissen. Übrigens, ganz ehrlich, soviel Großzügigkeit hätte ich ihm auch gar nicht zugetraut.«

»Nicht?« fragte Bettina, die Augen auf die vor Feuchtigkeit glänzende Straße gerichtet.

»Bestimmt nicht«, sagte Bunny überzeugt. »Seit zwei Jahren habe ich alle seine Liebschaften mitbekommen... fast alle, ich will nicht übertreiben. Aber mehr als ein paar Blumen oder eine Schachtel Pralinen hat noch keine bei ihm ergattert.«

Bettina schwieg. Es war schwer, etwas darauf zu sagen. Die ganze Situation hatte etwas Unwirkliches an sich, und sie mußte gegen das Gefühl ankämpfen, alles nur zu träumen. Es war so unwahrscheinlich, daß sie wirklich in München war, Norbert Kuban gesprochen hatte, jetzt mit einem wildfremden Mädchen zu der Party eines wildfremden jungen Mannes fuhr und sich dabei Geschichten über Norbert Kubans Liebesleben anhörte.

»Warum sollte er auch was schenken«, sagte Bunny nachdenklich. »Wenn es einer nicht nötig hat, dann ist er's.«

»Er hat viel Erfolg, wie?« fragte Bettina mechanisch.

»Sie müssen gleich rechts einbiegen«, erklärte Bunny. »Kennen Sie sich in München aus? Kai wohnt nämlich in Grünwald.« Sie klappte ihre Handtasche auf, sah Bettina an: »Haben Sie etwas dagegen, wenn ich rauche?«

»Nein.«

»Mögen Sie vielleicht auch eine?«

»Nein, danke.«

Bunny steckte sich eine Zigarette zwischen die stark geschminkten, mit dem Konturenstift vergrößerten Lippen, ließ ihr Feuerzeug aufklicken, sagte, die Zigarette im Mund: »Erfolg hat er jede Menge, bloß nicht da, wo es ihm darauf ankommt.«

»Verstehe ich nicht.«

»Kennen Sie ihn lange?«

»Seit dem Sommer.«

»Ah, als er so geheimnisvoll verschwunden war, in einem Sanatorium oder wo …«

»Ja«, sagte Bettina, die keinen Anlaß sah zu lügen.

»Na dann. Kein Wunder, daß Sie auf ihn reingefallen sind. Das wäre jeder an Ihrer Stelle passiert.«

»Wie kommen Sie darauf, daß ich … auf ihn hereingefallen bin?«

»Du lieber Himmel!« Bunny stieß den Rauch ihrer Zigarette durch die Nase. »Habe ich Sie etwa gekränkt? War nicht meine Absicht. Ehrenwort.«

»Ich möchte wissen, warum Sie das gesagt haben!«

»Weil ich den Eindruck hatte. Gleich als ich reinkam. Sie standen da so herum … alle drei … Ada, wie immer, die Arroganz in Person, Norbert ein bißchen in die Enge getrieben und Sie … na eben, wie das fünfte Rad am Wagen. So was kennt man doch. Entschuldigen Sie, wenn ich mich geirrt habe.«

Bettina hatte bisher eine starre, fast unnatürliche Ruhe gezeigt. Ganz plötzlich war es mit ihrer Fassung vorbei. Tränen stiegen in ihr hoch, bittere Tränen, die nicht aufzuhalten waren. Sie füllten ihre Augen, liefen ihr in dicken Tropfen die Wangen hinunter, in die Mundwinkel, schmeckten nach Salz und Verzweiflung.

»Fahren Sie rechts ran!« sagte Bunny munter. »Fahren Sie rechts ran und bleiben Sie stehen.«

Bettina gehorchte.

Bunny neben ihr atmete auf, »Ich habe nämlich nicht vor, jung zu sterben, müssen Sie wissen«, sagte sie.

Bettina wischte sich die Tränen ab, putzte sich energisch die Nase. »Entschuldigen Sie, bitte!«

»Keine Ursache. Es ist Ihr Wagen. Sie können drin heulen, soviel Sie wollen. Wie heißen Sie eigentlich?«

»Bettina … Bettina Steutenberg.«

»Klingt nicht übel. Sie wollen zum Film?«

Bettina schüttelte energisch den Kopf. Sie schluckte, denn sie fühlte wieder die Tränen aufsteigen.

»Nicht mal das? Weshalb jammern Sie dann?«

»Ich kann es Ihnen nicht erklären«, sagte Bettina mühsam. »Bitte … fragen Sie mich nicht.«

»Na schön. Es geht mich ja auch nichts an. Wäre es nicht besser, wenn ich Sie ablösen würde … am Steuer, meine ich. Sie scheinen nicht ganz …«

»Ich will nicht zu dieser Party«, sagte Bettina heftig, »und ich will ihn nicht wiedersehen!«

»Sie hatten wohl gedacht, er würde sie jubelnd an die Brust nehmen, wie?« fragte Bunny, fügte aber sofort reuevoll hinzu: »Ich weiß, das war gemein … seien Sie nicht böse, das ist mir nur so herausgerutscht.« Sie sah Bettina von der Seite an. »Wohin wollen Sie sonst?«

»Irgendwohin. Wo ich schlafen kann. Wissen Sie, ob hier in der Nähe ein Hotel oder eine Pension ist?«

»Schon«, sagte Bunny, »aber da werden Sie nicht viel Glück haben. Wir haben mal wieder irgendeinen Kongreß in München … was weiß ich, wer, wie und was hier zusammenströmt. Jedenfalls sind alle Betten belegt.«

»Ich muß es eben versuchen«, sagte Bettina.

»Hören Sie mal. Ich habe eine Idee!« Bunny sagte das ganz impulsiv, aber plötzlich hatte Bettina das Gefühl, als wenn sie diesen Satz seit langem vorbereitet hatte.

»Ja?« fragte sie.

»Sie können bei mir pennen … nur, wenn Sie wollen, natürlich. Wir können jetzt gleich hinfahren und dann … können Sie mir Ihren Wagen leihen? Nur für heute abend?«

Bettina war in diesem Augenblick alles gleichgültig geworden. »Natürlich«, sagte sie.

»Hei!« rief Bunny vergnügt. »Ich wußte ja, daß ich heute einen Glückstag habe. Eine Sekunde, ich steige aus … wir wechseln gleich die Plätze! Dann können Sie mir einige Finessen erklären …«

Als Bettina erwachte, fiel das frühe Licht eines klaren Wintertages durch ein hochgelegenes Fenster. Sie sah um sich, wußte nicht sogleich, wo sie sich befand. An den Wänden hingen sehr bunte und sehr abstrakte Bilder. Kleidungsstücke, die ihr nicht gehörten, lagen achtlos auf einen Stuhl geworfen. Als sie nach ihrer Armbanduhr greifen wollte, die sie auf ein Tischchen neben der Couch gelegt hatte, faßte sie mit der Hand in eine offene Cremedose.

In diesem Augenblick begriff sie. Mit erschreckender Klarheit überfiel sie die entsetzliche Enttäuschung, die ihr der gestrige Tag gebracht hatte.

Am Abend zuvor war sie müde gewesen, überrumpelt, betäubt. Jetzt am Morgen, nach dem langen tiefen Schlaf, fühlte sie sich hellwach und begriff erst ganz, was geschehen war.

Norbert Kuban hatte sie behandelt wie eine Fremde.

Hatte er das wirklich getan?

Sofort begann ihr Herz wieder für den Mann, den sie liebte, Partei zu nehmen. Vor zwei Monaten hatten sie sich zuletzt gesehen. Sie hatte ihm nie geschrieben. Plötzlich und unangemeldet hatte sie vor seiner Wohnungstür gestanden. Er war nicht allein gewesen. Es hatte keine Zeit gegeben, irgend etwas zu erklären. Gleich darauf war auch noch Bunny gekommen. Was hätte er anderes tun sollen? Sie in die Arme nehmen, küssen? Überschwenglichkeit lag nicht in seiner Art. Wenn er sich wirklich nichts aus ihr machte, hätte er sie auch verleugnen, sie einfach fortschicken können. Statt dessen war er bereit gewesen, sie mit auf diese Party zu nehmen, zu der wahrscheinlich nur interessante Persönlichkeiten geladen waren.

Mit beiden Beinen sprang Bettina aus dem Bett. Es kam ihr plötzlich vor, als wenn sie sich wie eine Närrin benommen hätte. Gestern noch hatte sie geglaubt, daß Bunny ihr die Augen geöffnet hätte. Woher konnte sie wissen, daß sie die Wahrheit sprach? Viel wahrscheinlicher war, daß sie selber Norbert Kuban liebte und ihn für sich haben wollte.

Bettina fühlte sich wie von einem Alpdruck befreit. Weit stieß sie die Flügel des Fensters auf. Kalte Luft strömte ins Zimmer. Der Himmel war von einem eisigen Blau, die Wintersonne leuchtete wie ein goldener Ball, aber sie hatte keine Kraft mehr zu wärmen.

Bettina stand in ihrem Pyjama am Fenster, atmete tief durch und begann, sie wußte selber nicht, wieso ihr Lust dazu kam, Freiübungen zu machen: Kniebeuge, Rumpfbeuge, Drehen in den Hüften.

Sie fuhr herum, als sie sich angerufen hörte.

Bunny, noch im Pelzmantel, das weißblonde Haar zerzaust, der grelle Lippenstift verschmiert, war ins Zimmer getreten. »Hei!« sagte sie, aber ihre Stimme klang nicht eben munter. »Mir scheint, Sie sind der sportliche Typ … aber bitte nicht bei mir. Es ist saukalt draußen.«

Rasch schloß Bettina das Fenster.

Bunny gähnte ungeniert, ohne die Hand vor den Mund zu halten. »Das war eine tolle Nacht!« sagte sie. »Junge, Junge, da haben Sie wahrhaftig was versäumt. Das war die Party des Jahres!« Sie schlüpfte aus ihrem weißen Pelzmantel, hängte ihn über einen Bügel und in den Kleiderschrank. »Sie erlauben wohl, daß ich mich hinhaue … ich bin geschafft.«

»Hat Norbert Kuban etwas darüber gesagt, daß ich nicht mitgekommen bin?« fragte Bettina und wußte im selben Augenblick, daß diese Frage völlig unsinnig war. Wie konnte sie glauben, daß Bunny ihr die Wahrheit sagen würde.

»Der? Ich glaube, der hat's nicht mal bemerkt.« Bunny gähnte wieder, angelte mit der Hand an ihrem Rücken nach dem Reißverschluß. »Würden Sie bitte …«

Bettina verstand sofort und zog ihr den Reißverschluß des enganliegenden schulterfreien Cocktailkleides herunter.

Bunny ließ es achtlos auf den Boden fallen, stieg heraus.

In Hemd und Höschen wirkte sie seltsamerweise jünger, fast unschuldig.

»Was glotzen Sie mich so an?« sagte sie. »Tun Sie lieber was! Wie wär's, wenn Sie uns beiden einen anständigen Kaffee kochen würden … falls Sie das können!«

»Doch, natürlich«, sagte Bettina sofort.

»In der Kochnische finden Sie alles!«

Während Bettina den Kaffee kochte, hörte sie, wie Bunny sich abbrauste. Dann entnahm sie aus dem Krachen der Matratze, daß sie sich auf die Couch geworfen hatte.

Als Bettina wenig später ein Teakholztablett, auf das sie die Kaffeekanne, ein Schälchen mit Zucker, eine Dose Kondensmilch und zwei Tassen gestellt hatte, ins Schlafzimmer kam, lag Bunny im Bett, sah ihr, die Arme unter dem Kopf verschränkt, entgegen. Ihr Gesicht, das jetzt blank vor Sauberkeit war, wirkte ganz verändert. Sie war, ohne die Nachhilfe von Lippenstift, Lidschatten, Wimperntusche und Puder völlig unbedeutend, weder hübsch noch häßlich, keineswegs besonders interessant.

»Darf ich Sie was fragen, Bunny?« fragte Bettina, während sie den Kaffee eingoß und eine Tasse auf das Tischchen neben das Bett stellte.

»Nur zu. Tun Sie sich keinen Zwang an.«

»Zucker? Milch?« fragte Bettina.

»Nein.«

Bettina wartete, bis Bunny umgerührt, den ersten Schluck genommen hatte. Sie hatte es jetzt nicht mehr sehr eilig. Sie fühlte deutlich, daß jetzt alles anders war wie gestern abend. Jetzt war sie die Überlegene.

»Bunny«, sagte sie, »wie stehen Sie eigentlich zu Norbert Kuban?«

»Überhaupt nicht«, sagte Bunny.

»Wieso sind Sie denn dann von Schwabing bis in die Mitte der Stadt gefahren, um sich von Norbert Kuban mit nach Grünwald hinausnehmen zu lassen? Das verstehe ich nicht.«

»Weil Sie keine Ahnung haben. Sonst wüßten Sie, wie wichtig es ist, mit wem zusammen man gesehen wird. Es kommt doch alles in die Presse. Dann heißt es: Norbert Kuban erschien in Begleitung von Ada Berger und Bunny Müller ... das macht doch gleich was daher.«

»Aber Sie sind ja gar nicht in seiner Begleitung gekommen«, sagte Bettina hartnäckig.

»Das steht auf einem anderen Blatt. Darüber muß ich gleich noch mit Ihnen reden. Es ist mir zwar ...«

Bettina schnitt ihr das Wort ab. »Jetzt bin ich dran, Bunny. Ich habe mir das, was Sie gestern abend gesagt haben, nämlich durch den Kopf gehen lassen. Da ... Sie werden mir das nicht übelnehmen ... schien mir doch einiges nicht zu stimmen. Woher können Sie wissen ...«

Bunny ließ sie nicht aussprechen. »Mein liebes armes Schäfchen«, sagte sie und verdrehte mitleidsvoll die Augen, »ich muß Ihnen leider sagen, daß Sie auf dem ganz falschen Dampfer sind. Sie versuchen mir jetzt sicher einzureden, daß ich auf Norbert Kuban scharf bin und Sie ausschalten möchte. Dem ist nicht so. Mir ist dieser Zauberjunge völlig schnuppe. Ich brauche ihn bloß für die Publicity. Ansonsten ...«

»Ich glaube einfach nicht, daß er so ein ... Casanova ist, wie Sie mir gestern abend erzählt haben. Ich nehme Ihnen das nicht ab.«

»Recht haben Sie. Folgen Sie ruhig der Stimme Ihres Herzens. Sie werden sehen, wie weit Sie damit kommen.« Bunny trank ihre Tasse leer. »Haben Sie noch einen Schluck?«

Bettina schenkte ihr ein, reichte ihr Milch und Zucker. »Was soll ich jetzt bloß tun?«

»Da Sie auf mich nicht hören wollen ... womit Sie übrigens absolut recht haben, denn erzählen kann man vieles ... überzeugen Sie sich selbst. Dort steht ein Telefon. Rufen Sie ihn an. Sie werden es ja erleben.«

Bettina zögerte. »Er ist für mich ... sehr wichtig.«

»Habe ich bereits kapiert«, sagte Bunny unbeeindruckt. »Also los. Telefonieren Sie! Wegen mir brauchen Sie sich nicht zu genieren.« Sie stopfte sich die Bettdecke in die Ohren. »Auf Neuigkeiten, die nichts einbringen, bin ich nicht gespannt.«

»Ich möchte doch lieber nicht ...«

»Ganz wie Sie wollen.« Bunny nahm einen großen Schluck, stellte die Tasse beiseite. »Ich werde jetzt auf alle Fälle ein Schlümmerchen tun. Haben Sie Geld?«

»Wieso? Natürlich habe ich«, sagte Bettina verblüfft

»Um so besser. Dann hätte ich eine große Bitte an Sie. Ziehen Sie sich in aller Ruhe an, und dann machen Sie sich auf die Strümpfe. Kaufen Sie was Hübsches ein, was wir heute zu Mittag kochen können. Wieviel Uhr ist es jetzt? Augenblick ... Punkt ein Uhr dürfen Sie mich wecken. Dann bin ich wieder fit.«

Bunny rollte sich zur Seite und begann sanft zu schnarchen, noch bevor Bettina fertig angezogen war. – –

Bettina rief Norbert Kuban nicht an.

Zwar war sie überzeugt, daß sich an ihren Gefühlen nichts geändert hatte, dennoch konnte sie sich der Einsicht nicht verschließen, daß es nun an ihm war, sich mit ihr in Verbindung zu setzen.

Sie blieb in München, denn nach Schliersee konnte sie nicht zurück. Durch den Streit mit ihrer Stiefmutter hatte sie alle Brücken hinter sich abgebrochen.

Bettina wußte, daß es leicht war, Arbeit zu finden. Schwerer war es, an ein möbliertes Zimmer zu kommen, das ihren Ansprüchen genügte und dennoch nicht teuer war.

Bunnys unsentimentale Hilfsbereitschaft erwies sich als sehr nützlich. Sie schlug Bettina vor, einstweilen mit ihrer Wohnung vorlieb zu nehmen. Bunny selber, deren bürgerlicher Name Erna Müller war, wollte die Weihnachtsfeiertage und Sylvester in ihrem Elternhause verbringen. »Der Pflicht gehorchend, nicht dem eigenen Triebe«, wie sie nicht ohne Selbstironie betonte. Bunnys Vater war ein Sägewerksbesitzer in einem kleinen Ort in Hessen, und er war es, der seiner Tochter den nahrhaften Hintergrund für ihr kurzweiliges, aber nicht sehr einträgliches Dasein als Starlet bot.

Bettina nahm mit Freuden an. Sie beobachtete mit Staunen, wie sich Bunny, die kleine Sexbombe, in ein artiges, junges Mädchen verwandelte, brachte sie mit dem Auto zum Hauptbahnhof.

Sie hatte sich oft über Bunny geärgert, aber als sie allein durch die weihnachtlich geschmückten Straßen nach Schwabing zurückfuhr, als sie die leere kleine Wohnung betrat, merkte sie plötzlich, daß ihr die wurstige Art des abenteuerlustigen jungen Mädchens fehlte.

Der Heilige Abend kam heran, aber Bettina war nicht in der Stimmung, zu feiern. Das trostlose Gefühl, nicht nur vieles, sondern geradezu alles in ihrem Leben falsch gemacht zu haben, überkam sie mit Macht. Sie hatte sich, seit sie denken konnte, nach einem Menschen gesehnt, den sie liebte, und für den sie auf der Welt sein durfte. Tatsächlich war sie allein wie nie zuvor, von allen Menschen, die ihr nahegestanden, die es gut mit ihr gemeint hatten, war sie getrennt. Seit sie ihren Vater verlassen hatte, war auch jede Verbindung mit Bürgers abgerissen. Selbst ihren Freundinnen aus dem Pensionat hatte sie nicht mehr geschrieben. Es gab niemand, der an diesem Abend auch nur an sie dachte.

So sehr Bettina sich auch den Kopf zerbrach, sie konnte nicht feststellen, wie sie anders hätte handeln können – alle Menschen, die ihr etwas bedeuteten, hatten sie enttäuscht. Alle hatten sie verraten – Ursel, der Vater, Dotty, die Stiefmutter, vielleicht sogar Norbert Kuban – keiner war es wert, daß sie um ihn trauerte. Dennoch – wie war es möglich, daß ihr, gerade ihr all dies zugestoßen war? Mußte der Fehler nicht doch bei ihr liegen? Waren die Ansprüche, die sie an ihre Mitmenschen stellte, vielleicht zu hoch geschraubt?

Bettina wußte es nicht, aber sie war sehr unglücklich.

Es wurde sehr häufig in Bunnys Wohnung angerufen – auch das stimmte Bettina nachdenklich. Wie war es möglich, daß ein so oberflächliches und, wie es Bettina schien, ein wenig überkandideltes Geschöpf wie Bunny einen großen Kreis von Freunden und Bekannten hatten, die sie ehrlich zu schätzen schienen, während sie selber, Bettina, sich wie ausgestoßen fühlte?

Den ganzen vierundzwanzigsten Dezember verbrachte sie damit, einen gründlichen Hausputz in Bunnys Wohnung zu veranstalten, nur um müde zu werden, nicht denken zu müssen. Sie weinte nicht, sie war vor lauter Schmerz und Elend wie betäubt.

Als am Spätnachmittag des zweiten Weihnachtstages das Telefon klingelte – Bettina war gerade von einem ausgedehnten Bummel durch Schwabing nach Hause gekommen – schlug ihr Herz nicht höher. Sie war überzeugt, daß dieser Anruf wieder nur Bunny gelten konnte.

Aber sie hatte sich geirrt.

»Hallo, Tina«, sagte eine männliche, ein wenig rauhe Stimme, als sie sich gemeldet hatte. »Gut, daß ich dich erwischt habe. Ich hoffe, du hast Lust, heute abend mit mir bei Humpelmayr essen zu gehen. Ich habe den Tisch schon reserviert.«

Bettinas Herz schlug einen Trommelwirbel.

Sie fühlte sich am Ziel all ihrer Sehnsüchte und Träume. Nur einen winzigen Augenblick stand sie, den Hörer in der Hand, genoß das überwältigende Gefühl, geliebt zu werden. Dann entwickelte sie einen Wirbel von Geschäftigkeit.

Es war jetzt sechs Uhr; in zwei Stunden würde Norbert Kuban sie abholen.

Bettina sah in den Spiegel. Nicht einmal die jähe Freude hatte die tiefen Schatten unter ihren Augen wegzaubern können. Ihr Haar war ungepflegt. Mit Beschämung wurde es Bettina bewußt, daß sie sich hatte gehen lassen. Es war ihr sinnlos erschienen, sich schön zu machen, da es doch niemanden gab, für den es sich lohnte. Aber ihr fiel ein, daß Bunny einen Föhn besaß; sie konnte sich rasch die Haare waschen.

Nur zwei Stunden hatte sie Zeit, und nicht einmal ihre Nägel waren in Ordnung.

Was sollte sie anziehen? Bettina war schon einmal mit ihrem Vater in dem gepflegten Feinschmeckerlokal Humpelmayr gewesen. Es war sicher, daß heute, am zweiten Weihnachtstag, nur festlich gekleidete Menschen dort speisten.

Bei ihrer überstürzten Flucht aus Hamburg hatte sie kein Kleid mitgenommen, das für einen solchen Zweck geeignet gewesen wäre. Was nun? Zur Not konnte sie natürlich immer noch ihr neues Wollkleid anziehen, aber – sie spürte deutlich, daß es für sie noch nie so wichtig gewesen war, schön zu sein, wie heute abend.

Sie entschloß sich, zu allererst ein heißes Bad zu nehmen und ihre Haare zu waschen. Shampoo und Föhn lieh sie sich von Bunny aus. Erst als das Haar fast trocken war, bemühte sie sich, ihrer Frisur eine Form zu geben. Es gelang ihr nicht so, wie sie gehofft hatte, aber auf alle Fälle wirkte ihr Haar jetzt sehr sauber, schimmernd und duftig.

Wenn sie sich nur ein Kleid hätte von Bunny ausleihen können. Bettina war sicher, daß Bunny es ihr gerne gegeben hätte. Der Kleiderschrank war bis auf den letzten Winkel gefüllt. Aber leider war Bunny um einiges molliger als Bettina, die in den letzten Wochen und Monaten sehr abgenommen hatte. Hoffnungslos durchwühlte sie Bunnys Kleider, die sehr säuberlich, eines neben dem anderen, in dem langen eingebauten Schrank hingen. Sie wollte die Tür schon wieder zuschieben, als sie feststellte, daß unter einem rosa- und weißgestreiften Morgenrock noch etwas Schwarzseidenes hing, das sie bisher übersehen hatte. Sie nahm den Bügel heraus, den Morgenrock ab und sah ein hochelegantes, sehr dekolletiertes Kleid mit einem ganz weit abstehenden Rock. Mit einem Blick stellte Bettina fest, daß die Taille des Kleides sehr schmal war, so schmal, daß es Bunny unmöglich passen konnte. Vielleicht war es ein Gelegenheitskauf gewesen, und Bunny hatte gehofft, eines Tages schlanker zu werden, oder auch sie besaß es schon länger und war inzwischen dicker geworden.

Für Bettina spielte es keine Rolle. Sie schlüpfte sofort hinein, es paßte wie angegossen. Dennoch zögerte Bettina, ob sie es anbehalten sollte. Der Ausschnitt war mehr als gewagt. Aber dann fiel ihr ein, daß Bunny noch eine schwarze, golddurchwirkte Stola besaß. Damit würde es gehen.

Noch nie in ihrem Leben hatte Bettina sich so sorgfältig zurechtgemacht, so sorgfältig manikürt. Zum Schluß legte sie das schwere goldene Armband an, das ihr Mademoiselle Legrand zum Abschied aus dem Pensionat geschenkt hatte. Um den Hals schlang sie eine dreifache Kette aus goldschimmerndem Glas – auch von Bunny. Noch bevor sie den letzten prüfenden Blick in den großen Spiegel tun konnte, klingelte es; sie lief in den Flur hinaus, drückte auf den Haustüröffner.

Jetzt erst fiel ihr mit Schrecken ein, daß sie das Wichtigste vergessen hatte – sie besaß ja immer noch keinen Wintermantel. Unmöglich konnte sie ihren Regenmantel anziehen, unmöglich konnte sie sich einen Mantel von Bunny ausleihen – das würde Norbert Kuban sofort bemerkt haben. Ihr blieb nichts anderes übrig, als sich ohne Mantel, nur mit der Stola, in die Kälte hinauszuwagen.

Bettina nahm ihre kleine schwarze Krokodilledertasche, schloß die Wohnung ab und hastete die Treppen hinunter.

Norbert Kuban kam ihr nicht entgegen. Er stand unter einer Laterne nahe seinem Auto. Die Hände in den Taschen seines dunkelblauen Ulsters, die Augenbrauen leicht hochgezogen, wie es seine Art war, sah er ihr entgegen.

Atemlos eilte sie auf ihn zu, spürte vor Aufregung nichts von der feuchten Kälte. Ihre hohen Absätze klapperten auf dem Pflaster.

Er wartete nicht, bis sie bei ihm war, sondern ging um den Kühler herum, setzte sich ans Steuer, öffnete die andere Wagentür von innen.

Eine Sekunde lang fühlte sie sich gekränkt, dann aber überbot die Freude, ihm so nahe sein zu dürfen, jedes andere Gefühl.

Er fuhr schweigend, und obwohl sie vieles auf dem Herzen hatte, was sie ihm gern gesagt hätte, wagte sie nicht zu reden. Er hatte wieder seine seltsame, gedankenabwesende Art, in der er es haßte, gestört zu werden.

Er tat erst den Mund auf, als er vor dem Portal des »Humpelmayr« stoppte. »Steig schon aus«, sagte er, »ich komme gleich nach.«

»Aber … wieso denn?« fragte sie in plötzlicher Angst, ihn schon wieder zu verlieren.

»Ich muß noch einen Parkplatz suchen.«

Sie begriff, daß er ihr in ihrem dünnen Kleid einen Gang durch die Kälte der Nacht ersparen wollte, war gerührt vor Dankbarkeit, wollte etwas sagen, brachte kein Wort heraus, sah ihn nur aus großen Augen an.

Plötzlich lachte er. »Nicht so melodramatisch, Honey. Steig aus.«

Verwirrt folgte sie seiner Aufforderung. Sie fühlte, wie fremd er ihr im Grunde geworden war, begriff nicht, wie sie je hatte glauben können, ihm etwas zu bedeuten. Aber wenn sie ihm gleichgültig war, so gleichgültig, wie er sie behandelte – weshalb hatte er sie dann eingeladen?

Als sie in den Vorraum des Restaurants trat, kam ihr der Manager entgegen, sagte fragend: »Gnädiges Fräulein …«

»Ich warte noch auf Herrn Kuban«, sagte sie ein wenig verlegen, »er wird jeden Moment kommen.«

Aber in diesem Augenblick schob er sich auch schon durch die schwingende Drehtür, ließ sich von dem Manager aus seinem Ulster helfen, zog sich die blütenweißen Manschetten so weit aus den Ärmeln seines Smokings, daß man die kunstvoll geschmiedeten goldenen Knöpfe sehen konnte. Er sah glänzend aus, männlich und interessant, auf geheimnisvoll unzugängliche Art.

Auch Bettina warf einen raschen Blick in den Spiegel, schob sich eine Welle ihres blonden Haares aus der Stirn. Ihre Wangen waren rosig von der Kälte, ihre großen Augen dunkel und glänzend vor Erwartung. Sie war sehr schön.

Aber Norbert Kuban beachtete es gar nicht.

Als Bettina neben ihm her über die weichen Perserteppiche schritt, wurde ihr bewußt, daß Millionen Mädchen sie um dieses Erlebnis beneidet haben würden. Dennoch war sie eher niedergeschlagen als glücklich.

»Hierher, Tina«, sagte er und faßte sie mit einem sanften und zugleich kräftigen Griff unter dem Arm, führte sie in den kleinen Barraum hinüber, »ich denke, wir nehmen einen Drink vor dem Essen.«

Die Gäste des »Humpelmayr« waren gut erzogen genug, sich das Interesse an Norbert Kuban und seiner Begleiterin nicht allzu deutlich anmerken zu lassen, dennoch spürte Bettina deutlich, welches Aufsehen sie erregten; jeder kannte Norbert Kuban, und niemand wußte, wer sie, seine Begleiterin, war.

Die kleine Bar war leer. Norbert Kuban schwang sich auf einen der Hocker, bestellte einen Whisky-Soda, er schien für eine Sekunde Bettinas Anwesenheit völlig vergessen zu haben. Dann, als sie sich neben ihn gesetzt hatte, fragte er: »Was möchtest du?«

»Einen Gin-Fizz.«

Der Mixer stellte Oliven und Salzmandeln vor sie auf die Bar. Norbert Kuban zündete sich eine Zigarette an.

In diesem Augenblick sah Bettina plötzlich Norbert Kuban mit ganz anderen Augen. Sie begriff, daß er ein überaus blasierter, vom Schicksal und den Frauen verwöhnter und unzuverlässiger junger Mann war, ganz außerstande, ein ernsthaftes Gefühl zu erwidern. Es tat sehr weh, aber sie gab sich zu, daß Philine recht gehabt hatte. Nur um die Langeweile seines Sanatoriumsaufenthaltes zu überwinden, hatte er die Rolle des Liebenden gespielt, innerlich nicht tiefer beteiligt, als wenn sie ihm durch ein Drehbuch vorgeschrieben gewesen wäre. Er hatte sie zur Närrin gemacht, aber das, gerade das, sollte er nie erfahren.

Der Mixer stellte die Gläser vor sich hin, er leerte seines mit einem Zug, Bettina nahm nur einen Schluck.

»Nett, daß du mich eingeladen hast, Norbert«, sagte sie und ihre Stimme klang genauso heiter und gleichmütig, wie sie es sich gewünscht hatte.

Dieser Ton irritierte ihn sofort; er wandte ihr sein schmales, verschlossenes Gesicht zu.

»Weihnachten ist für mich immer das Langweiligste, was drin ist«, sagte sie. »Hast du wenigstens Spaß gehabt?«

Er nahm sich Zeit, noch einen weiteren Whisky zu bestellen, bevor er sagte: »Du hast dich sehr verändert, Tina.«

»Findest du?« Ihre Stimme klang erstaunt. Dann lachte sie: »Ich finde eher, ich habe wieder zu meinem eigenen Selbst zurückgefunden.«

»Jedenfalls hatte ich dich anders in Erinnerung.«

»Schon möglich. Ich habe mir ja auch alle Mühe gegeben, das brave kleine Mädchen zu spielen.« Sie ließ bewußt die Stola ein wenig herabgleiten, so daß ihre zarten schönen Schultern zu sehen waren. »Aber anscheinend liegt mir die Rolle nicht. Schade. Jedenfalls wirst du zugeben, daß ich guten Willen gezeigt habe.« Sie nahm einen Schluck Gin-Fizz.

»Tina«, sagte er und packte ihr Handgelenk mit hartem Griff. »Sieh mich an. Was du jetzt redest, das ist doch nicht dein Ernst?«

Sie versuchte sich loszureißen, aber sein Griff wurde nur noch schmerzhafter.

»Warum nicht?« sagte sie. »Laß los … du tust mir weh!«

»Weshalb bist du nach München gekommen?«

»Ich sagte es doch schon. Weil ich es satt hatte. Weder das Landleben noch die Arbeit liegen auf meiner Linie.«

»Ist das der einzige Grund?«

»Ja«, sagte sie halb erstaunt, halb gelangweilt. »Was hast du denn gedacht?«

Er drückte seine Zigarette mit einer heftigen Bewegung aus. »Weißt du, warum ich dich heute eingeladen habe?«

»Keine Ahnung. Wahrscheinlich, weil dir nichts Besseres eingefallen ist.«

»Nein, Tina. Deine Stiefmutter hat mich angerufen.«

Dies kam so unerwartet, daß Bettina nicht verhindern konnte, zu erröten. Aber sie wollte nicht weich werden, sie wollte ihm das Vergnügen nicht gönnen, sie klein zu sehen. »Wie peinlich«, sagte sie deshalb rasch, »hör mal, Norbert, das ist mir aber wirklich unangenehm.«

»Frau Doktor Steutenberg hat mir gesagt, du wärest zu mir gefahren …«, sagte er, ohne den Blick auch nur eine Sekunde von ihr zu lassen.

»Keine schlechte Kombination.« Sie sprach wieder ganz gleichgültig. »Schließlich stimmt's sogar. Ich war auch bei dir, wenn du dich erinnerst.«

»Ich hätte mich um dich kümmern sollen.«

»Aus welchem Grunde?«

»Ich fürchte«, sagte er ziemlich unvermittelt, »ich fürchte, Tina, ich habe mich dir gegenüber miserabel benommen. Ich habe dir Versprechungen gemacht … jedenfalls kommt es mir jetzt so vor, als ob ich …«

»Ach was, Norbert«, sagte sie mit einem raschen Lächeln. »Mach dir doch deswegen keine Gedanken. Ich bin schließlich kein Kind mehr, ich weiß, wann eine Episode zu Ende ist.«

»Dann bist du wahrhaftig ein sehr seltenes Exemplar.«

Sie lachte. »Du übertreibst, Norbert. Meiner Meinung nach sind die meisten Frauen ziemlich unsentimental. Sie tun nur so, weil sie wissen, daß ihr Männer das liebt.« Sie trank ihr Glas leer. »Jedenfalls haben wir eine Menge Spaß miteinander gehabt. Wenn du nicht gekommen wärst, hätte ich es vor Langeweile nicht ausgehalten.«

»Dann wundert es mich, wieso bist du eigentlich noch über zwei Monate geblieben, nachdem ich weg war?«

»Du glaubst wohl, du wärst der einzige interessante Mann auf dieser Welt, wie?«

»Ach so. Ich verstehe.«

Bettina konnte nicht recht definieren, ob seine Stimme erleichtert oder enttäuscht klang.

»Übrigens … ich habe deiner Stiefmutter versprochen, sie anzurufen, sobald ich dich gesprochen habe …«

»Tu das«, sagte sie heiter. »Versuch die Gute zu beruhigen. Sie hat sich immer eingebildet, es nutzt was, auf mich aufzupassen.«

Er wollte noch etwas sagen, aber sie legte ihm lächelnd den Finger auf den Mund. »Bitte, Norbert, hör auf damit! Genug der weisen Reden! Führe mich lieber zu Tisch … ich hab' Hunger!« – –

Bettina konnte sich später nie mehr erinnern, was sie an jenem Abend noch alles gesagt und getan hatte. Sie begriff auch nachträglich nicht, wie sie es durchgestanden hatte. Tatsächlich aber hatte sie ihre Rolle zu Ende gespielt, und Norbert Kuban war von einer Verwirrung in die andere gestürzt.

Als er sich lange nach Mitternacht vor der Haustür von ihr verabschiedete und fragte, ob er sie gelegentlich wieder anrufen dürfte, spürte sie, daß es ihr aufs neue gelungen war, Norbert Kuban für sich, zu interessieren. Aber sie legte keinen Wert mehr darauf. Sie wußte, daß die Bettina, die sie einen langen Abend lang dargestellt hatte, in Wirklichkeit gar nicht existierte, mehr noch, sie war überzeugt, daß er auch dieser anderen Bettina bald genug überdrüssig werden würde. Ihr Herz schmerzte ein wenig, als sie seine warmen trockenen

Lippen auf ihrem Handrücken fühlte. Aber die Genugtuung, sich nicht vor ihm gedemütigt zu haben, war ein guter Trost.

Sie schlief in dieser Nacht ohne Schlafmittel so tief und traumlos wie seit langem nicht mehr, wachte auf, als das Telefon klingelte. Sie dachte nicht daran, den Hörer abzunehmen, mochte es sein, wer wollte – Norbert Kuban, Philine Steutenberg oder auch nur ein Bekannter von Bunny. Sie konnte es nicht mehr interessieren.

Sie zog sich ihre lange graue Hose, einen dunkelgrünen Pullover und Sportschuhe an, hinterließ einen Zettel mit ein paar Dankeswarten für Bunny, räumte die Wohnung noch gründlich auf. Dann nahm sie ihren Koffer und ihre Kleider, schloß die Tür ab und übergab den Schlüssel der Nachbarin.

Als sie am Steuer ihres Wagens saß, fühlte sie sich wie befreit, obwohl sie doch nicht einmal wußte, wohin die Fahrt gehen sollte. Nur eines stand fest: Sie mußte fort aus München, wenn sie nicht Gefahr laufen wollte, daß Philine Steutenberg sie fand.

Bevor sie München verließ, hielt sie an einer Tankstelle. Sie nahm Benzin, ließ den Luftdruck und Öl prüfen, die Scheiben wischen. Gegenüber der Kasse hing eine gerahmte Fotografie, die eine breite, von blühenden Kastanien umsäumte Straße darstellte, im Hintergrund ein Hochhaus. »Düsseldorf – die Tochter Europas« stand darunter.

Bettina nahm es als einen Wink des Himmels. In Düsseldorf, dieser lebhaften reichen Stadt am Rande des Ruhrgebietes würde sie ihr Brot verdienen können. Von Düsseldorf aus war es nicht mehr weit bis zur Heimat ihrer Kindheit. In Düsseldorf, so hoffte sie, würde sie vergessen und einen neuen Anfang finden können.

XVI.

Es wurde alles so, wie Bettina es sich vorgestellt hatte. Das Glück schien auf ihrer Seite zu sein.

Sie fand sehr rasch ein möbliertes Zimmer in der Goethestraße, ganz in der Nähe der Pension, in der sie zunächst abgestiegen war. Das Zimmer war sehr klein, aber es hatte Zentralheizung und lag in einer guten Wohngegend. Die Miete war nicht zu hoch.

Die Zahl der Stellenangebote war sehr groß. Bettina studierte sie gründlich, bis sie sich entschloß, als Stenotypistin in die Verwaltung einer großen Maschinenfabrik einzutreten. Das Essen in der Kantine war nicht eben abwechslungsreich, aber reichhaltig und kräftig. Sie konnte bei einiger Selbstbeherrschung auf eine Abendmahlzeit verzichten. Sie mußte das Geld, das sie verdiente, sehr genau einteilen; sie war zu jedem Opfer bereit, nur eines wollte sie um keinen Preis – sich von ihrem Wagen trennen. Da der Vater Versicherung und Steuer für ein ganzes Jahr bezahlt hatte, war die Haltung des Autos nicht allzu teuer. Aber Bettina bemühte sich jetzt schon, das Geld zurückzulegen, das sie im August für eine Erneuerung der Versicherung und Steuer brauchen würde.

Sie arbeitete anfangs in einem großen Saal mit zwanzig fast gleichaltrigen jungen Mädchen zusammen. Sie bekam rasch Kontakt, der sich aber nicht vertiefte. Die meisten ihrer Kolleginnen lebten in der Geborgenheit ihrer Familie; keine war so wie Bettina vom Schicksal herumgeschleudert worden. Das teure und elegante Auto, das sie besaß, zeichnete sie von den anderen aus und trennte sie gleichzeitig von ihnen.

Noch etwas anderes kam dazu, um die Kluft zwischen Bettina und den anderen Angestellten zu vertiefen. Die meisten Mädchen waren froh, wenn sie endlich Feierabend machen konnten; sie betrachteten Überstunden als eine Belästigung. Bettina war mit Freuden bereit, jede Extraarbeit, jede Sonderaufgabe zu übernehmen. So wurde sie in den Augen der anderen zur Streberin. Tatsächlich machte Bettina die Arbeit Freude, aber – was entscheidender war – es gab nichts, was sie abends nach Hause zog. Ihr graute jedesmal wieder vor der Einsamkeit ihres kleinen Zimmers. Sie war froh, wenn sie die Heimkehr so lange wie möglich aufschieben konnte. Außerdem war es lebenswichtig für sie, soviel wie möglich zu verdienen.

So blieb es nicht lange aus, daß sie dem Vorsteher des Schreibsaales auffiel, und als die Sekretärin von Direktor Maiberger, der der Abteilung Verkauf vorstand, durch einen schweren Unfall plötzlich ausfiel, wurde Bettina als Ersatz vorgeschlagen. Sie arbeitete sich rasch ein, machte ihre Sache so gut, daß sie, als die Chefsekretärin wieder ihre Arbeit aufnahm, zu ihrer Unterstützung im Vorzimmer bleiben durfte. Bettinas Gehalt wurde erhöht, gleichzeitig aber wuchs auch ihr Aufgabenbereich, die Arbeit häufte sich. Selten kam sie abends vor acht, halb neun aus dem Betrieb.

Bei all ihren Erfolgen war sie nicht glücklich. Sie beneidete die anderen Mädchen ihres Alters, die die Arbeit nicht so ernst nahmen, sondern ganz erfüllt waren von Wünschen, Hoffnungen, voll Erinnerungen an Verabredungen, voll Erwartung auf neue.

Anfangs hatten die Kollegen versucht, mit Bettina zu flirten, sie zu necken und sich hie und da einen Scherz zu erlauben. Bettina hatte es keineswegs übel genommen, sondern war lächelnd darauf eingegangen. Dennoch zogen sich die Herren des Betriebes nach einiger Zeit ganz deutlich von ihr zurück. Es war, als wenn ihre Tüchtigkeit sie geradezu abschloß. Direktor Maiberger selber war ein äußerst fähiger Mann Anfang vierzig, schätzte Bettina sehr und zeigte es auch. Aber seine Sympathie war rein kameradschaftlich. Er behandelte sie mit einer Achtung, wie er sie normalerweise wohl nur einem Mann entgegengebracht hätte.

Bettina war nicht glücklich, aber sie gab es sich selber nicht zu. Sobald eine trübe Stimmung sie überfallen wollte, hielt sie sich vor Augen, was sie in der kurzen Zeit alles geschafft hatte, versuchte sich selber einzureden, daß sie zufrieden mit sich sein konnte. Im tiefsten Herzen aber war sie es nicht.

An einem warmen Frühlingsabend Anfang Mai, als sie mit ihrem Wagen vom Betrieb durch die Innenstadt nach Hause fuhr, stellte sie plötzlich mit Erstaunen fest, daß auf der

Königsallee die Kastanien blühten. Ihren Augen bot sich das gleiche Bild, das sie seinerzeit in der Tankstelle so sehr angerührt hatte – die prächtige, breite Straße, die großen schattigen Kastanien mit den blühenden Kerzen, die weißen Tische am Rande des Bürgersteiges, an denen fröhliche Menschen saßen, tranken, plauderten.

Bettina wurde plötzlich klar, wie wenig sie die Stadt, in der sie lebte, genossen hatte, wie wenig sie sie kannte. Sie hatte sich ganz in ihrer Arbeit vergraben, hatte sich nichts gegönnt.

Einem Impuls folgend, suchte sie eine Parklücke in der langen Reihe der Autos, die sich die Allee entlang erstreckten. Sie warf noch einen kurzen Blick in den Spiegel, bevor sie ausstieg, war mit sich zufrieden – ihr Gesicht war reifer geworden, beherrschter, nur in den großen, weit auseinanderstehenden Augen war ein Rest von verträumter Kindlichkeit geblieben. Das blonde Haar bauschte sich gefällig in einer modernen Frisur um das schmale Gesicht, sie war gepflegt bis in die Fingerspitzen. Sie wußte, daß das kleine kaffeebraune französische Kostüm wie angegossen saß.

Bettina stieg aus, schloß ab, streifte die maisgelben Lederhandschuhe über.

»Ist es die Möglichkeit!« sagte jemand ganz in ihrer Nähe, und Bettina wußte sofort, daß sich diese Bemerkung auf sie bezog. Sie glaubte, daß es sich um einen Annäherungsversuch handelte, warf keinen Blick auf den Sprecher, sondern wollte sich in den abendlichen Bummel der Passanten einreihen.

»Bettina … bist du's nun oder nicht?«

Jetzt erst fuhr sie herum. Der Mann, der sie ansprach, kannte ihren Namen. »Ja?« sagte sie zögernd.

»Bettina Bürger!« Zwei kräftige Männerhände packten sie bei den Schultern, sie sah in fröhliche dunkle Augen. »Mädchen … erkennst du mich denn nicht mehr? Wirklich nicht?«

Sie mußte sich eine Sekunde besinnen, sagte dann rasch: »Doch, natürlich. Bitte, entschuldige … Jürgen Holbach! Es ist so lange her, seit wir uns zuletzt gesehen haben.«

»Kann man wohl sagen.«

Die Art, wie er sie unter dem Ellbogen faßte, war sehr selbstverständlich und sehr besitzergreifend. Für eine Sekunde mußte sie an Norbert Kuban denken.

»Trinken wir irgendwo einen Schluck zusammen, ja?« sagte Jürgen Holbach, ohne ihre Verwirrung zu bemerken. »Oder hast du etwa noch nicht zu Abend gegessen? Dann könnten wir auch …«

»Nein, danke. Ich bin nicht hungrig.«

»Um so besser!« Er lachte unbekümmert. »Meine Finanzlage ist nämlich nicht gerade rosig, weißt du. Immer, wenn es auf den Ersten zugeht. Aber solche Sorgen kennst du natürlich nicht.«

Sie mußte lächeln. »Nein, Jürgen, wirklich nicht.«

»Kann ich mir denken. Ich brauche dich wohl auch gar nicht zu fragen, wie es dir geht … das sieht ja ein Blinder ohne Laterne. Wunderbar sieht du aus … einfach wunderbar! Du warst ja immer schon die Schönste, auf der Schule und in der Tanzstunde, das weißt du selber. Nein, sag nichts, mir kannst du nichts erzählen, ich kenne dich viel zu lang … aber wie du dich jetzt herausgemausert hast! Einfach toll! Fast hätte ich nicht gewagt, dich anzusprechen.«

»Schüchtern warst du eigentlich nie«, sagte Bettina.

»Doch, sehr. Gerade weil ich schüchtern bin, gebe ich mir Mühe, es zu überspielen.«

»Was dir auch vollständig gelingt.«

Sie waren am Bordstein stehengeblieben, warteten, bis die Schlange der sehr langsam vorbeifahrenden Autos abriß, gingen dann nebeneinander her über die Fahrbahn auf die Geschäftsstraße hinüber.

»Bist du mit deinem Vater hier?« fragte Jürgen Holbach. »Ich meine … mit diesem Stefan Steutenberg?«

»Stefan Steutenberg ist mein Vater.«

»Na klar. Habe ich ja gesagt. Bloß, ich denke mir, um ein richtiger Vater zu sein … muß man sein Kind wachsen sehen … verstehst du, was ich meine? Der Vater ist doch eigentlich der, vor dem man sich fürchtet, wenn man als Kind mal was ausgefressen hat … und bei dem man sich sicher fühlt, weil er einen beschützt, und mit dem man angibt vor den anderen Kindern. Ich meine einfach, wenn man schon fast erwachsen ist und dann erst seinen Vater kennenlernt …« Er blieb plötzlich stehen und sah Bettina bittend an. »Verzeih mir, Bettina … ich bin ein Dummkopf, ich weiß es. Ich rede da Dinge, von denen ich gar nichts verstehe. Ich mache mir immer über alles so meine Theorien, dabei weiß ich genau, daß das vollkommener Quatsch ist. Du liebst deinen Vater wohl sehr.«

»Ja«, sagte sie; sie fühlte plötzlich sehr stark, daß es wirklich so war.

»Na also. Das ist die Hauptsache. Und Bürgers … hast du inzwischen was von ihnen gehört?«

»Es geht ihnen gut.« Bettina hatte plötzlich das Gefühl, als wenn ihr Mund trocken würde. »Ursel hat in Indien geheiratet.«

»Glückwunsch! Und Bernd, der Kleine … haben sie sich alle gut eingewöhnt?«

»Jürgen«, sagte Bettina, »ich werde dir das alles nach und nach erzählen. Aber wollen wir nicht sehen, daß wir uns erst mal setzen können? Ich komme fast um vor Durst.«

»Das sieht mir ähnlich«, sagte er reuevoll. »Keine Manieren, würde meine Mutter mit recht sagen. Ich glaube, da vorne ist ein Tisch frei … oder möchtest du lieber drinnen sitzen? Es wird langsam kühl, finde ich.«

Aber Bettina wollte lieber den Frühlingsabend genießen. Sie sah mit Bezauberung, wie der helle Himmel immer dunkler wurde. Die Lichter in den Schaufenstern leuchteten auf, die Umrisse der Spaziergänger verschwammen, ihre Gesichter wurden zu hellen Tupfern, ihre Kleidung zu bunten Flecken. Eine geheimnisvolle, verzauberte Stimmung lag über allem.

Auch Jürgen Holbach schien sie zu empfinden. Sein Gesicht verlor plötzlich seine fröhliche Unbekümmertheit. Es wurde ganz ernst.

Sie saßen einander an einem der kleinen weißgestrichenen Tische gegenüber.

»Weißt du eigentlich, warum ich eine solche Wut auf deinen Vater habe?« fragte er, und seine Stimme klang anders, viel schwerer als sonst.

»Hast du das?«

»Ja. Er konnte es ja nicht wissen, aber er hat mir alles kaputt gemacht. Ich hatte es mir so schön ausgemalt, wie es hätte werden können mit uns beiden … aber dann kam er!«

Nach jener ersten Begegnung auf der Königsallee trafen Bettina und Jürgen Holbach sich noch oft und in immer kürzeren Abständen. Jürgen Holbach war ein Mensch, der sich für vieles, ja, für alles interessierte, und er riß Bettina mit sanfter Unerbittlichkeit aus ihrer Isolation heraus.

Sie besuchten zusammen psychologische und soziologische Vorträge, sie schlenderten durch Kunstausstellungen, gingen zusammen ins Theater und ins Konzert. Jürgen Holbach hatte viel Verständnis für klassische Musik, für Jazz jedoch konnte er sich richtig begeistern. Er war es, der Bettina zu den Ausscheidungen der Amateurjazzer in die Rheinhalle schleppte.

Ohne daß es Bettina ganz bewußt wurde, öffnete sich ihr eine neue Welt. Jürgen Holbach konnte nichts einfach hinnehmen, was er hörte, sah oder las, er mußte sich zu allem äußern, Stellung nehmen, diskutieren. Bettina blieb keine Zeit mehr, über ihre eigenen Sorgen und Probleme nachzudenken. Selbst an den Abenden, die sie allein verbrachte, gab es keine Langeweile mehr für sie. Sie hatte begonnen, ernsthaft zu lesen, sich über die Welt, in der sie lebte, zu orientieren, wenn auch hauptsächlich deshalb, um, im Gespräch mit Jürgen Holbach nicht zu versagen.

Bettina war ehrlich froh, den Freund aus vergangenen Tagen wiedergefunden zu haben. Sie freute sich auf jede Begegnung mit ihm, spürte, daß ihr Leben einen neuen Inhalt bekommen hatte. Verliebt jedoch war sie nicht. Wenn sie seinerzeit auch nur an Norbert Kuban gedacht hatte, hatte ihr

Herz ein paar schnelle heftige Sprünge getan; wenn sie an seiner Seite ging, hatte sie sich seltsam beschwingt und der Wirklichkeit enthoben gefühlt. Bei Jürgen Holbach war das ganz anders. Er war, so dachte Bettina, eben nur ein Freund, ein guter Kamerad.

Jürgen Holbach erzählte gerne und ohne Vorbehalt über seine persönlichen Dinge, von seiner Arbeit, seinen Plänen, seinen Hoffnungen. Daß Bettina nichts, aber auch gar nichts über sich selber sagte, schien ihn nicht zu stören. Anfangs hatte er noch gefragt, aber da er keine oder doch nur ausweichende Antworten bekommen hatte, gab er es auf, in sie zu dringen.

Bettina wußte selber nicht, warum sie sich nicht überwinden konnte, ihm Vertrauen zu schenken. Tatsächlich hatte sie das Erlebnis mit Norbert Kuban immer noch nicht ganz überwunden. Sie scheute davor zurück, sich einem anderen Menschen preiszugeben.

Manchmal ertappte sie sich sogar dabei, daß sie das, was Jürgen Holbach tat und sagte, mißtrauisch beobachtete. Sie hatte ihm nicht gesagt, daß sie in einem Büro arbeitete. Es fiel ihr leicht, diese Tatsache zu verheimlichen, da Jürgen selber immer nur abends oder übers Wochenende frei hatte, eine Begegnung zu einer anderen Zeit also von vornherein nicht in Frage kam. Er hielt sie für reich und verwöhnt, und nichts sprach gegen diese Annahme. Bettina hatte sich wieder eine sehr gute Garderobe beschafft, war gepflegt, weil ihre Stellung im Büro es verlangte. Der elegante Sportwagen, den sie von ihrem eigenen Gehalt niemals hätte erschwingen können, tat sein übriges, um Jürgen Holbach in seinem Glauben zu bestärken. Er wußte nicht einmal, wo sie hauste, schien anzunehmen, daß sie in einem eleganten Düsseldorfer Hotel wohnte, etwa dem »Breidenbacher Hof« oder dem »Parkhotel«.

Dieses Mißverständnis, das sie selber allein verschuldet hatte, beunruhigte Bettina immer mehr. Manchmal erwachte sie in der Nacht mit dem schrecklichen Verdacht, daß Jürgen Holbach sich nur deshalb für sie interessierte, weil er sie für eine reiche Erbin hielt. Dann nahm sie sich vor, ihm gleich bei der nächsten Begegnung die Wahrheit zu gestehen, fand aber dann doch wieder nicht den Mut. Bedeutete er ihr schon soviel, daß sie fürchtete, ihn zu verlieren?

Sie trafen sich unregelmäßig, und sie drängte niemals auf ein Wiedersehen.

Eines Abends, als sie vom Büro nach Hause fuhr – sie hatte die beiden letzten Abende zusammen mit Jürgen Holbach verbracht und freute sich auf die Stille ihres Zimmers und ein gutes Buch, das Jürgen ihr geliehen hatte – sah sie ihn unvermutet vor sich.

Es war am Corneliusplatz. Er schlenderte in einer ganzen Gruppe von jungen Leuten – es waren auch Mädchen darunter, die, wie es Bettina im Vorbeifahren schien, außerordentlich hübsch und attraktiv waren. Alle waren gut gelaunt, lachten, stießen sich, diskutierten mit den Händen.

Nur für einen kurzen Augenblick hatte Bettina Jürgen und die anderen gesehen; sie konnte nicht stoppen, mußte im Strom der Fahrzeuge bleiben. Aber das Bild hatte sich tief in ihre Seele gebrannt. Sie versuchte es abzuschütteln, aber noch abends, als sie das Licht zum Einschlafen löschte, sah sie es fast mit fotografischer Deutlichkeit vor sich: Jürgen Holbach Arm in Arm mit einem zierlichen Mädchen, dessen rötlicher Pferdeschwanz bei jeder Bewegung wippte.

Sie waren am nächsten Mittag miteinander verabredet. Jürgen Holbach hatte Karten für einen Leichtathletik-Wettkampf im Stadion besorgt. Übrigens pflegte stets jeder der beiden immer für sich selber zu bezahlen.

Noch am Morgen, als Bettina aufstand, war sie entschlossen, die Verabredung nicht einzuhalten. Sie wollte Jürgen Holbach nicht wiedersehen. Je näher der Mittag kam, desto schwankender wurde sie, und endlich war sie doch, kaum fünf Minuten nach der verabredeten Zeit, bei ihrem Treffpunkt am Ulanen-Denkmal.

Sie hätte ihn liebend gerne gefragt, hätte sich beruhigen, die Dinge erklären lassen, aber sie war klug genug zu wissen, daß sie kein Recht hatte, ihm Vorwürfe zu machen. Sie bemühte sich, unbefangen zu erscheinen, konnte aber nicht verhindern, daß sie ihm kühler begegnete, als sie es sonst zu tun pflegte.

Nach Beendigung des Wettkampfes hatte keiner von ihnen Lust, nach Hause zu gehen. Sie beeilten sich, in die nahegelegene »Schnellenburg« zu kommen. Sie hatten Glück und ergatterten einen schönen Fensterplatz, von dem aus sich ihnen der Blick auf den nächtlichen Rhein, die schimmernde Uferkette, die Lichter der vorbeifahrenden Schiffe bot.

Es war Anfang August. Jürgen Holbach, der vor wenigen Tagen sein Gehalt bekommen hatte, entschloß sich, eine Flasche Wein zu spendieren.

»Übrigens«, sagte er, »nächstes Wochenende fahre ich nach Hause!«

»So?« Ihre Stimme klang gleichgültig.

»Wenn du Lust hast, mitzukommen ...«

Diese Aufforderung hatte nicht eben dringlich geklungen.

»Nein«, sagte sie rasch, »ausgeschlossen. Nächstes Wochenende hab' ich etwas anderes vor.«

»Hätte ich mir denken können«, sagte Jürgen Holbach.

»Wieso?«

»Ein Mädchen wie du ... ist doch klar, daß du eine Menge Verehrer hast!«

»Willst du mir etwa Vorwürfe machen?«

»Das steht mir nicht zu!«

»Sehr richtig«, sagte sie böse, und dann platzte sie heraus: »Ich mache ja auch keine Bemerkung darüber, daß du dich gestern mit einem rothaarigen Gift herumgetrieben hast.«

Er sah sie an, lachte. »Hast du mir etwa nachspioniert?«

»Lächerlich. So wichtig bist du mir wirklich nicht. Zufällig habe ich euch am Corneliusplatz gesehen.«

»Na, vielleicht interessiert es dich dann auch zufällig, daß alle Kollegen aus unserem Betrieb waren.«

»Ich habe nicht danach gefragt, und ich will es auch nicht wissen. Von mir aus kannst du tun und lassen, was du willst ... aber, bitte, mach mir dann auch keine Vorhaltungen.«

»Es ist dir also gleichgültig, ob ich mit anderen Mädchen zusammen bin?«

»Vollkommen.«

»Nun, dann muß ich dir leider sagen, daß ich keineswegs so großzügig bin. Mir paßt es nicht, daß du dich mit anderen Männern triffst.«

»Und warum nicht, wenn ich fragen darf?«

»Weil ich mir zu schade bin, mich an der Nase herumführen zu lassen.«

Sie war von seiner heftigen Reaktion überrascht. »Jürgen«, sagte sie, »... wirklich, davon kann doch gar keine Rede sein! Ich ... es ist doch nichts dabei, daß ich etwas anderes vorhabe, wenn du sowieso wegfährst.«

»Woher soll ich wissen, was du tust, wenn du nicht mit mir zusammen bist?«

»Möchtest du's denn?« fragte sie erstaunt.

Er schüttelte über sie den Kopf. »Was für ein merkwürdiges Mädchen du bist! Du hältst mich wohl für ein Stück Holz, für ein völlig gefühlloses Wesen! Aber das bin ich nicht, Bettina, ich bin ein Mensch aus Fleisch und Blut und ich ... liebe dich.«

Sie war so verwirrt, daß sie töricht sagte: »Ich ... aber, das hast du mir nie gesagt!«

»Ich hatte gedacht, du müßtest es wissen. Schließlich kennen wir uns von klein auf, und deshalb ...«

»Gerade deshalb wäre ich nie auf so eine Idee gekommen!«

»Du findest mich wohl lächerlich«, sagte er bitter, »lächerlich oder unverschämt. Ich weiß, daß ein Mädchen wie du ganz andere Männer finden kann als mich. Wahrscheinlich hast du großartige Verehrer, Männer, die dir wirklich etwas bieten können. Es war sehr dumm von mir, dir etwas von ... von meinen Gefühlen zu sagen.«

»Nein, nein gar nicht«, sagte sie rasch, »es ist gut, daß ich es jetzt weiß!«

»Wirklich?« Er ergriff über den Tisch ihre Hand.

»Ja, Jürgen«, sagte sie, ohne seinem ernsten Blick auszuweichen, »nur … ich fürchte, du machst dir ein ganz falsches Bild von mir!«

»Bestimmt nicht, Bettina … ich kenne dich besser, als du selbst!«

Dieses Gespräch änderte merkwürdigerweise nichts an ihren Beziehungen. Jürgen Holbach drängte Bettina zu keiner Entscheidung, er versuchte nicht einmal sie zu küssen. Ihm schien es völlig zu genügen, daß sie jetzt Bescheid wußte.

Nur Bettina begann ihn von nun an mit anderen Augen anzusehen. Sie kannte Jürgen Holbach seit ihrer frühesten Kindheit. Er war immer dagewesen, soweit sie zurückdenken konnte. Erst als Stefan Steutenberg in ihr Leben getreten war, hatten sich die Dinge verändert.

Sie hatte Jürgen Holbach immer gern gehabt, mehr als einmal hatte er sie gegen ihren Pflegebruder Bernd verteidigt. Er war es gewesen, von dem sie sich als kleines Mädchen ihr beschädigtes Spielzeug hatte wieder herrichten lassen. Wenn sie von ihren Kindertagen sprachen, lag nichts Fremdes zwischen ihnen; ihre Erinnerungen stimmten überein oder ergänzten sich.

Selbst als sie Jürgen Holbach nach den Jahren der Trennung unvermutet begegnete, hatte sie in ihm nicht den Mann gesehen, sondern den Jungen, mit dem sie als Kind zusammen gespielt, mit dem zusammen sie die Berufsschule und die Tanzstunde besucht hatte. So sehr sie ihr Hirn auch zermarterte, wollte ihr nichts einfallen, keine Gelegenheit, bei der er gezeigt hatte, daß sie ihm mehr bedeutete als irgendein anderes Mädchen. Glaubte er vielleicht nur deshalb, sie zu lieben, weil sie geheimnisvoll war? Weil er sich nicht vorstellen konnte, wie sie lebte? Weil er sie für reich und sorglos hielt?

Bettina spürte, daß sie ihm nicht länger die Wahrheit vorenthalten durfte. Aber sie fand keine Gelegenheit, sie auszusprechen.

Jürgen Holbach fuhr über das nächste Wochenende, wie er angekündigt hatte, nach Hause. Sie trafen sich am Montag danach.

Er hatte schon an der Normaluhr gestanden, als Bettina kam. Sie stieg nicht aus ihrem Wagen aus, öffnete nur die rechte Tür und ließ ihn einsteigen.

»Wohin?« fragte sie kurz, als sie sich begrüßt hatten.

»Ich möchte in Ruhe mit dir sprechen ...«

»Gut«, sagte sie mit plötzlichem Entschluß, »dann fahren wir zu mir nach Haus!«

Wenn er überrascht war, so zeigte er es doch nicht. Ohne ein Wort zu äußern, zündete er sich eine Zigarette an.

Sie fuhren eine Weile schweigend. Bettina mußte ihre ganze Aufmerksamkeit auf den lebhaften Verkehr konzentrieren.

Dann sagte er unvermittelt: »Ich habe mit meinen Eltern gesprochen, Bettina!«

»Worüber?« fragte sie, ohne den Blick auch nur eine Sekunde von der Fahrbahn zu lassen.

»Über uns natürlich!«

Als sie nichts sagte, fügte er rasch hinzu: »Ich hoffe, du verstehst das nicht falsch, Bettina. Natürlich hätte ich dich auch geheiratet, wenn sie nicht einverstanden gewesen wären. Aber gerade deinetwegen war es mir wichtig, mit meinen Eltern zu reden. Das erleichtert doch manches, gerade für dich. Sie sind ... meine Mutter übrigens fast noch mehr als mein Vater ... sie sind beide sehr glücklich, das heißt, sie würden sehr glücklich sein, wenn du einverstanden wärst. Sie haben dich immer schon liebgehabt, Bettina!«

Ihr beharrliches Schweigen machte ihn stutzig. »Warum sagst du nichts?«

»Etwas spät, sich für meine Meinung zu interessieren ... meinst du nicht auch?«

»Habe ich dich etwa beleidigt?«

»Durchaus nicht. Aber ich finde, daß du ein wenig voreilig gehandelt hast. Du hast mich niemals gefragt, ob ich dich auch heiraten möchte!«

»Nein. Aber das konnte ich doch auch nicht. Nimm doch mal Vernunft an, Bettina. Wer bin ich denn und was habe ich?

Ich kann dir buchstäblich nichts bieten. Auch wenn ich mit der Lehre fertig bin … natürlich verdiene ich dann ganz schön … aber noch nicht soviel, wie du es gewohnt bist. Nur deshalb habe ich mit meinen Eltern gesprochen. Vater wird mich gleich nach der Lehre in seinen Betrieb übernehmen, natürlich werde ich dort wesentlich mehr bekommen. Außerdem kriegen wir auch gleich eine Wohnung … natürlich werde ich dir keinen Luxus bieten können, aber immerhin, ich kann doch für dich sorgen!« Er legte seine Hand auf ihren Arm. »Bettina, sag doch ein Wort!«

»Bitte, stör mich jetzt nicht. Es ist augenblicklich schwierig genug«, sagte sie, und sofort zog er seine Hand zurück.

»Warum willst du mich heiraten?« fragte sie.

»Aber das weißt du doch! Weil ich dich liebe!«

»Bin ich deshalb auch deinen Eltern willkommen? Nur deshalb? Oder weil ich die Tochter meines Vaters bin?«

»Beides, Bettina«, sagte er verständnislos. »Wenn du nicht die Tochter deines Vaters wärst, gäbe es dich ja gar nicht.« Er lachte ein wenig unsicher.

Sie waren gerade die Grafenberger Allee hinuntergefahren; Bettina bog zur Goethestraße ein, bremste, als sie das Haus erreicht hatte, in dem sie ihr möbliertes Zimmer hatte.

»Jürgen«, sagte sie und wandte ihm. ihr schmales Gesicht mit den klaren, weit auseinanderstehenden Augen zu, »ich verspreche dir, alles, was du mir jetzt gesagt hast, zu vergessen. Du brauchst dich in keiner Weise gebunden zu fühlen … es kann nichts gelten, weil du nicht die Wahrheit wußtest.«

Es war das erste Mal, daß Bettina Herrenbesuch, oder, besser gesagt, überhaupt einen Besuch mit nach Hause brachte. Ihre Wirtin, Frau Gerda Schmitz, eine nette Frau, die sich seit ihrer Scheidung etwas mit Zimmervermieten dazuverdiente, empfing sie mit freundlicher Neugier. Sie erbot sich, Tee zu kochen und belegte Brote zu machen. Bettina nahm dankbar an.

In ihrem Zimmer gab es nur einen einzigen Sessel, den sie Jürgen Holbach anbot; sie selber setzte sich auf die überbreite Couch, die ihr nachts auch zum Schlafen diente.

»Wie gefällt's dir?« fragte sie herausfordernd.

»Hübsch«, sagte er gleichgültig.

»Wunderst du dich gar nicht? Ich dachte, du hättest dir mein Zuhause entschieden anders vorgestellt.«

»Stimmt. Aber schließlich ist es völlig egal ...«

»Jürgen, bitte, mach dir doch nichts vor! Du hast mich doch für ein reiches und verwöhntes junges Mädchen gehalten.«

»Tu ich nach wie vor. Ich kann es gut verstehen, daß du dieses Zimmer hier für gemütlicher hältst als...«

»Ich bitte dich, Jürgen! Glaubst du, ich bin irrsinnig?! Ich wohne hier nicht, weil ich es für besonders gemütlich finde, sondern weil es nicht teuer ist. Begreif doch endlich. Ich habe nicht viel Geld, nur das, was ich als Sekretärin verdiene. Bitte, mach jetzt kein Gesicht ... ich weiß, ich hätte dir von Anfang an die Wahrheit sagen sollen, aber ... im Grunde genommen bist du genauso schuld daran wie ich. Du hast mir keine Gelegenheit gegeben!«

»Ich mache dir ja gar keinen Vorwurf, Bettina«, sagte er, »aber du wirst mir doch wohl wenigstens gestatten, daß ich ... ja, wahrhaftig, ich komme mir reichlich dämlich vor. Wieso habe ich nie bemerkt, was mit dir los war?«

»Das konntest du auch nicht, Jürgen«, sagte sie. »Als wir uns das letzte Mal sahen, wußtest du, daß ich einen reichen Vater hatte, der mich in ein vornehmes Schweizer Internat stecken wollte. Wie konntest du wissen, daß das alles längst vorbei ist?!«

»Und warum hast du es mir nicht gesagt?« Er beugte sich vor, faßte sie bei den Schultern, zwang sie, ihn anzusehen. »Warum nicht? Um dich über mich lustig machen zu können?«

»Nein«, sagte Bettina leise, »ich glaube, weil ich Angst hatte, dich zu verlieren!« – Und als sie es sagte, fühlte sie plötzlich, daß es die Wahrheit war.

Frau Schmitz kam mit einem großen Tablett, machte ein paar freundliche, tantenhafte Scherze, stellte den Tee und einen großen Teller mit belegten und hübsch garnierten Broten auf den Kacheltisch, zog sich zurück.

Bettina schenkte ein, bat Jürgen Holbach zuzugreifen. Zu ihrem größten Erstaunen aß er mit gutem Appetit, während sie selber kaum etwas hinunterwürgen konnte. Als er satt war, trug sie das Geschirr zu Frau Schmitz in die Küche, lächelte ein wenig gequält, als die Wirtin ihr zuraunte: »Das ist aber mal ein wirklich netter Junge, Fräulein Steutenberg, da kann man nur gratulieren!«

Jürgen Holbach hatte sich eine Zigarette angezündet, als sie ins Zimmer trat. Sie brachte ihm einen Aschenbecher, ließ sich wieder auf die Couch sinken, sah ihn an.

»Na, wie wär's, wenn du mir jetzt deine ganze Geschichte von Anfang an erzählen würdest, Bettina?« fragte er. »Übrigens, zu meiner Ehrenrettung, mir ist natürlich aufgefallen, daß du mir dauernd ausgewichen bist ... bloß habe ich mir ganz andere Gründe dafür vorgestellt ...«

»Was für Gründe?«

»Lach nicht. Ich dachte ... na etwa, daß du mit irgendeinem reichen Mann verlobt wärst oder so etwas, verstehst du? Es war ziemlich lausig für mich, mußt du wissen. Ich glaube, was du mir jetzt auch immer erzählst ... nichts kann so schlimm sein als das, was ich mir vorgestellt habe!«

Dankbar spürte sie, daß er ihr helfen wollte, suchte nach einem Anfang.

»Also, du bist damals doch in dieses Schweizer Pensionat geflogen, nicht wahr?« fragte er. »Oder stimmt auch das nicht? Warst du gar nicht in Genf?«

»Doch«, sagte sie, »damals war noch alles in Ordnung. Erst nachher ...« Sie begann, die Erlebnisse ihrer letzten Jahre zu erzählen. Sie versuchte, sich so kurz wie möglich zu halten, aber jetzt, da sie zum erstenmal Gelegenheit hatte, ihr Herz zu öffnen, floß ihr der Mund buchstäblich über. Sie erzählte und erzählte und erzählte. Plötzlich schien es ihr selber, als wenn die letzten Jahre ihres Lebens nichts als eine gewaltige Odyssee gewesen wären. Jürgen Holbach hörte ihr aufmerksam zu, stellte hie und da eine Zwischenfrage, an der sie erkannte, wie sehr er versuchte, sie zu verstehen.

Dann hatte sie sich alles von der Seele geredet. Sie schwieg, starrte ihn an, voll banger Erwartung. Ihr war es in diesem Augenblick, als wenn er ein Recht hätte, ein Urteil über sie zu fällen.

»Arme Bettina«, war das einzige, was er sagte, »arme Bettina!«

»Bestimmt bin ich selber schuld an allem«, sagte sie ehrlich, »jedenfalls zu einem großen Teil. Glaub mir, ich habe es mir nicht leicht gemacht, auch jetzt denke ich oft noch immer über alles nach. Aber ich weiß nicht, wie ich es hätte besser machen sollen ... wenn ich nur wüßte ...«

Es wurde leise, aber unverkennbar energisch an die Tür geklopft.

»Ja?« rief Bettina. »Herein!«

Frau Schmitz steckte ihren Kopf ins Zimmer. »Ich störe Sie nur ungern«, sagte sie freundlich, »aber immerhin ... es ist jetzt schon elf Uhr vorbei. Ich glaube, es wird Zeit ...«

Jürgen Holbach erhob sich sofort. »Ja, natürlich. Entschuldigen Sie bitte, Frau Schmitz! Aber wir haben wirklich nicht bemerkt, wie schnell die Zeit vergangen ist!«

»Kein Wunder«, sagte die Wirtin mit einem verständnisinnigen Lächeln, »als ich so jung war ... ich hätte auch niemals gedacht, daß die Ehe mit meinem Hannes so enden würde. Nie!« –

Am nächsten Abend holte Jürgen Holbach Bettina von ihrem Betrieb ab. Es war das erste Mal, daß er das tat, und Bettina nahm es als ein gutes Zeichen.

»Ich bin sehr glücklich, Jürgen«, sagte sie, als sie nebeneinander im Auto saßen, »ich ... noch nie ist ein Mensch so gut zu mir gewesen wie du!« Aus einem Impuls heraus schlang sie die Arme um seinen Hals, bot ihm den Mund.

Er küßte sie mit unerwarteter männlicher Zärtlichkeit, ließ sie erst los, als einige Passanten sehr nahe an ihrem Auto vorbeikamen.

Sie holte Kamm und Spiegel aus ihrer Tasche, brachte ihr Haar in Ordnung.

»Ich hätte zwar Karten für das Palladium bekommen können«, sagte er, »aber ich dachte, wir hätten noch einiges zu besprechen, was wichtiger ist ...«

»Ja?« fragte sie und konnte nicht verhindern, daß ihre Stimme erschrocken klang. »Ich dachte, jetzt, wo du alles weißt ...«

»... müssen wir uns überlegen, was zu tun ist. Vielleicht fährst du in die Altstadt, und wir suchen uns ein kleines, ruhiges Lokal.«

Sie tat, wie er gesagt hatte, aber ihr hochgemutes Gefühl war schon verflogen. Sie war so sicher gewesen, mit ihrer Vergangenheit endgültig fertig zu sein, nun schien es, sollte alles wieder von vorne anfangen.

Sie fanden eine Lücke auf dem Parkplatz in der Nähe des »Goldenen Schlüssels«. Jürgen Holbach führte sie zu einem der kleinen, saubergescheuerten Tische im Hintergrund des großen Raumes. Er bestellte zwei Glas Düssel und für sich selber eine Kleinigkeit zu essen. Bettina hatte keinen Hunger.

»Wenn du glaubst, daß ich mich bei meinem Vater entschuldigen muß«, sagte sie, kaum daß der Kellner gegangen war. »Ich denke nicht daran! Ich will nicht, daß Dotty triumphiert!«

»Sei nicht so ein Dickkopf«, sagte er, »niemand verlangt von dir, daß du dich entschuldigst ... nur melden solltest du dich wieder. Das gehört sich einfach. Außerdem bin ich überzeugt, nach allem, was du mir erzählt hast, daß diese Dotty längst bei ihm abgemeldet ist.«

»Das glaubst du. Du unterschätzt Dotty, sie ist unerhört frech und zäh dazu.«

»Von mir aus. Darüber möchte ich mich nicht mit dir zanken. Ob dein Vater mit Dotty zusammenlebt oder mit seiner Frau oder allein, das spielt überhaupt keine Rolle. Er ist und bleibt dein Vater, nur darauf kommt es an. Und weil er dein Vater ist, hat er ein Recht zu wissen, wo du bist und was du treibst.«

»Ich will nicht«, sagte Bettina.

»Du mußt. Die Sache muß in Ordnung sein, bevor wir heiraten, sonst ...«

»Sonst kriege ich keine Mitgift, meinst du wohl?« fragte sie böse.

»Auch der Gedanke wäre gar nicht so unnatürlich«, sagte er kühl, »obwohl du dich irrst. Ich habe niemals auf eine Mitgift spekuliert.«

»Dann hör auch auf, mir Dinge zu unterstellen!« sagte sie wild. »Ich habe dir alles erzählt, ich habe jetzt kein Geheimnis mehr vor dir, wirklich nicht. Warum kannst du es nicht dabei bewenden lassen? Warum mußt du mich so quälen?«

»Ich will dir ja nur helfen, deine Angelegenheiten in Ordnung zu bringen«, sagte er begütigend. »Du mußt jetzt den Mut aufbringen, dich wieder mit deinem Vater in Verbindung zu setzen, sonst ...«

»Sprich es nur aus! Sonst willst du nichts mit mir zu tun haben!« sagte sie verzweifelt.

Er schüttelte den Kopf, sagte ernsthaft: »Nein. Sonst müßte ich immer Angst haben, daß du mich nach dem kleinsten Streit auch eines Tages sang- und klanglos sitzen läßt, Bettina. Flucht ist nie eine Lösung der Probleme.«

»Aber Vater und Philine und Dotty und Norbert Kuban ... sie alle sind mir doch inzwischen ganz und gar gleichgültig geworden! Warum soll ich ihnen dann noch schreiben? Warum ...«

»Du hör mal, das ist überhaupt gar keine schlechte Idee«, sagte er gelassen. »Wahrhaftig! Schreib allen! Das ist das beste!«

»Nein«, sagte sie, aber ihr Protest klang nicht mehr so überzeugend wie zuvor.

Nachdem sie noch eine Weile hin und her geredet hatten, war sie soweit zu fragen: »Aber was soll ich denn überhaupt schreiben, Jürgen?«

»Ganz einfach. Deshalb brauchst du dir keine Sorgen zu machen. Wir setzen einfach zusammen etwas auf.«

»Aber was? Ich bitte dich, was?«

Jürgen Holbach holte sein Notizbuch aus der Jackentasche

und begann zu kritzeln. »Lieber Vater«, sagte er, hob den Kopf: »Oder hattest du irgendeine bestimmte Anrede für ihn?«

Bettina schüttelte stumm den Kopf.

»Also dann: ›Lieber Vater, du hast lange nichts mehr von mir gehört. Ich fürchte, du hast dir Sorgen um mich gemacht.‹ «

Bettina wollte etwas dazwischenreden, aber Jürgen Holbach schnitt ihr das Wort ab. »Doch, doch, so etwas mußt du schon schreiben, das ist das Mindeste.« Er kritzelte weiter in seinem Notizbuch. »Ich lebe seit einigen Monaten in Düsseldorf, wohne Goethestraße soundsoviel und arbeite in der Firma soundso. Ich fühle mich sehr wohl hier und habe auch schon feste Zukunftspläne. Ich würde mich sehr freuen, bald wieder einmal etwas von dir zu hören. Herzlichst ... in Liebe ... oder was du willst ... Deine ...«

Jürgen riß die Seite aus seinem Notizbuch, reichte sie Bettina über den Tisch. »Sieh es dir an, es ist ganz einfach.«

»Aber warum ...«, begann Bettina noch einmal.

»Weil ich möchte, daß meine Kinder einen Großvater haben, Bettina«, sagte Jürgen Holbach, »und weil ich wünsche, daß meine Frau keine gähnende Lücke in ihrer Vergangenheit hat ... daß sie in Kontakt mit all den Menschen steht, die es gut mit ihr gemeint haben.«

»Aber ...«

Wieder gelang es ihr nicht, ihren Satz zu beenden. »Natürlich war es nur ein Vorschlag«, sagte er ein wenig steif. »Die Entscheidung liegt immer bei dir. Überleg dir die Sache in aller Ruhe. Wir haben ja Zeit. Du hast die Dinge so laufen lassen, daß es jetzt wirklich nicht auf einen Tag früher oder später ankommt.«

XVII.

Bettina hatte Jürgen Holbachs Forderung am Anfang für ganz und gar abwegig gehalten. Sie hatte nicht daran gedacht, seinen Rat zu befolgen. Sie schob den Gedanken daran weit von sich.

Einige Tage später erwachte Bettina mitten in der Nacht.

Sie wußte nicht, was sie geweckt hatte, aber irgendetwas schien sie geradezu erschreckt zu haben. Ihr Herz flatterte, sie war hellwach. Trotz aller Anstrengungen fand sie nicht wieder in den Schlaf zurück. Heller Mondschein fiel durch einen Vorhangspalt in ihr kleines Zimmer, veränderte die Dinge auf gespenstische und sehr eigenartige Weise. Zur mitternächtlichen Stunde sah alles anders aus, nicht nur die Gegenstände, sondern auch die Tatsachen und Erinnerungen schienen sich auf unmerkliche Art und Weise zu verändern.

Bettina wußte selber nicht, wie es kam; plötzlich fühlte sie gradezu ein Bedürfnis, sich mit ihrem Vater in Verbindung zu setzen. Jürgen Holbach hatte ja ganz recht. Wenn er nicht auf ihren Brief antwortete, hatte sie nichts verloren, wenn er sich aber um sie kümmerte, dann – das wußte sie plötzlich – würde sie sich viel glücklicher fühlen.

Bettina sprang aus dem Bett, lief zu ihrem kleinen Schreibtisch und begann in fliegender Eile zu schreiben. Sie brauchte dabei nicht auf den Zettel des Notizbuches zu sehen, den Jürgen Holbach ihr mitgegeben hatte, sie fand die Worte ganz allein.

Auch Philine schrieb sie. »Ich fürchte, ich habe mich sehr undankbar benommen«, schrieb sie. »Ich muß einfach verrückt gewesen sein, ganz und gar durcheinander. Natürlich hattest du mit allem, was du über Norbert Kuban sagtest, vollkommen recht. Ich habe mich wie eine Närrin benommen.«

Nach kurzem Überlegen fügte sie hinzu: »Aber wahrscheinlich muß jeder Mensch seine eigenen Fehler durchstehen.«

Da sie nun einmal so gut im Schreiben war, setzte sie auch noch einen Brief an ihre Stiefschwester Ursula Bürger auf, in dem sie flüchtig ihr langes Schweigen erklärte. Sie schrieb einen Brief an Mademoiselle Legrand und dann auch noch an Bunny, weil ihr plötzlich schien, daß sie sich auch ihr gegenüber rücksichtslos und undankbar benommen hatte.

Als sie alle Umschläge verschlossen hatte, schlich sie sich auf nackten Füßen in die Küche. Sie wußte, daß Frau Schmitz in der mittleren Schublade des Schrankes Briefmarken hatte, fand genügend für alle Briefe. Dann kam ihr der Gedanke, daß es gut sein würde, sie jetzt noch, in der Nacht, in den Kasten zu werfen.

Rasch zog sie Schuhe an, einen Regenmantel über ihren Schlafanzug, steckte die Schlüssel in die Tasche und huschte aus dem Haus.

Als sie wenige Minuten später mit leeren Händen zurückkehrte, fühlte sie sich auf einmal unsagbar müde. Sie schlief ein, kaum daß sie in ihrem Bett lag, und als sie am nächsten Morgen erwachte, wußte sie nicht mehr genau, ob sie die Briefe wirklich geschrieben oder ob sie nur geträumt hatte.

Dann erst fiel ihr alles wieder ein. Sie fühlte sich unendlich erleichtert, stolz, daß sie sich selber überwunden hatte. – –

Bettina hatte, ohne es sich selber zuzugeben, fest damit gerechnet, bald eine Antwort auf ihre Briefe zu erhalten. Aber sie wurde enttäuscht. Die Tage vergingen, ohne daß eine Nachricht sie erreichte.

Jürgen Holbach versuchte sie zu trösten. »Du bist mir die Rechte, Bettina«, sagte er lächelnd, »hast dich bei Nacht und Nebel verdrückt und nie wieder etwas von dir hören lassen, und nun glaubst du, du müßtest Nachricht erhalten. Wart es doch erst mal ab. Du weißt ja gar nicht, in was für einer Situation sie stecken … ob sie überhaupt zu Hause sind und das alles.«

»Natürlich könnte ich mir vorstellen, daß Vater verreist ist«, sagte Bettina nachdenklich, »oder Philine … oder auch Bunny. Aber daß alle …«

Jürgen Holbach unterbrach sie. »Auch wenn du tatsächlich keine Antwort auf deine Briefe bekommst, Bettina, macht das auch nichts. Dann hast du wenigstens von dir aus versucht, die Dinge in Ordnung zu bringen. Du hast ihnen eine Chance gegeben, wieder mit dir in Verbindung zu treten. Du weißt ja, wie wir als Kinder immer gesagt haben … wer nicht will, der hat schon gehabt!«

Bettina sah ein, daß alles, was Jürgen Holbach sagte, richtig war. Trotzdem wuchs ihr Unbehagen von Tag zu Tag. Wenn niemand mehr etwas von ihr wissen wollte, so schien es ihr, dann hätte sie sich ihre Briefe sparen können. Das Schweigen, mit dem man ihr antwortete, war schlimmer und schmerzhafter, als offen ausgesprochene Vorwürfe.

»Ich hätte nicht schreiben sollen«, sagte sie zu Jürgen Holbach, »ich weiß, du hast es gut gemeint, aber ich hätte es nicht tun sollen. Es war ganz falsch. Ich habe schon gewußt, warum ich einen dicken Strich unter die Vergangenheit machen wollte, aber du …«

Er lächelte ungerührt. »Sprich dich nur aus, Bettina. Ich bin an allem schuld. Das kann ich mit Fassung tragen. Wenn ich weiter nichts verschulden sollte in meinem ganzen Leben, habe ich wirklich Glück gehabt.«

Als Bettina eines Abends, wie gewöhnlich, wenn sie nach Hause kam, ihren Kopf in die Küche steckte, bevor sie sich auf ihr Zimmer zurückzog, sagte Frau Schmitz statt einer Begrüßung ziemlich atemlos: »Es ist ein Telegramm für Sie gekommen, Fräulein Bettina. Aus München. Entschuldigen Sie bitte, daß ich es aufgemacht habe, aber ich dachte, es wäre wichtig. Ich habe schon versucht, Sie in Ihrem Büro zu erreichen, aber da waren Sie schon fort.« Sie reichte Bettina den gelben Telegrammbogen.

Bettina las: »EINTREFFE FREITAG MIT LUFTHANSA VIERZEHN UHR FÜNFZIG LOHAUSEN STOP HOFFE SEHR DICH ZU SEHEN STOP ALLES LIEBE NORBERT KUBAN.«

Bettina ließ das Blatt sinken und starrte Frau Schmitz gedankenabwesend an. Sie war blaß geworden.

»Daß Sie den kennen, Fräulein Bettina«, sagte die Wirtin halb bewundernd, halb vorwurfsvoll, »und davon haben Sie mir nie was erzählt. Sieht er in Wirklichkeit so gut aus wie im Film? Kann er tatsächlich so fabelhaft reiten? Ich habe mal gelesen …«

Bettina zwang sich zu einem Lächeln. »Fragen Sie mich nicht, Frau Schmitz, ich habe keine Ahnung.«

»Und das Telegramm? Sie kennen ihn doch?«

Bettina schüttelte den Kopf. »Nein. Leider nicht. Das Ganze ist ein dummer Witz, nichts weiter.«

Als sie das betroffene und enttäuschte Gesicht ihrer Wirtin sah, fügte sie hinzu: »Jedenfalls danke ich Ihnen sehr, daß Sie versucht haben, mich zu verständigen ... aber Sie sehen, es war wirklich nicht wichtig.« – –

In dieser Nacht fand Bettina keinen Schlaf. Sie war überzeugt gewesen, ihr Erlebnis mit Norbert Kuban überwunden zu haben, jetzt, da sie ihn morgen sehen und sprechen sollte, fühlte sie plötzlich, daß die alten Wunden noch längst nicht vernarbt waren.

Bettina war verzweifelt vor Unsicherheit. War es möglich, daß sie Norbert Kuban immer noch liebte? Hatte sie sich vielleicht nur an Jürgen Holbach geklammert, um ihrer Einsamkeit zu entfliehen?

Sie weinte vor Zorn. Sie haßte Norbert Kuban, der so rücksichtslos wieder in ihr Leben einbrach, da sie gerade im Begriff war, Ordnung zu schaffen. Sie haßte sich selber, weil er ihr nicht gleichgültig war.

Warum nur, warum kam er nach Düsseldorf? Warum wollte er sie sprechen? »Alles Liebe«, hatte er telegrafiert. War es ihm ernst damit oder nur eine Floskel?

Bettina wußte nichts. Gar nichts. Ihre Adresse hatte er natürlich durch Bunny erfahren. Aber warum wollte er sie sehen? War es möglich, daß er sich inzwischen doch besonnen hatte, würde er versuchen, sie zurückzuholen?

Unruhig warf sich Bettina in ihrem Bett hin und her.

In wirren Phantasien malte sie sich aus, was Norbert Kuban ihr sagen würde, legte ihm alle jene Worte in den Mund, nach denen sie sich gesehnt und die sie doch nie von ihm gehört hatte.

Wegen ihr, nur wegen ihr kam er nach Düsseldorf. Es mußte doch etwas Wichtiges sein, was er ihr zu sagen hatte. Wenn er sie nun wirklich bat, seine Frau zu werden? Was sollte sie antworten?

Bettina war fest entschlossen, zu Jürgen Holbach zu halten, Norbert Kuban die kalte Schulter zu zeigen. Sie malte sich in leuchtenden Farben aus, wie sie ihn ihre Gleichgültigkeit, ihre Verachtung spüren lassen wollte.

Aber wenn er ihr wirklich nichts bedeutete, warum wollte sie dann zum Flugplatz? War es da nicht besser, auf das Telegramm überhaupt nicht zu reagieren?

Als Bettina am Morgen nach dieser zerquälten Nacht geweckt wurde, glaubte sie kaum ein Auge zugetan zu haben. Übermüdet und völlig zerschlagen fuhr sie ins Büro.

Die erste Sekretärin von Direktor Maiberger, Fräulein Holshausen, fragte besorgt: »Was ist los mit Ihnen, Bettina? Sind Sie krank?«

Einen Augenblick war die Versuchung nahe, zu bejahen, aber Bettina zwang sich, bei der Wahrheit zu bleiben. »Ich habe nur schlecht geschlafen«, sagte sie.

»Ja, so was kenne ich«, sagte Fräulein Holshausen, »ein Glück, daß der Chef heute mittag verreist … da können wir es uns etwas leichter machen.«

Fräulein Holshausen war von Anfang an ausgesprochen nett zu Bettina gewesen. Obwohl sie zehn Jahre älter und beruflich sehr viel erfahrener war, hatte sie nie die Vorgesetzte gespielt. Sie war seit langem verlobt, wollte im nächsten Frühjahr heiraten. Sie sah in Bettina nicht die Konkurrenz, sondern war froh, eine geeignete Nachfolgerin gefunden zu haben.

Bettina wartete ab, bis Direktor Maiberger Fräulein Holshausen zu einer Besprechung in sein Zimmer beorderte. Sie benutzte die Gelegenheit, Jürgen Holbach anzurufen. Sie hatte es noch nie gewagt, ihn während der Arbeit zu stören, denn sie glaubte, daß ihm das unangenehm sein würde.

Tatsächlich, klang seine Stimme fremd und ziemlich kalt, als er sagte: »Ach so, du bist es. Was gibt's?«

»Jürgen«, sagte sie zögernd, »ich habe ein Telegramm bekommen …«

»Von deinem Vater?«

»Nein, von einem Bekannten aus München. Er … er kommt heute mittag mit dem Flugzeug in Lohausen an …«

Es dauerte eine Sekunde, bis Jürgen Holbach sagte: »Ja …?

»Ich weiß nun nicht«, sagte Bettina schnell, »soll ich hinfahren … oder soll ich nicht?«

»Da du mir diese Frage stellst, ist sie auch schon beantwortet!«

»Ich verstehe nicht.«

»Dann denk mal gut nach. Wenn du ihn nicht wiedersehen möchtest, würdest du mich nie gefragt haben, ob du hinfahren sollst.«

»Aber … du verstehst das ganz falsch, Jürgen!« sagte sie hastig. »Mir liegt wirklich nichts dran. Gar nichts!«

»Vielleicht im Augenblick nicht«, sagte er ruhig, »aber wenn du ihn jetzt nicht triffst, wirst du später sicher glauben, eine Gelegenheit verpaßt zu haben.«

»Jürgen … aber …«, stammelte sie.

Er unterbrach sie. »Wir sehen uns dann morgen. Ich hole dich vom Büro ab.«

Er hatte schon eingehängt, ehe Bettina noch etwas äußern konnte. – –

Fräulein Holshausen war ohne Umstände bereit, Bettina den Nachmittag freizugeben. »Sie haben soviel Überstunden gemacht, Kindchen«, sagte sie, »daß es nicht mehr als recht und billig ist, wenn ich Ihnen in einem Sonderfall auch mal frei gebe.«

Bettina hatte als Begründung angegeben, daß eine Freundin von ihr mit dem Flugzeug aus München käme.

Damit das Büro zu keiner Zeit vereinsamt war, pflegten Bettina und Fräulein Holshausen getrennt essen zu gehen. Heute ging Fräulein Holshausen als erste in die Kantine. Sie kam zurück, die Tageszeitung unter dem Arm. »Sagen Sie, mit welchem Flugzeug kommt Ihre Freundin aus München?«

»Mit der Lufthansa«, sagte Bettina, ohne zu verstehen, wo Fräulein Holshausen hinaus wollte, »es landet um vierzehn Uhr fünfzig.«

»Beneidenswert!« Fräulein Holshausen schlug die Zeitung auf. »Stimmt haargenau. Mit derselben Maschine trifft Norbert Kuban in Düsseldorf ein.« Sie tippte auf eine bestimmte Notiz. »Da … lesen Sie selber!«

Bettina war rot und blaß geworden. Fräulein Holshausen bemerkte es wohl, deutete es aber falsch. »Schwärmen Sie auch für ihn, Kindchen? Dafür brauchen Sie sich nicht zu schämen. Norbert Kuban ist der einzige Schauspieler, für den ich eine Schwäche habe. Georg ist manchmal direkt eifersüchtig auf ihn.«

Bettina las den Artikel, auf den Fräulein Holshausen deutete. Es hieß darin, daß Außenaufnahmen zu dem neuen Film »Affekt« am Niederrhein gedreht werden sollten, daß heute die Hauptdarsteller des Films – sie waren namentlich aufgeführt – und der technische Stab gegen drei Uhr mit einer Sondermaschine der Lufthansa in Düsseldorf einträfen. Da man mit dem lebhaften Interesse aller Filmfans rechnete, war für polizeiliche Absperrmaßnahmen bestens gesorgt.

»Passen Sie nur gut auf«, sagte Fräulein Holshausen, »und erzählen Sie mir morgen, was Sie erlebt haben. Bestimmt werden Sie ihn sehen, wenigstens von weitem.«

»Das glaube ich nicht«, sagte Bettina mit starrem Gesicht. »Es handelt sich ja um eine Sondermaschine. Sie wird ganz sicher auf einer weiter entfernten Rollbahn landen.« Sie packte ihre Sachen zusammen und verabschiedete sich rasch.

Aber sie ging weder in die Kantine zum Essen, noch fuhr sie zum Flughafen hinaus. Sie fühlte sich elend und wieder einmal tief gedemütigt.

Warum war sie nicht stark geblieben? Warum hatte sie das Telegramm Norbert Kubans nicht sofort zerrissen? Warum hatte sie sich mit Hoffnungen, Träumen und Sehnsüchten herumgeplagt? Er hatte sie zur Närrin gemacht, und Jürgen Holbach hatte sie durchschaut. Wie sehr mußte er sie jetzt verachten.

Bettina fuhr nach Hause zurück. Mit Erleichterung stellte sie fest, daß die Wohnung leer war. Wahrscheinlich war Frau

Schmitz bei einer ihrer vielen Freundinnen. Sie legte einen Zettel auf den Küchentisch, daß sie nicht gestört zu werden wünschte, nahm zwei Schlaftabletten.

Bevor sie einschlief, galt ihr letzter Gedanke Jürgen Holbach. Morgen würde er sie vom Büro abholen, sie würden sich aussprechen. Sicher wird er alles verstehen und verzeihen.

Es war schwierig, am nächsten Tag Fräulein Holshausens neugierigen Fragen auszuweichen. Bettina war froh, als Direktor Maiberger anrief und ihr durchs Telefon eine Menge wichtiger Anweisungen gab, mit deren Ausführung sie fast den ganzen Tag beschäftigt war.

Sie konnte nicht pünktlich Schluß machen, aber das war nicht weiter schlimm. Jürgen Holbach wußte, daß sie meist erst später ihr Büro verließ.

Bettina beeilte sich, so sehr sie konnte, und kurz vor acht lief sie die breite Treppe hinunter und auf die Straße. Überzeugt, Jürgen Holbach in der nächsten Sekunde vor sich zu sehen, hatte sie schon die Begrüßungsworte auf der Zunge.

Aber er war nicht da. Es dauerte eine ganze Weile, bis sie es begriff. Jürgen Holbach war nicht gekommen.

Bettina überlegte, was nun zu tun war. War er schon dagewesen und wieder gegangen? Vorsichtshalber lief sie zum Pförtner und erkundigte sich, ob nach ihr gefragt worden war.

Aber der Pförtner schüttelte den Kopf. »Tut mir leid, Fräulein Steutenberg, es war niemand da. Jedenfalls ... bei mir hat sich niemand gemeldet. Es kann ja auch sein, daß ...«

Bettina hatte nicht Geduld, den alten Mann bis zu Ende anzuhören. Sie bedankte sich rasch und trat wieder auf die Straße hinaus. Vielleicht hatte Jürgen Holbach sich verspätet, vielleicht hatte er auch geglaubt, daß sie sich nicht vor halb neun freimachen könnte. Bettina brachte es nicht fertig, ohne ihn gesprochen zu haben, nach Hause zu fahren. Sie wartete ungeduldig, lief die Straße auf und ab und ab und auf, ging um die Ecke, um auf dem Parkplatz des Betriebes nach ihrem

Wagen zu sehen, in der zaghaften Hoffnung, daß Jürgen Holbach vielleicht schon dort war. Er war nirgends zu sehen. Eine volle Stunde wartete Bettina. Erst als die Uhr auf dem nahen Kirchturm neunmal schlug, gab sie es auf. Es hatte keinen Sinn mehr. Jürgen Holbach war nicht gekommen, und er würde nicht kommen. Bettina glaubte zu wissen, was das bedeutete. Er konnte ihr nicht verzeihen, wie sie auf Norbert Kubans Telegramm reagiert hatte.

Bettina war nicht böse auf Jürgen Holbach, sie gab ihm in ihrem Inneren recht. Sie wußte, daß sie zum Flughafen hinausgefahren wäre, wenn sie hätte glauben dürfen, daß er ihretwegen gekommen war. Sie war sich nicht einmal sicher, ob sie sich, wenn sie Norbert Kuban Auge in Auge gegenüber gestanden hätte, nicht doch von ihm wieder hätte bezaubern lassen. Sie hatte versagt, und sie mußte dafür bezahlen. Sie hatte Jürgen Holbach, der ihr all sein Vertrauen geschenkt hatte, für immer verloren.

Erst jetzt spürte Bettina mit schmerzhafter Deutlichkeit, wieviel er ihr bedeutete.

Als sie die Tür zu ihrem Zimmer öffnete, sah sie den Brief sofort. Er lag mitten auf dem Kacheltisch, ein länglicher grauer Umschlag. Ihr erster Gedanke war, Jürgen Holbach hätte geschrieben, es wäre sein Abschiedsbrief. Zögernd und mit innerer Überwindung trat sie ins Zimmer, nahm den schweren Umschlag in die Hand. Sie erkannte die Schrift ihres Vaters.

Mit zitternden Fingern riß sie den Umschlag auf, holte den mit einer großen und großzügigen Schrift vollbeschriebenen Bogen heraus. Sie las, und ihre Augen füllten sich mit Tränen. Kein Wort des Vorwurfes schrieb ihr Vater. Aus jeder Zeile sprach Liebe, Verstehen und die große Sorge, die er sich um Bettina gemacht hatte.

»Wir sind sehr glücklich«, schrieb Stefan Steutenberg, »daß Du Dich endlich wieder gemeldet hast, liebes Kind. Natürlich hätten wir dir sofort geantwortet, aber wir waren am Meer. Ich lege dir ein Bildchen von Philine und meinem Sohn bei – ja, Bettina, ich habe einen Sohn, höre und staune! Daß ich mich inzwischen mit Philine wieder versöhnt habe, hattest Du sicher erwartet. Glaube nur nicht, daß wir Dir je böse waren, liebes Kind, dazu hatten wir ja wirklich kein Recht. Du hast ja selber miterlebt, daß wir, obwohl doch viel älter und erfahrener als Du, uns vielleicht noch törichter verhalten haben. Philine hat viel Sehnsucht nach Dir und würde Dich gerne wiedersehen, aber Du kannst Dir vorstellen, daß wegen dem Kleinen – er zahnt gerade – an eine Reise in allzunaher Zukunft nicht zu denken ist. So werde ich denn allein nach Düsseldorf kommen und mir den jungen Mann, für den Du Dich entschieden hast, einmal näher ansehen. Aber denke nur nicht, daß ich Dir in Deine Dinge hineinreden will. Du bist groß genug, Dich selber zu entscheiden. Vielleicht kann ich Euch beiden doch in irgendeiner Form helfen oder raten. Es würde mich jedenfalls sehr freuen …«

Bettina ließ den Brief sinken, und ein heißer Schrecken durchfuhr sie. Stefan Steutenberg würde nach Düsseldorf kommen, er wünschte Jürgen Holbach kennenzulernen. Was mußte er von ihr denken, wenn er erfuhr, daß ihre Freundschaft mit Jürgen schon beendet war?

Bestimmt hatte Philine ihm von ihrer Liebe zu Norbert Kuban erzählt, von dieser Narrheit, in die sie sich verrannt hatte. Bestimmt hatte er über sie gelächelt, wenn er sie nicht verachtete. – Und jetzt auch das noch. Nein, das war mehr, als sie ertagen konnte.

Bettinas erster Impuls war Flucht. Sie riß ihren Koffer vom Schrank, begann zu packen. Sie mußte einsehen, daß nicht die Hälfte der Dinge, die sie sich inzwischen angeschafft hatte, untergebracht werden konnten. Sie war schon nahe daran, auf den Flur hinauszulaufen und sich den Speicherschlüssel zu nehmen – sie wußte, daß Frau Schmitz dort einige große alte Kartons aufbewahrte. Dann plötzlich kam ihr zu Bewußtsein, was für einen Schritt zu tun sie im Begriff war.

Wieder fliehen – wieder ohne Ziel. Wieder alles verlassen – wieder von vorne anfangen. Gab es wirklich keine andere Möglichkeit, mit den Problemen ihres Lebens fertigzuwerden?

Sie erinnerte sich an ein Wort Jürgen Holbachs: Flucht ist nie eine Lösung!

Er hatte recht damit, tausendmal recht. Sie mußte bleiben, mußte es durchstehen.

Aber bei dem Gedanken, ihrem Vater bekennen zu müssen, daß sie wieder einmal versagt, sich wieder einmal geirrt hatte, den einzigen Menschen, der sie wirklich liebte, durch ihre eigene Schuld verloren hatte – ihr Herz krampfte sich zusammen.

Es klingelte an der Wohnungstür. Bettina war entschlossen, nicht zu öffnen. Sie war sicher, daß der späte Besuch nur Frau Schmitz gelten konnte, die, wie sie schon heute morgen beim Frühstück gesagt hatte, heute abend im Kino war.

Es klingelte wieder; aber Bettina reagierte nicht, sie war viel zu sehr um eine gute Entscheidung bemüht, entschlossen, jede Störung von sich fernzuhalten.

Dann hörte sie, wie die Wohnungstür aufgeschlossen wurde, hörte Männerstimmen, und ehe sie noch begriff, was das bedeutete, wurde an ihre Zimmertür geklopft.

Herr Mittendorf, der andere Untermieter von Frau Schmitz steckte seinen Kopf in ihr Zimmer, sagte lächelnd: »Besuch für Sie, Fräulein Bettina. Ich hoffe, Sie werden mir nicht böse sein, daß ich ihn hereingelassen habe. Falls Sie es wünschen, bin ich natürlich gern bereit, den jungen Mann wieder die Treppe hinunterzuwerfen.«

Dann wurde Herr Mittendorf beiseite geschoben, und Jürgen Holbach trat herein. Er schloß die Tür hinter sich. »Warum hast du nicht geöffnet, Bettina?« fragte er.

Sie war so verwirrt, daß ihr keine Antwort einfiel.

»Beim Kofferpacken bist du also?« sagte er und grinste unverhohlen. »So etwas Ähnliches habe ich mir gedacht.«

»Jürgen«, sagte Bettina, »bitte … laß dir doch erklären …«

»Du wolltest wieder einmal fliehen, wie? Was Besseres ist dir nicht eingefallen?«

»Ich … Jürgen, nein, ich wollte wirklich nicht … wohin sollte ich denn?«

»Hast du dir das diesmal wirklich vorher überlegt?«

»Ich war so verzweifelt, Jürgen.«

»Das ist jeder von Zeit zu Zeit. Das gehört zum Menschsein, Bettina. Was glaubst du, wie es aussähe in der Welt, wenn jeder, wenn er verzweifelt ist, gleich Hals über Kopf davonrennen würde?«

Bettina holte tief Luft, zwang sich zur Ruhe. »Du hast vollkommen recht, Jürgen«, sagte sie, »ich habe es inzwischen auch eingesehen. Anscheinend ...« Es gelang ihr ein kleines Lächeln, »... kann das Davonlaufen so eine Art Gewohnheit werden, weißt du.«

»Weshalb wolltest du denn eigentlich fort?«

»Weil ... ich habe mich doch mal wieder so blöd benommen, Jürgen! Wenn ich nicht noch eben rechtzeitig in der Zeitung gelesen hätte, daß Norbert Kuban mit dem ganzen Filmstab in Düsseldorf landen würde ... ich wäre tatsächlich hingefahren.«

»Du bist also nicht?«

»Nein.«

»Aber wenn er deinetwegen gekommen wäre?«

»Ich weiß es nicht, Jürgen. Bitte, quäl mich nicht!«

»Du liebst ihn also noch immer?«

»Nein. Ich ... ich glaube, ich habe ihn nie geliebt. Es war nur ... Verliebtheit ... Schwärmerei, Narrheit, das mußt du mir glauben, Jürgen. Ich ... ich wollte ja auch nicht wegen Norbert Kuban fort, nicht deshalb, sondern ... ich fürchtete, ich hätte dich verloren, Jürgen.«

»Das kannst du glauben, bloß weil ich einmal nicht pünktlich sein konnte?«

»Ich habe gespürt, wie wenig ich deine Liebe verdiene, Jürgen«, sagte sie leise.

Er kam auf sie zu, nahm sie in seine Arme. »Du bist schon ein verrücktes kleines Ding, Bettina«, sagte er zärtlich. »Ob du jemals vernünftig werden wirst wie andere Leute? Nein, du brauchst jetzt nicht rot zu werden, Bettina ... du weißt doch, mir gefällst du, so wie du bist.«

Sie versuchte sich von seinem Griff zu befreien. »Jürgen«, sagte sie unsicher, »ich muß dir etwas sagen … ich … bitte, sei mir nicht böse.«

»Ich weiß genau, was du auf dem Herzen hast, Bettina!« sagte er und sah lächelnd auf sie hinunter. »Willst du's hören?«

»Das kannst du nicht wissen.«

»Doch; denn ich kenne dich. Du machst dir Skrupel, ob du mich auch wirklich liebst, und ob du mich genug liebst, nicht wahr? Ist es das?«

»Ja, Jürgen«, sagte sie erlöst. »Ja! Ich habe Angst, daß ich dich enttäusche.«

»Auch das ist möglich«, sagte er gelassen. »Das Leben hat eine Menge Überraschungen für uns auf Lager. Wir dürfen unserer niemals allzu sicher sein. Aber was macht das. Wir müssen trotzdem den Mut zur Liebe haben … wir müssen es immer wieder wagen.«

»Auch wenn wir verletzt werden und verletzen?« fragte sie leise.

»Auch dann.« Er zog sie fest an sich. »Du mußt nicht glauben, daß ich dich überreden will, Bettina, oder dich zu einer Entscheidung drängen. Wir sind beide noch jung. Wir haben viel, viel Zeit. Ich kann warten, aber eines weiß ich … ich werde nie aufhören, dich zu lieben, und eines Tages wirst du zu mir finden … das ist meine Hoffnung.«

»Ich bin ja bei dir«, sagte sie, »spürst du es denn nicht … ich bin bei dir!«

Sie schmiegte sich in seine Arme, und zum erstenmal seit langer Zeit fühlte sie sich ganz geborgen.

Ende